Gosposia
prawie
do wszystkiego

WITHDRAWN

Monika Szwaja

Gosposia prawie do wszystkiego

Wydawnictwo SOL

SOL OMNIBUS LUCET

Redakcja:
Elżbieta Tyszkiewicz

Redakcja techniczna, typografia, skład i łamanie:
Dominik Trzebiński Du Châteaux
atelier@duchateaux.pl

Korekta:
Katarzyna Nowak

Okładka
Leszek Żebrowski

ISBN 978-83-925879-3-4
Warszawa 2009

Wydawca:

Wydawnictwo SOL
Monika Szwaja
Sławomir Brudny
Mariusz Krzyżanowski
05-600 Grójec, Duży Dół 2a
wydawnictwo@wydawnictwosol.pl

Dystrybucja:

Grupa A5 Sp. z o.o.
92-101 Łódź, ul. Krokusowa 1-3
Tel: (042) 676 49 29
handlowy@grupaa5.com.pl

Druk i oprawa: opolgraf
www.opolgraf.com.pl

Powiastkę tę chciałabym zadedykować moim Czytelnikom, których miałam szczęście spotkać osobiście lub internetowo, a bez których „Gosposia" może nigdy by nie powstała:

– Panu Rafałowi Zielińskiemu – powinnam napisać: pamięci Pana Rafała, ale wierzę, że gdzieś tam z góry zagląda mi w klawiaturę komputera i tak jak się umawialiśmy, pomaga wymyślać postać pewnego starszego pana...

– Pani Magdzie Kulus, osobie niezwykłego charakteru i uroku (koniecznie zajrzyjcie na stronę www.blondyniblondyna.blox.pl); przy okazji Igorowi łapę z szacunkiem ściskam...

– Panom Marineros Zibiemu i Dżeremu, recte Zbigniewowi Koreniowi i Jerzemu Andrzejowi Kornickiemu z podziękowaniem za niezwykłą korespondencję. Pozdrowienia dla wszystkich Panów Mates pływających na offshorach po Morzu Północnym!

Specjalne uściski dla Andrzeja Koryckiego i Dominiki Żukowskiej, którzy wprawdzie nie mają czasu mnie czytać, ale za to jakże pięknie śpiewają rosyjskie ballady, w ten sposób czyniąc świat piękniejszym (bo inaczej, jak pytał Okudżawa, doprawdy, czyż warto na ziemi tej żyć?)...

Monika Szwaja

– Jesteś naszą największą radością – oświadczyła matka tonem podniosłym i otarła ledwie widoczną łzę wzruszenia. Bardzo dbała o swój makijaż i wcale nie miała zamiaru dopuścić, żeby jej się oko rozmazało. Niemniej Maria widziała, że matka naprawdę jest na granicy rozklejenia.

Stali we trójkę – Maria i jej rodzice – pod gigantyczną, jak na warunki domowe, palmą zdobiącą narożnik mieszkania. Mieszkanie też zresztą było gigantyczne, jak wiele podobnych, urządzanych w modnych obecnie loftach. Ten tutaj był swojego czasu sporą fabryczką tekstylną pod Żyrardowem. Fabryczkę kupił za bezcen chytry przedsiębiorca już ładnych kilkanaście lat temu; miał nadzieję, że moda na lofty przyjdzie w końcu i nad Wisłę, a wtedy inwestycja zwróci mu się z nawiązką. Słusznie przewidział, trend przegalopował z zachodu na wschód i rozgościł się, na razie dość nieśmiało, nie tylko nad Wisłą i Odrą, ale też nad Pisią Gągoliną przepływającą przez Żyrardów i okoliczne miejscowości.

Z dziesięciu ogromnych mieszkań urządzonych w starej fabryczce siedem było zajętych. W czterech zamieszkały małżeństwa (dwa z drobnymi dziećmi), w dwóch osoby samotne, a w jednym trzy specjalistki od pijaru, stanowiące podobno zgodną i kochającą się rodzinę, starającą się o adopcję dwojga niemowląt z domu małego dziecka. Wszyscy lokatorzy dojeżdżali do pracy w Warszawie, gdzie zgodnie usiłowali wspiąć się na wyżyny drabiny społecznej... jeśli jako wyznacznik owych wyżyn przyjmiemy kryteria finansowe i towarzyskie. Innymi słowy: byli to młodzi ludzie między niecałą trzydziestką a trzydziestką piątką, zatrudnieni w reklamie, rozmaitych konsultingach, bankach i telewizji. Wyjątkiem był czterdziestoletni lekarz internista tyrający z zapałem w miejscowym szpitalu (atrakcyjne lokum finansowała żona zasobna z domu), a szczególną ozdobą loftu zwanego bezpretensjonalnie Osiedle Tkalnia – prezenterka programów rozrywkowych współpracująca z różnymi stacjami telewizyjnymi i z pewną nonszalancją obnosząca status gwiazdy.

Teraz stała pod drugą palmą, w przeciwległym końcu dawnej hali fabrycznej, zaś mąż Marii, Aleks Strachociński, zaglądał jej głęboko w oczy. Na Marii nie robiło to wrażenia. Aleks zaglądał w oczy wszystkim, miał już taki odruch i nie miało to nic wspólnego z męsko-damskimi instynktami. Po prostu lubił być lubiany, bo nigdy nie wiadomo, kiedy sympatia tego lub owego osobnika mogła się okazać pożyteczna.

W środku był zimnym draniem.

Od jakiegoś czasu Maria wiedziała już o tym, choć zapewne nie potrafiłaby sprecyzować, na czym to jego draństwo polega. Gdyby ją docisnąć, przyznałaby się może do głębokiego przeświadczenia, że jej mąż zdolny jest do popełnienia dowolnego świństwa, byle tylko przyniosło mu wystarczająco dużą korzyść. No i oczywiście musiałoby pozostawać w granicach prawa – Aleks był niesłychanie zdolnym prawnikiem, adwokatem z dziada pradziada... no, w każdym razie tak samo jak jego ojciec, a ten zbił pokaźny majątek, podejmując się – z powodzeniem! – obrony członków rozmaitych wołomińsko-pruszkowskich rodzin, którzy popadli w tarapaty.

Potomek kontynuował dzieło rodziciela, ciesząc się zarówno zaufaniem i wdzięcznością klientów, jak i niechętnym uznaniem przeciwników na sali sądowej, a także samych sędziów.

Maria nie znała szczegółów życia zawodowego męża. Przestrzegał on żelaznej zasady: nie mówił nigdy prywatnie o sprawach służbowych. Stało się to przyczyną pierwszego małżeńskiego nieporozumienia, kiedy Maria zobaczyła własnego męża w telewizji, wypowiadającego się w charakterze adwokata znanego gangstera. Wyraziła zdumienie i natychmiast została ustawiona do pionu... tonem, jakiego nigdy nie słyszała od swojego ślubnego Aleksa. Wstrząsnęło nią to do głębi, ale inteligentny małżonek jeszcze tego samego wieczoru postarał się jej to wynagrodzić.

Byli w sobie naprawdę zakochani.

Aleksowi przeszło to jakby szybciej. Być może dlatego, że pan i władca szybciej nuży się posłuszną niewolnicą niż posłuszna niewolnica panem i władcą. Bycie panem jest seksy. Bycie niewolnicą tylko do pewnego momentu.

Gdyby Aleks albo rodzice Marii, albo jej sąsiedzi usłyszeli, że czuje się niewolnicą, umarliby ze śmiechu. Była panią dwustumetrowego mieszkania, urządzonego tak, jak sama chciała je urządzić – poszło na to mnóstwo pieniędzy, bo jak wiadomo prawdziwa elegancja musi kosztować. Efekt był doskonały. Niemniej doskonałość ma to do siebie, że nie trzeba jej już poprawiać, więc po dwuletniej prawie zabawie w dom Maria straciła zabawkę. Co jakiś czas urządzała przyjęcia, o co prosił ją Aleks, i nawet ją to bawiło, ale tylko na etapie przygotowań. Niekończące się rozmowy o niczym z ludźmi, którzy jej nic a nic nie interesowali (ale mogli przydać się Aleksowi), były niemal tak męczące jak sprzątanie po imprezach. Robiła to sama, ponieważ Aleks nie mógł znieść myśli, że w jego domu będzie grasować jakaś obca osoba – czytaj: pomoc domowa.

– Nie masz przecież nic lepszego do roboty, kochana – przemawiał do żony czule od czasu do czasu. – A mnie się robi słabo, kiedy sobie wyobrażę, jak obca baba, nieznajoma, nie wiadomo skąd, grzebie mi w szufladach i przestawia rzeczy na biurku. Albo w sypialni. Naszej sypialni. Chyba mnie rozumiesz, Mario?

Maria nie miałaby nic przeciw temu, żeby obca osoba trzy razy w tygodniu posprzątała tę ogromną powierzchnię, ale się nie wyrywała z tym poglądem, wiedziała już bowiem, jak reaguje pan mąż, kiedy jest niezadowolony z postawy swojej żony.

Pięć lat temu Maria pracowała na Uniwersytecie Warszawskim i zyskiwała tam coraz większe uznanie jako specjalistka od komparatystyki, czyli literatury porównawczej. Właśnie otworzyła przewód doktorski, kiedy na ślubie przyjaciółki poznała młodego zdolnego adwokata i zakochała się w nim ciężko. Trudno się było w nim nie zakochać. Kobiety na jego widok automatycznie piękniały i wołały chórem: „Ale ciacho!". Aleks jednak nie miał w sobie nic z ptysia. Był typem bardzo męskim, bardzo eleganckim, raczej powściągliwym. Maria nigdy w życiu nie spodziewałaby się, że zwróci uwagę właśnie na nią. Nie brała pod uwagę, bo skąd miała wiedzieć, że jest niemal idealnie w typie Aleksa, który nie lubił kobiet anorektycznych, a preferował istoty wyposażone w ciało, jak to określał. Maria miała tego ciała dość sporo, co ją wpędzało w zrozumiałe kompleksy, no i nagle okazało się to jej największym atutem. Bo nie łudźmy się – na intelekt obiecującej teoretyczki literatury Aleks nie poleciał. Poleciał na pulchne, jedwabiste ciałko, wielkie, zielone oczy i kasztanowe loki prawie do pasa. Maria pogratulowała sobie, że nie zdążyła ich obciąć, co od jakiegoś czasu miała w planie, i rzuciła się głową naprzód w najpiękniejszy romans swojego życia.

Nie da się ukryć – był to naprawdę piękny romans. Hormony po obu stronach grały jak szalone i młodzi ludzie nawet nie zauważyli, że nie za bardzo mają o czym rozmawiać. Nie do rozmów im było. Ślub nastąpił jakieś pół roku po tym, jak się poznali, ku zadowoleniu obu rodzin, a zwłaszcza rodziców panny młodej, którzy byli zdania, że ich córka złapała Pana Boga za nogi. Dla potomkini wielkopolskich kolejarzy, gospodyni domowej Marii de domo Bochenek i nauczyciela historii w liceum, Kaszuba spod Kościerzyny, Władysława Kwiatka, zięć – warszawski adwokat o znakomitej opinii, znanej rodzinie oraz tłustym portfelu stanowił spełnienie marzeń. Tym bardziej że wciąż cierpieli z powodu młodszej córki, Doroty, osoby niezrównoważonej. Dorota nie tylko nie skończyła studiów (nienawidziła medycyny, na którą poszła za usilną namową rodziców), nie tylko zmieniała narzeczonych jak rękawiczki, ale, o zgrozo, stała się rozwódką, po czym z drugim mężem wyjechała na stałe do Ameryki, tam się po raz kolejny rozwiodła i teraz była żoną jakiegoś podejrzanego podobno-inżyniera; o kolejna, jeszcze większa zgrozo, czarnego jak heban i – największa zgrozo – protestanta. Państwo Kwiatkowie, oczywiście, w najmniejszym stopniu nie byli rasistami, nie mieli nic przeciwko czarnym, tylko nie chcieli, żeby ich córka miała czarnego heretyka za męża. Czy to wielkie wymagania?

Po tym strasznym numerze wyciętym przez małą Dorotkę (nie miała jeszcze dwudziestu trzech lat, kiedy zwiała do tej Ameryki, a jej małżeństwa trwały przeciętnie rok), rodzice poważnie zastanawiali się, czy nie zażądać od Marii powrotu z Warszawy, gdzie właśnie dostała etat na uniwersytecie i zaczynała się stabilizować. Ojciec był gotów jechać tam i ściągnąć ją za łeb do Słupska, ostatecznie tu też jest uczelnia... no, nie taki wypasiony uniwersytet... ale też można pracować! Matka okazała więcej rozwagi i przetłumaczyła mężowi, że w stolicy Maria ma większe szanse na dobre zamążpójście. No i wyszło na jej!

Doskonale wydana za mąż Maria, imienniczka matki, babki i prababki, stanowiła balsam na skołatane dusze rodziców. Dwa do trzech razy w roku opuszczali swój skromny domek w Słupsku (nic nie poradzimy tu na grę półsłówek, naprawdę mieszkali w Słupsku, w małym, rozkosznym domku w cieniu starych drzew) i przyjeżdżali w odwiedziny do słuszniejszej córki i jej niezrównanego męża. Maria seniorka kilka dni wcześniej wizytowała znajome gospodarstwa na przedmieściach i w okolicznych wioskach, a potem, ze zmagazynowanymi produktami spożywczymi, okopywała się w kuchni i oddawała orgii gotowania, smażenia i pieczenia. Bagażnik leciwego volkswagena jęczał i płakał, kiedy tonami niemal pakowała do niego najwyższej światowej klasy arcydzieła spożywcze własnego wyrobu. Na bazie tych arcydzieł zyskała sobie wielką sympatię zięcia, który przy całej swojej elegancji był żarłokiem nie lada.

– Powiem mamie w sekrecie, że ożeniłem się z Marią po to, żeby jeść te mamine cuda – powiedział jej kiedyś, a ona uznała to za najlepszy żart na świecie. No i była zachwycona. Z uczciwości jednak podkreśliła, że Maria jest równie dobrą gospodynią.

– Umie wszystko to samo, co ja – powiedziała.

– Prawie wszystko – sprostował zięć z ustami pełnymi rolady z karkówki z morelami i ziołami. – Takiej roladki mi nie robiła.

Przy najbliższej okazji matka nauczyła córkę, jak się robi roladę i jeszcze kilka innych drobiazgów.

Maria bez oporów przyjmowała nauki, ponieważ zawsze była tą „rodzinną" córką i w gruncie rzeczy lubiła bawić się w dom. Z tej przyczyny (oraz z powodu tego nieprzytomnego zakochania) początkowo nawet nie protestowała, kiedy Aleks zasugerował porzucenie przez nią pracy na uniwersytecie w okresie, kiedy kupowali i wyposażali swój żyrardowski loft. Naprawdę chciała uwić gniazdko swojemu przystojnemu mężowi, aby w już uwitym czekać na niego z obiadkami i kolacyjkami... Może nawet warto by od razu postarać się o dziecko – Aleks chciał iść za ciosem, więc przestali się zabezpieczać i rzeczywiście, Maria zaszła w ciążę, która jednak skończyła się poronieniem w czwartym miesiącu. Lekarz stwierdził jakieś drobne niedomagania, które, jak twierdził, dadzą się bez problemu wyleczyć. Podobno nawet je wyleczył, tylko w kolejną ciążę Maria jakoś nie zachodziła. Wtedy nie przejmowali się tym specjalnie, uważając, że jeszcze z tym zdążą.

Dziś Maria uważała, że dobrze się złożyło. Zamierzała bowiem prysnąć z loftu Osiedle Tkalnia.

Jak najdalej.

Decyzja dojrzewała w niej od pewnego czasu. Początkowa wielka namiętność trwała ponad trzy lata i znakomicie zastępowała Marii zdrowy rozsądek. W tym czasie młodzi przeprowadzili się z obszernej willi starszych państwa Strachocińskich na warszawskim Żoliborzu do Tkalni, co pozwoliło Marii na wielomiesięczną znakomitą zabawę w urządzanie mieszkania. W końcu jednak loft osiągnął doskonałość. Jedynym obowiązkiem Marii pozostało sprzątanie (Aleks, jak się rzekło, nie życzył sobie w domu obcej gosposi) oraz gotowanie dla męża-smakosza.

Na dłuższą metę okazało się to śmiertelnie nudne.

Podczas którejś wyprawy po zakupy do Warszawy Maria odwiedziła uniwersytet i swego promotora. Profesor Adam Zarembski ucieszył się szalenie, bowiem bardzo ją zawsze lubił i cenił. Odbyli długą, zabawną i sympatyczną rozmowę przy kawie i ptifurkach u Bliklego. Maria opowiadała o swoim beznadziejnym życiu domowym, a profesor o swoich beznadziejnych doktorantach. Kiedy już po raz setny oboje popłakali się ze śmiechu, z ust profesora padło nieuniknione pytanie:

– No to kiedy pani wraca? Mam już grzać miejsce?

– No to może od nowego roku akademickiego. Pan nie żartuje, panie profesorze?

– Ani mi to w głowie. Stęsknione łono uczelni przyjmie panią jak syna marnotrawnego, surowo, ale z miłością. Osobiście będę szczęśliwy. No i, wnioskując z tego, co mi tu pani mówiła, wreszcie będę miał pracownika, który nie marudzi o podwyżkę.

– Będę marudziła dla zasady.

– Nienawidzę zasad. Pani Maryniu, że się tak wyrażę jak do Połanieckiej, ale ja lubię tę formę... mogę tak?

– Jasne.

– No więc, pani Maryniu, niech mi pani teraz uczciwie powie, co pani właściwie strzeliło do głowy, żeby wtedy od nas odchodzić? Ja wiem, założyła pani rodzinę, ale to przecież nie choroba, mnóstwo osób zakłada i dalej pracuje.

– Na głowę mi padło – wyjaśniła Maria uprzejmie. – Byłam do nieprzytomności zakochana. Był pan kiedy zakochany do nieprzytomności?

– Aż do takiej, nie – odpowiedział ostrożnie profesor. – Ale owszem, zdarzało się robić głupstwa z ciężkiego afektu. No dobrze, najważniejsze, że pani oprzytomniała.

– Potencjał twórczy mi się nazbierał – zaśmiała się. – Boże, nawet pan nie wie, jaki kamień mi z serca spadł! Bałam się, że pan nie będzie chciał ze mną w ogóle gadać, a już naprawdę czułam ostatnio, jak mi szare komórki obumierają miliardami.

– Bardzo się cieszę, że znowu będziemy razem. Ręka, pani Maryniu!

Uścisnęli sobie ręce.

I na tym się, niestety, skończyło.

Tego samego popołudnia Maria opowiedziała Aleksowi o swoim spotkaniu z ulubionym profesorem. Mąż uśmiechał się uprzejmie, dopóki nie dotarła do sprawy zasadniczej.

– Chyba żartujesz – powiedział chłodno.

– Co żartuję? Że chcę wrócić na uniwersytet?

– Właśnie.

– Wcale nie żartuję. Aleks, sam zobacz. Ty stale siedzisz w Warszawie...

– Ja tam nie siedzę, moja droga.

– No, wiem, pracujesz. To ja siedzę. Sprzątam i gotuję. Gotuję i sprzątam. Ile można gotować i sprzątać? Wyobrażasz sobie, że ty żyjesz w ten sposób?

– Oczywiście, że sobie wyobrażam. Gdybyś z nas dwojga to ty miała lepsze wykształcenie, lepszą pracę i większe zarobki, z przyjemnością siedziałbym w domu i oddawał się nieróbstwu.

– Aleks! Proszę, nie nazywaj tego nieróbstwem! Mam cholernie dużo roboty, żeby doprowadzić do błysku tę stodołę!

– No właśnie, więc nie powinnaś się nudzić! Jak będzie wyglądało nasze mieszkanie, kiedy ty zajmiesz się nauczaniem tępych główek czegoś, co w gruncie rzeczy wcale nie będzie im potrzebne? Pożytku ojczyźnie nie przysporzysz, a męża pozbawisz podstawowego komfortu.

– Aleks, czy naprawdę nie możemy zatrudnić gosposi? Tu już wszyscy mają gosposie i nic złego się nie dzieje. Czego ty się boisz?

– Ja się nie boję, Mario. Ja się brzydzę. Jeśli ci za ciężko, powiedz, kupię ci najnowsze kombajny do zamiatania, odkurzania i froterowania, będziesz tylko guziki naciskać. Ale żeby mi obca baba, brudaska, nie daj Boże jakaś, pchała łapy... a może ty byś chciała, żeby ona też gotowała? Zwariowałaś kompletnie. Proszę, nie rozmawiajmy już na ten temat.

Maria jednak chciała rozmawiać na ten temat. Nie zauważyła zmiany wyrazu twarzy swojego męża, którego policzki pokryły się plackowatą purpurą, wargi zacisnęły, a oczy zaczęły rzucać paskudne błyski. Była właśnie w połowie wywodu, który pochwaliłaby każda feministka – wywodu o prawie do rozwoju osobistego człowieka, w tym więc automatycznie kobiety – kiedy mąż, zbladłszy dla odmiany śmiertelnie, zerwał się z fotela, chwycił ją za ramiona i potrząsnął raczej brutalnie.

– Czy ty nie zrozumiałaś, co powiedziałem? Podobno masz dyplom wyższej uczelni! Chyba wyrażałem się jasno? W naszym domu nie będzie obcych bab, od tego mam żonę, żeby o dom zadbała! Tu jest twoje miejsce, nie na żadnych uczelniach, żal się Boże! I przestań wygadywać głupoty, bo mnie doprowadzisz do ostateczności!

– Puść mnie! Co to znaczy, do ostateczności! Zabijesz mnie? Puść, to boli!

– Ma boleć! – warknął. – I lepiej dla ciebie, żebyś nie wiedziała, co to znaczy... głupia krowo!

Zanim Maria zdążyła się zdumieć i oburzyć do głębi, poczuła, że leci. Kochający małżonek cisnął nią z dużą siłą, nie zwracając uwagi na kierunek, jaki jej nadaje. Szczęściem na trasie tego lotu stała rozłożysta kanapa, na której, mówiąc nawiasem, nieraz oddawali się namiętnej małżeńskiej miłości. Maria upadła prosto na nią, impet jednak był tak wielki, że przeturlała się przez poduchy i ostatecznie wylądowała na podłodze, uderzając głową w marmurową kolumienkę, na której stała donica z ogromną paprocią. Kolumienka była solidna, więc tylko się zachwiała, natomiast ciężka, ceramiczna, szkliwiona donica spadła prosto na nieszczęsną ofiarę, nie tłukąc się, tylko obficie siejąc wokół ziemią do kwiatów w najlepszym gatunku.

Mecenas Aleksander Strachociński, który już opuszczał salon, odwrócił się na odgłos upadku i widząc pobojowisko, wybuchnął homerycznym śmiechem.

– Posprzątaj ten syf! – rzucił i wyszedł ostatecznie.

Maria, oszołomiona kompletnie, poleżała jeszcze chwilę na podłodze. Bolała ją potylica, którą trzasnęła w kolumienkę, oraz czoło, w które oberwała donicą. Oczy miała zasypane ziemią. Gdzieś w środku dojrzewał jej wielki krzyk.

Twarda Kaszubka (po ojcu) nie była jednak z tych, które krzyczą. Odzyskała częściowo przytomność umysłu, usiadła z pewnym trudem, stwierdziła, że boli ją właściwie wszystko, może nawet niekoniecznie od upadku, i spróbowała pozbyć się cholernej ziemi z oczu. Potrwało to jakiś czas. Oprzytomniała do reszty i wstała. Zakręciło jej się w głowie i siadła na kanapie.

Tylko raz czuła się podobnie. Było to na balu maturalnym w Słupsku, gdzie ona i jej najbliżsi przyjaciele strąbili się w stopniu nieprzyzwoitym wódeczką czystą, co duszy nie plami, z niewielkim dodatkiem soku z czerwonego grejpfruta. Wtedy też siedziała na krzesełku w szatni i nie bardzo wiedziała, co się właściwie stało. I też świat kręcił się nieprzyjemnie, a przedmioty rozdwajały i roztrajały na przemian.

Pierwszą jako tako przytomną refleksją było, że teraz powinna się popłakać. Na nic podobnego jednak się nie zanosiło. W środku miała kompletną pustkę.

Pustkę, w której kiełkowała zadziwiająca myśl.

Gdyby kiedyś ktoś powiedział Marii, że wielka miłość może skończyć się w jednej chwili, nie uwierzyłaby. Teraz siedziała na brzegu tej samej kanapy, na której, jak już wiemy, lubili się kochać z Aleksem, i nie to, żeby czuła do niego nienawiść. Nie. Po prostu nie czuła już miłości. Miała niejasne wrażenie, że wisi gdzieś w powietrzu, w kosmosie. Dokoła niej coś dźwięczy, coś szumi, zapewne przelatują planety i galaktyki, ale ona generalnie ma to w nosie, niech sobie przelatują, jej to nie przeszkadza.

Poczuła mdłości. Oznaczało to, że należy zebrać siły, przejść te kilka kilometrów do toalety i wypuścić ptaka, bo jeszcze tego brakowało, żeby musiała sprzątać nie tylko ziemię z donicy, ale i własnego pawia.

Spróbowała wstać ponownie, ale tym razem zakręciło jej się w głowie mocniej, po raz drugi spadła z kanapy na podłogę (na szczęście z tej strony nie było żadnych kolumienek), zwymiotowała i zemdlała.

Aleks tymczasem wyjechał już samochodem z garażu z zamiarem oddalenia się od gęsi, która go zdenerwowała całkiem niepotrzebnie. Trochę mu nawet było głupio, ale to w końcu ona wyprowadziła go z równowagi, niech więc się nie dziwi, że lekko wyszedł z siebie. Jak wróci, to ją przeprosi, wyjmie tę schowaną Wdowę Clicquot i przekona Marię, że nie powinna już nigdy więcej tak go stresować.

Uniwersytet! Doktorat! Bzdury.

Portfel.

A, cholera, portfel z pieniędzmi i dokumentami został w domu, w innej marynarce.

Aleks niechętnie wysiadł z wielkiej terenowej toyoty i wrócił do mieszkania.

Marynarkę zostawił na krześle w salonie. Zapewne zastanie Marię przy sprzątaniu tego całego bałaganu... uznał, że na razie nie będzie bawił się w przeprosiny, zostawi to sobie na wieczór, a na razie zaprezentuje minę urażonego pana i władcy. Niech żona zrozumie, jak wielki był jej błąd.

Maria nie miała zamiaru ani sprzątać, ani niczego zrozumieć. Leżała w dziwnej pozycji nie tam, gdzie ją zostawił, tylko po drugiej stronie kanapy. Obok niej leżał paw. Nie ruszała się.

Aleks natychmiast zdenerwował się niebotycznie. Czy jej się wydaje, że on będzie sprzątał to wszystko?

– Nie udawaj! – warknął. – Przecież widzę, że komedię odgrywasz. Rusz się!

Nie ruszyła się.

– Dosyć narozrabiałaś jak na jeden dzień – warknął ponownie, ale już z mniejszym przekonaniem.

Podszedł do żony i ostrożnie, żeby się nie pobrudzić, chwycił ją za ramię i spróbował odwrócić. Otworzyła oczy i zamknęła je. Nie wyglądała dobrze.

– Szlag by trafił!

Aleks wykonał błyskawiczną pracę myślową. Wygląda na to, że potrzebna jest pomoc medyczna. Tu były dwie możliwości. Zawezwać pogotowie, a potem tłumaczyć ratownikom, jak to się stało, że małżonka spadła z kanapy i zrzuciła na siebie sporą

donicę ze sporym kwiatem. Diabli wiedzą, czy nie wyciągnę-
liby jakichś mylnych wniosków. Druga możliwość to szybki
telefon do sąsiada lekarza i błyskawiczna modlitewka, żeby
był w domu. Miejmy nadzieję, że sobie poradzi... internista.
I chyba nie będzie miał głupich myśli, przecież znają się jak
łyse konie... Gdzieżby sąsiad lekarz miał podejrzewać sąsiada
mecenasa o niecne czyny. A może żona pana doktora pomoże
posprzątać te brudy?...

– Jacek, jesteś w domu?

– Cześć, Aleksie. Jestem. A coś ty taki nerwowy?

– Chryste, miałem szczęście. Słuchaj, przyjechałem do domu
i zastałem Marię na podłodze, zarzyganą i nieprzytomną...
musiała spaść z kanapy, bo donica wielka leży na podłodze,
pewnie się napiła pod moją nieobecność, ona trochę pije, nie
mówiłem ci o tym, bo to i nie temat... tą donicą chyba dostała
w głowę... możesz przyjść?

– Lecę.

Doktor Jacek Brudzyński nie zadawał już żadnych zbędnych
pytań, tylko wyłączył się, złapał swoją podstawową torbę i po
kilkunastu sekundach wchodził do mieszkania sąsiada. Przez
ten czas Maria otworzyła oczy, ale na tym jej aktywność się
skończyła.

– Maryś, Maryś, co ty wyprawiasz – zagderał doktor i pochylił się nad nią. – Czekaj, mała, nie ruszaj się. Co się stało,
możesz mi powiedzieć? Uderzyłaś się?

– A prosiłem, nie pij, kiedy mnie nie ma w domu! – Aleks
uważał, że w ten sposób dał żonie wyraźny sygnał, jakiej wersji
ma się trzymać. Miał nadzieję, że nie powie nic głupiego. –
Jacek, może przeniesiemy ją na kanapę...

Lekarz odsunął go niecierpliwym gestem.

– Nie ruszaj jej. Daj poduszkę. Maryś, popatrz mi w oczy!

Po kilkakrotnej próbie Marii udała się ta trudna sztuka.
Lekarz delikatnie obmacywał jej zbolały czerep.

– Nie wiem, jak to zrobiłaś, że masz takie dwa piękne guzy. Oczka ci latają... Dużo wypiłaś? Nieważne zresztą. Leż spokojnie, i tak muszę zawołać posiłki.

Wyciągnął komórkę.

– Doktor Brudzyński z tej strony. Potrzebuję karetkę na Osiedle Tkalnia. Mam tu panią z podejrzeniem wstrząśnienia mózgu... Nie wiem, co z kręgosłupem, nie sądzę, żeby był uszkodzony, ale strzeżonego Pan Bóg strzeże. Czekamy niecierpliwie.

Aleks był głęboko niezadowolony. Na cholerę to pogotowie? Przecież po to wołał tego konowała, żeby uniknąć głupich pytań pogotowiarzy.

– Myślisz, że to naprawdę wstrząs mózgu? Po co te wszystkie korowody? Nie wystarczy położyć ją do łóżka, żeby leżała spokojnie?

– Wstrząśnienie. Mówimy: wstrząśnienie mózgu. Owszem, wszystko wskazuje na to, że je mamy. Aleks, Marysię trzeba zabrać do szpitala i porządnie przebadać. Nie wiadomo, co tam się mogło pouszkadzać. Może jakieś krwiaki powstały, te guzy są ogromne. Widziałeś? Jak połówka dużego jabłka.

– Który? – zdziwił się głupio Aleks.

– Oba – odrzekł sucho lekarz. – Trzeba jej zrobić tomografię... Maryś, hej, nie zasypiaj mi tutaj. Aleks, ty i tak nie masz nic lepszego do roboty, pozbieraj Marysi rzeczy na kilka dni. Piżama, szlafrok, kosmetyki, szczoteczka do zębów. Takie tam. Sam wiesz, co jest potrzebne w szpitalu.

– W życiu nie leżałem w szpitalu...

– To w hotelu. W hotelu leżałeś. Rusz się. Już jadą, byli blisko.

– Pojadę z nią.

– Ja z nią pojadę, a ty możesz dojechać, jeśli chcesz. Położymy ją na neurologii, u mojego kolegi, a ja będę miał na nią oko. Marysia, będę miał na ciebie oko. Cieszysz się? Nie zasypiaj teraz.

– Jacek, to poważne?

– Nie wiem. Na razie zakładamy, że tak. I miejmy nadzieję, że nie.

Przez cały ten czas Maria właściwie nie myślała, choć biedny, wstrząśnięty jej mózg rejestrował kolejne wydarzenia. Pogotowiarze założyli jej usztywniający kołnierz – lekarz wytłumaczył, że to na wszelki wypadek – umieścili na twardych, niewygodnych, deskowatych noszach i zapakowali do karetki. Była zadowolona, że Jacek z nią jedzie. Dawał jakieś nieokreślone, ale przyjemne poczucie bezpieczeństwa.

A Aleks nie. Nie dawał poczucia bezpieczeństwa. Na razie Maria nie wiedziała jeszcze, co zrobić ze swoją świeżo zdobytą wiedzą o ciemnej stronie charakteru męża, postanowiła więc pomyśleć o tym kiedy indziej. Wypróbowany patent Scarlett O'Hary.

Liczne badania, którym poddano ją w szpitalu, wykazały, że kręgosłup jest nienaruszony, krwiaka nie ma, a mózg doznał owego wstrząśnienia (nie wstrząsu, to zapamiętała). Tydzień w szpitalu. I nadzieja, że nic się więcej nie wykluje, bo krwiak w zasadzie owszem, jeszcze może. Najwyrazistszym uczuciem, jakiego doznawała w tej chwili, było coś w rodzaju złośliwej satysfakcji, że teraz Aleks będzie musiał posprzątać bałagan w pokoju. Tydzień z tym nie wytrzyma.

Pojawił się w szpitalu z torbą pełną jej rzeczy. Leżała sama w dwuosobowym pokoju, w przydzielonym sobie łóżku i znowu było jej niedobrze. Kiedy zobaczyła go w drzwiach, jakby jeszcze troszkę jej się pogorszyło. Zamknęła oczy i spróbowała wyglądać jak odrobina zgęszczonego powietrza.

– No cześć, malutka – powiedział czule, siadając na brzegu łóżka. – Jak się czujesz?

– Dobrze – odpowiedziała i zwymiotowała mu na buty. Zerwał się z okrzykiem obrzydzenia, który natychmiast pohamował.

– Jezus Maria, nic ci nie pomogli?! Poczekaj, zawołam jakąś salową czy kogoś, to posprząta.

Wybiegł z pokoju i po chwili wrócił z salową.

– Dobrze, że pani się podniosła do wymiotu – orzekła ta przytomna osoba. – Wcale się pani nie upaprała, ani pościeli, nic. Tylko podłoga. To jest pikuś. Tak mówią moje wnuczki. Pikuś. Zaraz wymyję i śladu nie będzie.

Aleks patrzył z rozpaczą na swoje buty.

– A pan niech idzie do łazienki i wyczyści te trzewiki – poleciła salowa.

Kilka minut później sytuacja była opanowana. Maria leżała spokojnie i konstatowała z niejakim zdziwieniem, że bawi ją myśl o włoskich, zamszowych półbutach męża.

– Ależ narozrabiałaś – zaczął mąż tonem żartobliwie ciepłym. Marii nie chciało się odpowiadać. – Lepiej ci trochę?

– Niespecjalnie – mruknęła. – Wolę nie mówić.

– Nie mów, nie mów – rzucił pospiesznie, odrobinę się odsuwając. – Ja będę mówił. Jestem w końcu adwokatem. – Zaśmiał się nieco fałszywie. – Głupio wyszło. Mam nadzieję, że nie masz mi za złe. Nie chciałem zrobić ci krzywdy. Nie mam pojęcia, jak to się stało, że masz ten wstrząs. Wstrząśnienie. Spadłaś z kanapy czy co?

– Przecież widziałeś. Kazałeś mi posprzątać ten syf.

– No, rzeczywiście. Zapomniałem. Ale bo takiego strachu mi napędziłaś jak nigdy.

– Aleks, przestań...

– Kochana, wybacz, ale nie mogę przestać. Nigdy w życiu tak strasznie nie wyszedłem z siebie. Nie możesz mi robić takich rzeczy. Nie możesz mi grozić, że zostawisz nasz dom na pastwę losu. Dom, który razem urządzaliśmy, razem wymyślaliśmy, który kocham, tak samo jak ciebie kocham...

– Tylko się nie rozpłacz.

Za późno to powiedziała. Aleks właśnie się rozpłakał. Siedział już nie na łóżku, a na taborecie i łzy spływały mu po policzkach. Maria zastanawiała się, czy na sali sądowej jest zdolny do takiego samego cyrku. Naiwniejszych sędziów może to nawet nieźle ruszać.

– Mario moja jedyna, proszę, wybacz. Nie zniósłbym myśli, że mnie nienawidzisz. Powiedz, że tak nie jest. Że mnie nie znienawidziłaś. Tak naprawdę nie wiem, jakim cudem tak zareagowałem. Przecież mnie znasz, wiesz, jaki jestem...

– Teraz już wiem.

– Nie możesz tak o mnie myśleć. Powiem ci coś, kochana moja. Wyzdrowiejesz jak najszybciej, wrócisz do domu, ja tam będę na ciebie czekał...

Maria nie odpowiedziała, tylko spojrzała w stronę drzwi. Aleks poszedł za jej wzrokiem i zobaczył opartego o futrynę doktora Brudzyńskiego. Ciekawe, ile cholerny konował usłyszał z jego ekspiacyjnego zawodzenia.

– Aleks, to miło, że wpadłeś, ale Marysi najbardziej teraz potrzebny jest spokój. Ja bym proponował, żebyś zostawił jej rzeczy, poszedł do domu, strzelił sobie lufę za zdrowie małżonki, a małżonkę zostawił nam. My ją będziemy leczyć, a jak wyleczymy, to ci oddamy.

– Chcesz powiedzieć, że nie wolno mi odwiedzać żony w szpitalu?

– Chcę powiedzieć, że twoja żona jest chora, źle się czuje, potrzebuje odpoczynku. Od ciebie też. Od wszystkiego.

– Ale czy w nocy będzie się nią ktoś opiekował? Może ja wynajmę jakąś pielęgniarkę ekstra...

– Pielęgniarki będą do niej wpadać. Ja też, mam dyżur na mojej internie. Idź już, naprawdę. Tak będzie najlepiej. Jutro przyjdź. Na chwilkę.

Aleks wstał i wciąż demonstrując wielkie niezadowolenie z tego, że oto każą mu odejść od ukochanej żony, wyniósł się z sali.

Doktor Brudzyński usiadł na zwolnionym zydelku.

– Powinno ci już być nieco lepiej, Marysiu.

– Jest mi nieco lepiej.

– Słuchaj, moja droga… Aleks wspominał coś tam o twoim piciu…

Maria nie miała zamiaru prostować wersji swojego męża. Ten cały Jacek to przecież jego koleżka najlepszy od golfa, i na tenisa razem latają… nie ma sensu żadne prostowanie. Skinęła tylko głową, nie otwierając oczu.

– Teraz też byłaś po alkoholu?

– Tak.

– Maryś – odezwał się lekarz tonem tak ciepłym, że Maria z zaskoczenia otworzyła oczy. – Co ty mi tu chrzanisz, dziewczyno? Gdzie twoja inteligencja, która mi się tak u ciebie zawsze podobała?

– Co ma wspólnego picie z inteligencją?

– Niewiele. Zauważyłaś może, że robiliśmy ci tutaj różne badania, prawda? Pobierały ci krew nasze dziewczyny?

– Badaliście zawartość alkoholu? – Maria nie powstrzymała uśmiechu.

– No, poprawia ci się. Oczywiście, że badaliśmy. W życiu nie widziałem nikogo trzeźwiejszego. Ponieważ nie zaprzeczyłaś oczywistej nieprawdzie, doszedłem do wniosku, że to Aleks tak cię urządził. Dlaczego?

Maria skrzywiła się.

– Różnica zdań na temat pojmowania roli żony. Powiedziałam mu, że chcę wrócić na uniwersytet. Zdenerwował się i rzucił mnie na kanapę, tylko zrobił to dość mocno… – Zaczęła się śmiać. Trochę przypominało to szloch. – Żałuj, że tego nie widziałeś. Jak u Disneya. Walnęłam głową w kolumienkę, a z niej zleciała mi na czółko donica z dużym kwiatkiem. Chyba miałam szczęście, że Aleks wrócił.

– Trochę miałaś, bo pewnie dotąd byś tam leżała. Ale mnie to wcale nie śmieszy. Maryś, tak naprawdę powinienem zawiadomić policję.

– A możesz nie zawiadamiać?

– Myślałem o tym. Jeśli zawiadomię, to i tak niewiele zmieni, a twój mąż zrobi ci piekło, co?

– Nie wiem. Nigdy nie robił mi specjalnego piekła.

– Do dzisiaj.

– No tak. Słuchaj, Jacek, jeśli możesz, to nie zawiadamiaj. Ja muszę sobie to wszystko poukładać. Sama. Na razie średnio mi się myśli. Boli mnie głowa. Cała jestem rozbita.

– Dobrze. Nie zawiadomię. Ale pamiętaj, jakbyś potrzebowała, to my tu oboje wiemy, jak było naprawdę. I mamy te kwity z laboratorium. Ja nie jestem za tym, żeby mężowie ciskali żonami po pokoju.

W ciągu następnego tygodnia Maria, którą powoli przestawała boleć głowa, wiele sobie przemyślała. Przypomniała sobie te wszystkie sytuacje, kiedy Aleks okazywał jej zniecierpliwienie albo ją żartobliwie strofował. Działo się tak zawsze wtedy, kiedy miała inne zdanie niż on. W dowolnej sprawie. Zawsze w końcu poddawała się i zgadzała z Aleksem, który tak cudownie potrafił być zadowolonym mężem. Bo przecież był również szalenie pociągającym mężem. Mężem cudownym w łóżku. Marię bawiło to wyciąganie świetnych szampanów z tajnych schowków, tanga-przytulanga na środku wielkiego salonu, ostateczne i spontaniczne godzenie się (czytaj: jej ustąpienie) na kanapie... tej samej, cholera, kanapie.

Po raz pierwszy zamierzała postawić na swoim, a on to zrozumiał. I ani mu się śniło na to pozwolić.

Najbardziej wciąż zdumiewał Marię fakt, że namiętna miłość, którą żywiła do swojego przystojnego męża, znikła, jakby jej nigdy nie było. Aleks po prostu przestał istnieć. Pojawił się jakiś kompletnie obcy facet. Maria nie wiedziała, czy powinna ten fakt jakoś opłakać albo przynajmniej pożałować, w końcu kilka lat byli razem i ona była szczęśliwa...

I co, i teraz wróci do domu, jakby nic się nie stało, i dalej będzie szczęśliwa?

Pod koniec pobytu w szpitalu (przepłakała cztery noce, a trzy całkiem spokojnie przespała) Maria postanowiła dać sobie jeszcze trochę czasu na myślenie. Tyle, ile będzie trzeba.

W dniu, w którym świętowali w gronie przyjaciół i rodziny czwartą rocznicę ślubu, decyzję miała już sprecyzowaną, a nawet pewne kroki podjęte. Po tej imprezie już nie posprząta.

Oczywiście nie była taką idiotką, żeby zwierzyć się Aleksowi ze swoich zamiarów i znowu wylądować w szpitalu. Nie mówiła też nic rodzicom, zachwyconym i dumnym z jednej przynajmniej córki. Istniała duża szansa, że natychmiast polecieliby do zięcia błagać, żeby przemówił jej do rozumu. Postanowiła jednak wtajemniczyć Jacka. Wydawało jej się, że jest mu to winna. Od tamtego wypadku czuła do niego dużą sympatię, była mu też zobowiązana i za opiekę, i za milczenie. Widzieli się potem kilka razy w jakimś przelocie, w okolicy domu albo na zakupach w miejscowym sklepiku. Właściwie nawet nie rozmawiali z sobą, on ją zazwyczaj pytał o samopoczucie, wymieniali uwagi o pogodzie i wracali do swoich wielkich mieszkań w starej tkalni. Skończyły się natomiast wspólne treningi Jacka i Aleksa, ale to też nie stało się tematem do rozmów.

Maria nalała do czterech szklaneczek półwytrawnego ponczu własnego pomysłu, wetknęła do nich niedbale jakieś parasolki, postawiła to wszystko na tacy i podeszła do Jacka, stojącego przy oknie w towarzystwie dwóch sąsiadów architektów.

– Odbijany – powiedziała z uśmiechem. – Czy mogę zabrać wam doktorka? Przyniosłam wam na pociechę ponczyk. Nie bójcie się, nie jest bardzo słodki. Musicie spróbować, sama go skomponowałam. Tylko uważajcie, dosypałam pieprzu. Jeśli się wam spodoba, dostaniecie przepis.

Architekci, śmiejąc się, poszli ze swoimi drinkami w kierunku gospodarza emablującego prezenterkę, a Maria przysiadła na szerokim parapecie.

– Pięknie wyglądasz na tle zachodzącego słońca – zauważył uprzejmie Jacek. – Trochę się boję twojego ponczu... po tych wszystkich łyskaczach. Ale co tam, jutro mam wolne, nie skrzywdzę żadnego pacjenta. Twoje zdrowie.

– I twoje. Słuchaj uważnie, bo chcę ci uczynić zwierzenie.

Doktor podniósł artystycznie jedną brew.

– Jestem do twojej dyspozycji. Zwierzaj się. Czy to jest to, o czym ja myślę?

– Nie wiem, o czym myślisz. Zamierzam wyjechać. Rozumiesz, że nie informowałam Aleksa o tym pomyśle. Nikogo nie informowałam. Właśnie robię jedyny wyjątek.

– Jestem zaszczycony – powiedział miękko.

– Wciąż jestem ci wdzięczna, wiesz za co. Uważam, że jesteś moim przyjacielem. Ostatnio w ogóle jedynym. Masz pojęcie, dopiero po tej historii kanapowej, co to wiesz...

– Wiem.

– Zorientowałam się, że pozrywałam wszystkie dawne kontakty. Aleks zastępował mi cały świat. Miłość padła mi na mózg i dopiero wstrząs... to znaczy wstrząśnienie tego mózgu, pamiętam, że wy tak mówicie... ono dopiero otworzyło mi oczy.

– Nie powinienem cię o to pytać, ale przemyślałaś wszystko dokładnie?

– Przemyślałam.

– Zażądasz rozwodu?

– Na razie wyjadę.

– Zostawisz mu wszystko?

– Nie do końca. Zabiorę mu trochę pieniędzy. Zabiorę mój samochód. Jak się zainstaluję, zadzwonię do niego. Ale nie będę mu podawać miejsca pobytu. Zobaczymy, jak się sytuacja rozwinie.

– A ty już sama wiesz, dokąd chcesz uciec?

– Mam pewne pomysły. Na pewno nie do Warszawy, tam bym stale na niego wpadała, a jeśli nawet nie, to łatwo by mnie znalazł. Trudno, zrezygnuję na razie z uniwersytetu. Chcę sobie teraz zrobić tydzień urlopu, przez ten tydzień ostatecznie ustalę plany.

– Masz się na kim oprzeć? Do kogo pojechać? Do mamy i taty?

– Mama i tata wykluczeni, uwielbiają Aleksa i nigdy by mi nie uwierzyli w to, że mnie pobił, a jakby nawet uwierzyli, toby uznali, że go sprowokowałam. Żal mi ich, są strasznie dumni ze mnie. Z powodu mojego małżeństwa, nie ze mnie osobiście. Nie wiem jeszcze, gdzie wyląduję. Gdzieś na pewno.

– Zadzwonisz do mnie też?

– A chcesz?

– Chciałbym wiedzieć, jak ci się powodzi.

– To zadzwonię. Jacek, a dlaczego właściwie przyszedłeś bez żony?

Pytanie było trochę nietaktowne, ale Maria, odkąd zdecydowała się na zniknięcie z dawnego życia, stała się odważniejsza... również w zakresie nietaktownych pytań.

Jacek nie miał jej za złe.

– Rozwodzimy się z Kasią. Niedługo też wyprowadzę się z tej całej Tkalni.

– Boże, przepraszam cię!

– Nie przepraszaj, nie ma za co. Nam się już od roku psuło. Kasia miała zawsze swoje własne życie, teraz ma też jakiegoś palanta... nie śmiej się, naprawdę straszny palant, rozmawiałem z nim kiedyś. To scenograf telewizyjny. Głupi jak but, a zdolności, popatrz, ma. I dobre te scenografie robi. A moja Kasia architektka, to się dogadali. Ze mną nie miała o czym rozmawiać. Ja w teatrze zasypiam, wolę łono natury, byle jaką łączkę zieloną. A ona naturę ma w nosie... Rozstajemy się w przyjaźni.

– Macie szczęście.

– W sumie takie sobie. Ale na pewno większe niż ty. Mam nadzieję, że teraz ci się odwróci.

∾

Maria też miała nadzieję, że teraz jej się odwróci. Zaczęła już działać w tej sprawie. Przyjątko skończyło się koło północy, goście rozeszli się do własnych domów, a rodzice Marii, kontenci bardzo, odpłynęli na fali szczęścia i dumy z córki do gościnnego pokoju. Aleks oddał tego wieczoru sprawiedliwość zarówno ponczowi swojej żony, jak i Wdowie Clicquot wyciągniętej z szafki na okoliczność rocznicową, a poza tym cały wieczór popijał swojego ulubionego Glenfiddicha – był więc w doskonałym nastroju i miał ochotę na amory, jednak wszystkie wypite trunki zmówiły się złośliwie przeciw niemu i spełnienie zamiaru uniemożliwiły. Zasnął w małżeńskim łożu, zanim zdążył wypowiedzieć władcze: „Chodź tu do mnie, kochanie".

Maria była zadowolona z takiego obrotu spraw. Od swojego powrotu ze szpitala kilka razy kochała się z Aleksem (o ile można użyć tego określenia) – bez przyjemności, bez satysfakcji, właściwie bez żadnych uczuć. Przeważnie jednak w odpowiedzi na jego zaproszenia do figielków skarżyła się na nieznośny ból uszkodzonej głowy. Dopiero niedawno Aleks zaczął dochodzić do wniosku, że ona chyba kręci. Ona sama zaś zadawała sobie pytanie – czy ta zimna obojętność wobec niego rozciągnie jej się na wszystkich facetów?

Na razie nie miała ochoty tego sprawdzać.

Zostawiła odłogiem cały przyjęciowy bałagan i zrobiła sobie pachnącą, relaksującą kąpiel w ziołach, solach i aromatach.

Umyła głowę i położyła na twarzy odżywczą maseczkę. Śpiący snem sprawiedliwego Aleks nie miał pojęcia, że jego żona właśnie zaczyna nowe życie... nie to, żeby przedtem się nie kąpała: tę kąpiel jednak potraktowała symbolicznie, jakby sole i szampony miały zmyć z niej resztę stresów ostatnich miesięcy.

Oczywiście nic podobnego nie zrobiły, ale Maria wolała tak właśnie myśleć.

Małżeńskie łoże mieli tak szerokie, że jeśli chcieli, mogli spać całkiem daleko od siebie. Dzisiaj ona tak chciała.

Rankami zazwyczaj wstawała wcześniej, aby zrobić doskonałe śniadanie – Aleks lubił wyjeżdżać do Warszawy, do pracy solidnie pokrzepiony – tym razem nawet się nie ruszyła z posłania. W podobnych przypadkach ściągał ją z łóżka niby to żartobliwie, ale bezwzględnie; teraz głupio mu było wobec teściowej, która od bladego świtu z pieśnią na ustach smażyła bekonik od znajomego rzeźnika i jajeczka od miejscowych kur, siekała szczypiorek i rzodkiewki, mieszała ze świeżutkim twarożkiem, parzyła wonną kawę i układała w misterny stosik bułeczki, po które zdążyła już polecieć do piekarni.

Pan mecenas nażarł się tego wszystkiego jak pyton, podziękował wylewnie teściowej, całując ją po rączkach, wydzwonił taksówkę (nie był pewien swoich promili), zabrał wielką czarną tekę i tyle go było.

Maria uznała, że może już wstać. Rozanielona wciąż mamunia dosmażyła jej jajeczniczki, chwaląc wciąż wczorajszy wieczór, jego ogólną wytworność, widocznie wysoki status gości i nade wszystko zięcia. Maria poprzestała na uprzejmych uśmiechach, co pozwoliło mamuni przypuszczać, że córkę męczy kac. Nie wymagała więc od niej udziału w konwersacji, zresztą sama gadała wystarczająco dużo.

Po śniadaniu Maria wzięła orzeźwiający prysznic, rzuciła na twarz delikatny makijaż i zasiadła do komputera. Korzystając z nieocenionej bankowości elektronicznej, przelała pewną sumę z małżeńskiego konta na świeżo założone własne. Sympatyczny pan w banku wyjaśnił jej kilka dni temu, że może tak zrobić, bowiem oboje z mężem dysponują kontem na równych prawach. Mąż wprawdzie będzie znał numer konta, na które poszły pieniądze, nic mu jednak ta wiedza nie da, bo to jej osobiste konto, a on nie będzie mógł go ruszyć palcem.

Trochę jej się przy tej operacji trzęsły ręce, a gdzieś w uszach dzwoniło nieprzyjemnie. Wzięła jednak głęboki oddech i zrobiła, co zamierzała.

– Co robisz tak od rana? – Matka zabierała się właśnie do sprzątania pobojowiska w salonie i chętnie widziałaby jakąś pomoc. – Lepiej chodź tu do mnie! Ja nie wszystko wiem, co gdzie poustawiać, co można w zmywarce, a co nie...

– Dawaj wszystko do zmywarki. – Wraz z miłością do męża wygasła Marii miłość do starej angielskiej porcelany, którą dotąd traktowała z ostrożnym szacunkiem. – Ja muszę popłacić rachunki, bo dzisiaj mija termin.

W zasadzie nie kłamałam, załatwiam rachunki – pomyślała i kontynuowała dzieło. Teraz należało napisać list do Aleksa.

„Drogi Aleksie. Moja mama już Ci na pewno powiedziała, że wyjechałam. Traktuj to jako rozstanie. Rozwód załatwimy za jakiś czas, jak dojrzeję. Na razie najpilniejszą dla mnie sprawą jest oddalenie się od Ciebie. Nie miałam pojęcia, że miłość może zniknąć w jednej chwili – domyślasz się, która to była chwila. Kochałam Cię naprawdę przez te wszystkie lata i nawet byłam szczęśliwa jako Twoja żona. Nie mogę jednak Cię kochać, kiedy już wiem, do czego potrafisz się posunąć. Nie mogę Cię kochać, skoro zamierzasz mnie traktować jak swoją własność, a nie jak człowieka. Nie rozumiesz mnie i nigdy nie miałeś zamiaru zrozumieć. Myślę też, że nigdy mnie naprawdę nie kochałeś.

Nie jest mi z tym łatwo ani przyjemnie żyć – ale będę musiała się nauczyć. Mam nadzieję, że za jakiś czas będę pamiętała głównie to, co między nami było dobre. Na razie jestem pod wrażeniem tego, co mi uświadomiłeś: że cztery lata byłam Twoją gejszą, kucharką, sprzątaczką, hostessą, panienką od seksu.

Wypłaciłam sobie honoraria za tę pracę. Ponieważ byłam dyspozycyjna dwadzieścia cztery godziny na dobę, przyjęłam stawkę miesięczną, jak dla stałej gosposi, a nie od godziny. Wielofunkcyjną gosposię nasi sąsiedzi Witkowscy (pamiętasz, mieszkali rok w tym mieszkaniu, do którego potem wprowadzili się Brudzyńscy) mieli za trzy tysiące miesięcznie. Z tych trzech tysięcy odliczyłam półtora na jedzenie, kiecki, kosmetyki, prąd, gaz i wodę. I co tam jeszcze. Wyszło półtora miesięcznie – przez czterdzieści osiem miesięcy to daje siedemdziesiąt dwa tysiące. Tyle właśnie przelałam sobie z naszego konta na moje własne. Zostało Ci jeszcze dwadzieścia siedem, ale szybko dorobisz, jak znam życie.

Zabieram też yarisa. Doceń, że zostawiam Ci land cruisera, a przydałby mi się jego bagażnik... będę się musiała ograniczać.

Uważam, że całkiem sporo Ci na pociechę zostaje – sam nasz lofcik wart jest, nie wiem ile, ale bardzo dużo, a jeszcze te wszystkie antyki i obrazki na ścianach... nie zginiesz. O rozwód wystąpię za jakiś czas. Gdybyś chciał mi robić jakieś trudności, pamiętaj, że tydzień leżałam na neurologii pobita przez Ciebie, a gdybyś jeszcze chciał wmawiać komuś, że się strąbiłam i zaatakowałam doniczkę po pijanemu – nie zapominaj, że w szpitalnej dokumentacji jest wynik mojego badania krwi stwierdzającego, że byłam trzeźwa – wbrew temu, co głosiłeś wszem i wobec.

Nie wiem jeszcze, gdzie ostatecznie osiądę. Nie szukaj mnie. Sama Cię znajdę, jak uznam, że pora na zalegalizowanie rozwodu. Wtedy też wezmę resztę moich rzeczy. Nie wyrzucaj ich, proszę. Gdybyś jednak chciał to zrobić, daj znać, zabiorę je szybciej.

Komórkę i adres mailowy sobie zmieniam, więc nie pisz, bo nie odpowiem. Jak sobie kupię nowy telefon i zastrzegę numer, to się odezwę.

Nie jest mi dobrze z tym, co robię. Ale byłoby znacznie gorzej, gdybym tego nie zrobiła.

Zostawiam Ci moich zdziwionych rodziców. Oni nic nie wiedzieli, więc jakby co, to się na nich nie wyżywaj. Jutro i tak mają wracać do Słupska. A jeśli okażesz uprzejmość mojej mamie, to zrobi Ci genialną kolacyjkę na pocieszenie.

No to żegnaj".

Wydrukowała list, podpisała i położyła na biurku Aleksa.

Ignorując wołania matki, poszła do garderoby i załadowała ubraniami trzy duże torby. Do czwartej włożyła kilka książek, trochę swoich papierów, notatek i dokumentów, kosmetyki, jakieś drobiazgi, bez których nie chciała odjeżdżać. Zniosła wszystko do garażu i z pewnym trudem upchnęła do małej toyoty.

– A co ty robisz, dziecko? Naprawdę, mogłabyś mi pomóc! Chodź, ojciec się wylągł wreszcie, zrobiłam świeżej kawy, napijemy się wszyscy. Są jeszcze te nadzwyczajne ciasteczka z wczoraj.

– Zaraz wam wszystko wyjaśnię, mamo. Kawa, genialny pomysł. Już lecę.

Tata Kwiatek w szlafroku i kapciach rozsiadał się właśnie przy stole. Mama Kwiatkowa nalewała kawę i rozstawiała talerzyki na ciastka. Oboje konsekwentnie od wczoraj promienieli.

Marii zrobiło się ich żal. Zaraz zrobi im potężną przykrość.

– Słuchajcie, kochani... mamo, tato. Głupio mi strasznie, ale muszę wam coś powiedzieć.

Matka znieruchomiała z dzbankiem uniesionym nad filiżankę. Ojciec jakby się nachmurzył.

– Mareszko... – Tak mówił do niej dziadek Kwiatek, a w wyjątkowych chwilach i ojcu się zdarzało. – My chyba wiemy, co nam chcesz powiedzieć.

– Marysiu, nic się nie martw – wtrąciła szybko matka. – To się zdarza. My cię nie potępimy.

– To świetnie, że mnie nie potępicie – powiedziała Maria, zdumiona niebotycznie. – Tylko, na Boga, skąd wiecie? Przecież nic nikomu nie mówiłam na ten temat. – Zastanowiła się przez chwilę i nagle zrobiło jej się nieprzyjemnie. – Jacek wam powiedział?

– Kto to jest Jacek?

– Nasz sąsiad, doktor Brudzyński. Był wczoraj. Ten wysoki, ciemny typek.

Ojciec pokiwał głową ze zrozumieniem.

– Ach, ten. Leczysz się u niego, prawda? Ale on nam nic nie mówił. Przecież na pewno obowiązuje go tajemnica lekarska. Aleks nam powiedział. On cię bardzo kocha.

Teraz Maria osłupiała na dobre.

– Chwila. Ja zwariowałam. Zacznijmy od początku. Co uważacie, że wiecie?

Twarz mamy Kwiatkowej pokryła się ciemnym rumieńcem. Matka spuściła oczy, jakby rzecz była niesłychanie wstydliwa.

– Wiemy, że pijesz – powiedział ojciec cichym głosem, ze wzrokiem wbitym w okno.

– Ale jeśli zaczęłaś się leczyć, to wszystko będzie dobrze – dodała szybko matka. – Marysiu, nie martw się. Aleks ci pomoże, my pomożemy. Dasz radę. Wczoraj widziałam, jak się dzielnie ograniczałaś. Szklaneczka ponczu, nawet niepełna... i trochę szampana... Ale tak naprawdę to chyba w ogóle nie powinnaś...

– Mamo! Obserwowałaś, ile ja piję?

– Bałam się o ciebie...

– Chryste Panie! To jakaś paranoja kompletna... Dajcie tej kawy...

Maria wypiła filiżankę mocnej kawy i udało jej się opanować.

– Mamo, tato. Posłuchajcie mnie, proszę, uważnie. Aleks wam skłamał. Ja nie piję i nigdy nie piłam. W sensie nałogu.

Sami wczoraj widzieliście. Tato, nie przerywaj, błagam. Chciałam wam powiedzieć zupełnie coś innego. Odchodzę od Aleksa.

– Zwariowałaś!

– Nie zwariowałam. Aleks powiedział wam, że piję, to samo powiedział w szpitalu, kiedy miałam wstrząśnienie mózgu... a miałam je, bo mnie pobił. Nie dosłownie, rzucił mnie, a ja trafiłam głową w kolumienkę z kwiatem. Ten kwiat na mnie zleciał...

– Przecież nie masz tu żadnej kolumienki! – Ojciec rozejrzał się po salonie.

– Wymieniłam ją na palmę. Ale była kolumienka, na niej stała taka wielka paproć orlica.

– Ale dlaczego Aleks miałby to zrobić? On nam to też opowiedział. Wrócił do domu, zastał bałagan i kompletnie pijaną żonę. Mario, nie mówiłem ci, ale wstyd mi za ciebie! Po co kłamiesz? My jesteśmy z tobą.

– Tato, jakie ze mną? Jesteście z Aleksem, nie ze mną! Aleks nie chciał się zgodzić, żebym wróciła na uniwersytet, bo on chce mnie mieć tu w charakterze służącej! Gosposi do wszystkiego! A ja muszę mieć jakieś własne życie, bo oszaleję! A poza tym nie mogę być żoną faceta, który mną ciska o podłogę!...

Maria spojrzała na swoich rodziców i w ich spojrzeniach dostrzegła coś, co ją przeraziło.

– Nie wierzycie mi, co?

– Nie wierzymy, córeczko – wyszeptała matka. – My wiemy, że alkoholicy szukają sobie usprawiedliwień.

– Jasny szlag by to trafił!

– Nie wyrażaj się! – W domach Bochenków i Kwiatków nie używano tak zwanych brzydkich wyrazów, a słowo „głupi" stanowiło najstraszniejszą obelgę.

– Boże jedyny... to znaczy, że mi nie pomożecie...

– I nie używaj imienia Boga nadaremno – ofuknął ją ojciec.
– Właśnie chcemy ci pomóc. Nie pozwolimy ci zrobić żadnego

głupstwa. Bo coś ty chciała zrobić? Uciec? Nawet o tym nie myśl! Nigdzie ci nie będzie lepiej niż tu, przy kochającym mężu, troskliwym...

Maria przestała słuchać. Było gorzej niż źle. Pogratulowała sobie, że zaniosła już torby z rzeczami do garażu, do samochodu. Szkoda tylko, że nie wyprowadziła go na dziedziniec. Tatunio gotów zrobić Rejtana przy drzwiach, albo, co gorsza, użyć siły i nie wypuścić jej z domu. Wszystko się opóźni. Aleks wykryje braki na koncie i Bóg jeden wie, co zrobi.

O, nie.

W chwilach wymagających skupienia, wszystkie siły umysłowe Marii koncentrowały się na zasadniczym zagadnieniu. Teraz jedno tylko było ważne: wydostać się z własnego domu.

Czy Jacek nie wspomniał wczoraj mimochodem, że ma dzisiaj wolne?

Ignorując wciąż przemawiającego ojca, wstała od stołu.

– Przepraszam, muszę pilnie do łazienki. Kawa tak na mnie działa.

Łazienka w lofcie była chyba jedną z największych łazienek nowoczesnej Europy, a właściwie ogromnym pokojem kąpielowym, którego okno wychodziło na tyły dawnej fabryczki. Aleks zainstalował tam kiedyś małą wieżę stereo, lubił się bowiem pluskać w wannie przy dźwiękach muzyki. Maria włączyła aparaturę i na łazienkę popłynęły tony nokturnu Chopina. Poprztykała trochę pilotem i kojący nokturn zamienił się w burzliwą Etiudę Rewolucyjną. Wyciągnęła z kieszeni komórkę i wybrała numer, modląc się, żeby Jacek był w domu.

– Brudzyński, słucham.

– Cześć, Jacuś. Obudziłam cię?

– Trochę tak. Odsypiałem wszystkie dyżury z tego miesiąca. Ale nic nie szkodzi, miło mi cię słyszeć.

W łóżku leży! Dzięki!

– Jacek, słuchaj. Wszystko ci wyjaśnię później, ale musisz mi pomóc. Wstań jak najszybciej i podejdź pod okno mojej łazienki. Rzucę ci klucze do yariska. Wyprowadź go, proszę, na dwór i postaw jak najbliżej mojego wyjścia, dobrze?

– Będziesz szybko uciekać?

– Aleks wmówił moim rodzicom, że jestem alkoholiczką. Mogą chcieć mnie zatrzymać na siłę. Jak będę miała auto na wierzchu, to wybiegnę szybko i odjadę, a jakbym je dopiero wyprowadzała... Zostaw klucze na siedzeniu.

– Jakieś rzeczy zabierasz, czy tak uciekasz bez niczego?

– W aucie są.

– Rozumiem. Za dwie minuty jestem pod twoim oknem.

Był po półtorej minuty. Maria rzuciła mu klucze, a on złapał je w locie i zniknął w bramie garażu.

Zdecydowała pokazać się rodzicom, żeby nie mieli głupich myśli.

– Co tam robiłaś tyle czasu? – spytała matka podejrzliwie. Prawdopodobnie z trudem wstrzymywała się z prośbą o chuchnięcie.

– A co się robi w łazience? – odpowiedziała Maria, wzruszając ramionami. Myślała teraz intensywnie, jakim cudem zdoła wziąć torebkę z dokumentami i prysnąć do tego samochodu. W tym momencie zadzwonił dzwonek do drzwi. Poszła otworzyć, a ojciec niemal następował jej na pięty.

W drzwiach stał Jacek z miną doskonale obojętną.

– O, doktor Brudzyński... Tato, poznałeś doktora wczoraj.

Ojciec przywitał się z niepewną miną.

– Pan leczy moją córkę, tak? Coś tam słyszałem.

– Tak – odrzekł Jacek tonem artystycznie chłodnym. – Pani Mario, mieliśmy jechać do pani nowego terapeuty. Jest pani gotowa?

Maria połapała się natychmiast i wzruszyła ramionami.

– To dzisiaj miało być?

– Dzisiaj. Zapomniała pani. Za dużo pani ostatnio zapomina. Sama pani widzi. No już. Torebka, kurteczka i jedziemy.

– Gdzie pan ją zabiera? – Matka zaniepokojona też przydreptała do drzwi.

– Do Żyrardowa, szanowna pani, do poradni dla uzależnionych. Mamy umówioną wizytę. Obiecałem Aleksowi, że zawiozę żonę gdzie trzeba, akurat mam dziś wolny dzień, mogę coś zrobić dla przyjaciela. Mam nadzieję, że państwo wiedzą, o czym mówię.

– Wiemy. – Matka pokiwała głową z rezygnacją. – Aleks nam powiedział.

– Bardzo rozsądnie. Tu się nie ma co pieścić. No jak?

– Mogę iść.

– Do widzenia państwu – powiedział Jacek. – Za dwie godziny będziemy z powrotem. Będę chciał i z państwem porozmawiać.

– Oczywiście, panie doktorze – odrzekli jednym głosem państwo Kwiatkowie.

Pan doktor i zachwycona jego pomysłowością Maria bez przeszkód opuścili Osiedle Tkalnia i odjechali w kierunku Żyrardowa. Tam zatrzymali się na pierwszym postoju taksówek.

– Dokąd teraz?

– Mam pewien pomysł, ale trochę dziwny. Czy ty poznałeś matkę Aleksa?

– Twoją teściową? Przelotnie. Ale wiem, co jest na rzeczy. Aleks mi kiedyś opowiedział, obaj byliśmy wtedy na bani, ale zapamiętałem. Ona zwiała od swojego męża tak samo jak ty od Aleksa, co? Być może już wiemy, skąd te skłonności do damskiego boksu. Genetyczne. Chyba że się źle domyślamy.

– Ale ona ze swoim wytrzymała dłużej niż ja. Po naszym ślubie od niego odeszła. A na ślubie była bardzo sympatyczna. Powiedziała coś takiego, co mnie wtedy zdziwiło. Że gdybym kiedykolwiek potrzebowała pomocy, to ona jest do mojej dyspozycji. Myślałam, że to taka kurtuazja. A to mogło być całkiem konkretne... Teraz będzie jej przykro, że synek się wdał w tatusia.

– Takie życie – stwierdził Jacek filozoficznie. – Maryś, życzę ci szczęścia. I pamiętaj, czekam na twój telefon. A teraz wrócę do twoich rodziców i rozwieję ich złudzenia.

Uściskali się serdecznie, trochę jak para konspiratorów wożących bibułę w stanie wojennym i rozjechali w dwie strony świata: Jacek pojechał taksówką w stronę Osiedla Tkalnia, a Maria w stronę Grójca, gdzie zamierzała dostać się na gierkówkę i skręcić na południe.

∿

Aleks zadzwonił, zanim Maria zdążyła dojechać do Piotrkowa. Widocznie Jacek wrócił do domu, wyjaśnił państwu Kwiatkom to i owo, a oni nadali komunikat.

– Maria? Co ty wyprawiasz, na miłość boską?!

Poczuła wielką gulę w gardle, ale policzyła do dziesięciu i odpowiedziała spokojnie:

– Wiesz, co wyprawiam. I wiesz dlaczego, więc po co głupio pytasz?

– Proszę, wracaj natychmiast!

– Przeszkadzasz mi prowadzić.

– Mario, to jest niemożliwe, żebyś mnie zostawiła! Ja cię kocham! Nie wyobrażam sobie życia, cholera, bez ciebie! Ty mnie też kochasz!

– A tu się mylisz. – Maria zjechała na stację paliw i stanęła w zatoczce. – Coś mi się takiego porobiło, że już cię nie kocham. Sama byłam zdziwiona, bo nie myślałam, że to możliwe. List do ciebie napisałam, czytałeś już?

– Nie, jestem w pracy. Twoja mama dzwoniła. Wracaj. Robisz straszny błąd. Wracaj. Przysięgam, że nie będę... że nic ci nie zrobię. Nie podniosę na ciebie ręki, chociaż, jak Boga kocham, należy ci się! Wracaj!

– Aleks, raz na mnie rękę podniosłeś i nie dam ci drugiej takiej możliwości. Jak wrócisz do domu, przeczytaj mój list, wszystko ci napisałam...

– Masz kogoś! Co ja mówię, przecież wiem kogo! Ten mały gnojek, konował z bożej łaski, obiję mu mordę, jak tylko go zobaczę...

– Masz na myśli Jacka? To jesteś w błędzie. Jacek tylko pomógł mi zwiać własnym rodzicom, bo oni ci wierzą, w przeciwieństwie do mnie. Powiedziałeś im, że jestem pijaczką. Ty naprawdę jesteś drań. A Jacek doskonale wie, jak wyglądała prawda. Nie zgłosił na policję, bo go prosiłam, inaczej już byś siedział. Będzie świadkiem na naszej rozprawie rozwodowej... kiedy już do niej dojrzeję, bo na razie muszę sobie ułożyć życie na nowo.

– Dokąd ty się wybierasz, kretynko! Jak sobie zamierzasz dać radę beze mnie!

– A to już moja sprawa. I nie dzwoń do mnie, bo za chwilę będę miała nowy telefon i nowy numer. I jak będę miała do ciebie interes, to zadzwonię sama.

Telefon eksplodował stekiem wyzwisk i pogróżek. Maria posłuchała jeszcze chwilę i wyłączyła komórkę. Znowu jej się ręce trzęsły – ale nie głos, kiedy rozmawiała – to ją pocieszyło. Wysiadła z samochodu i poszła do baru, gdzie zamówiła kawę i hot doga (żucie uspokaja!). Zadzwoniła do Jacka, który nie wydawał się wcale przestraszony groźbą obicia mu mordy. Opowiedział Marii, jak próbował uświadomić jej rodziców i nawet trochę mu się udało zrobić wyłom w ich poglądach, nie do końca jednak, bo, jak widać, od razu zadzwonili do kochanego zięcia.

– Ty się o nic nie martw, Marysia – powiedział tonem niezrównanego doktora Pawicy. – Jesteś młoda, wolna i kumata.

Nie widzę powodów, dla których nie miałabyś sobie poradzić w życiu. Jedź dalej, tylko uważaj na piratów drogowych. I suszarki.

∾

Matka Aleksa, Olga Witek-Strachocińska, mieszkała w Zakopanem na Lipkach, w domu z imponującym widokiem na północną ścianę Giewontu. Odziedziczyła ów dom po rodzicach i natychmiast zlikwidowała znajdujący się tam mały pensjonat (przyjeżdżał tu kiedyś starszy mecenas Strachociński, Mirosław, zapalony narciarz – zanim jeszcze został jej mężem), po czym założyła firmę rozliczeniową i doradztwa podatkowego. Okazała się niezwykle zdolną doradczynią, ze świetnymi pomysłami na przechytrzenie fiskusa, bardzo szybko więc jej firemka zyskała renomę, a ona sama pieniądze. Nie była to skala zamożności, do której przywykła przy mężu, jak dla niej jednak wystarczało aż nadto.

Maria przejechała czterysta kilometrów z jedną dłuższą przerwą na obiad w jakiejś przydróżce, bez trudu znalazła Lipki i stanęła przed starym domem w stylu niemal witkiewiczowskim. Zaparkowała i zagapiła się na Giewont, oświetlony promieniami zniżającego się już słońca.

– Wspaniały jest, prawda?

Maria odwróciła się gwałtownie i zobaczyła swoją teściową wyglądającą z okna na parterze.

– Ja też zawsze się na niego gapię o zachodzie – zawiadomiła ją teściowa. – Ty jesteś Marysia, żona Aleksa? Dobrze poznaję?

– To ja...

Marii nagle zrobiło się głupio. Dlaczego właściwie sądziła, że matka Aleksa jej pomoże? Matka trzyma na ogół stronę syna. Choć jej własna matka... szkoda gadać... nie trzymała strony córki.

Teściowa znalazła się już koło furtki. Po raz drugi w życiu spodobała się Marii – elegancka nawet w domowym swetrze i dzianinowej spódnicy, świetnie ostrzyżona, z delikatnym makijażem. Zdecydowanie dama. Obok niej kroczył wielki biały owczarek podhalański. Jako dodatek do damy powinien wprawdzie występować raczej york z kokardką, jednakże tu, pod Giewontem, owczarek był jak najbardziej na miejscu.

– Nie bój się Gapcia. Gapcio jest samo dobre. Przecież to po nim od razu widać, nie?

Gapcio wyglądał nader godnie. Był bardzo urodziwy, choć już mocno wiekowy. Delikatnie machał puszystym ogonem na znak, że ma zamiary pokojowe. Marii na jego widok przemknęło przez myśl, że wszystkie silnie amerykańskie golden retrievery razem ze swoją złocistą urodą mogą się schować wobec naszych podhalańczyków. Wyciągnęła rękę, a pies dotknął jej dłoni miękkim pyskiem.

– Boże, jaki kochany – rozczuliła się.

Gapcio bezbłędnie rozpoznał przyjaciółkę wszystkich psów i ufnie złożył cały pysk w jej dłoni, sugerując małe pieszczoszki.

– Manipuluje tobą, jak chce – zaśmiała się jego właścicielka. – Chodźcie do domu. Masz jakieś bagaże?

– Mam, ale myślałam raczej o hotelu. Chciałam tylko pogadać...

– Nie zawracaj głowy. Jaki hotel? Pomogę ci z tobołami. Ooo – zdziwiła się nagle, dojrzawszy rozmiar bagażu wciśniętego do niewielkiej toyotki. – Wyjechałaś na dłużej?

– Tak jakby.

Olga znieruchomiała z sakwojażem w ręce.

– Nie mów, że zrobiłaś to, co ja.

– Właśnie zrobiłam. Jeśli jest prawdą, że ty to zrobiłaś. – Maria zaplątała się odrobinę.

– Że opuściłam dom mego męża, chciałaś powiedzieć. Był chamem i damskim bokserem. Wytrzymywałam to jak idiotka, bo kiedyś przyrzekłam jednemu księdzu przy spowiedzi, też jak idiotka, że będę matką rodu, dopóki mój syn może mnie potrzebować, to znaczy, dopóki sobie nie znajdzie własnej kobiety. Ten ksiądz chciał mnie ugrobić na całe życie z tą wiernością małżeńską, ale uznałam, że wszystko ma swoje granice. Byłam na spowiedzi przy okazji waszego ślubu i powiedziałam księdzu, temu samemu zresztą, on ma już ze sto lat, że koniec mojej przysięgi, a on mi odmówił rozgrzeszenia. Odtąd chodzę do kościoła nielegalnie. Nie stójmy tu, na miłość boską, lepiej nam się będzie gadało na siedząco. Gapcio, nie właź pańci pod nogi!

Przy dużym wsparciu (moralnym) Gapcia dwie zbuntowane małżonki wniosły bagaże do domu.

– Chcesz się najpierw odświeżyć czy pogadać? – spytała Olga z imbrykiem w ręce.

– Pogadać – odparła krótko Maria, siadając w głębokim fotelu. Gapcio z łoskotem zwalił się jej na stopy, roztoczył wokół siebie niezrównany aromat zgonionego psa i zasnął.

Olga zalała dwie porcje rozpuszczalnej kawy i wyjęła z szafki puszkę duńskich maślanych herbatników.

– Na początek starczy – orzekła. – Opowiadaj.

Maria opowiedziała, co miała do opowiedzenia. Olga słuchała uważnie, czasem kręcąc głową, a czasem wzdychając.

– To samo – mruknęła, kiedy synowa skończyła zwierzenia. – Po pierwsze, te wszystkie obrony lewusów nie wiem skąd. To znaczy wiem, z gangsterskich familii. Tak się kiedyś zastanawiałam, czy to nie to mojemu mężowi, a twojemu teściowi tak rozchwiało system nerwowy. Bycie mafijną papugą, znaczy – dodała dla większej jasności. – Prosiłam, żeby Alka w to nie wciągał, cóż, kiedy synuś sam się wciągnął. Na ochotnika. Chociaż u nich nigdy nie wiadomo, jak ten ochotnik wygląda.

Na szczęście wydaje mi się, że nasi mężowie mają dość dobrą pozycję, bo to znakomici prawnicy, trzeba im przyznać. Chyba możemy nie martwić się o ich życie.

– Ja się nie martwię – powiedziała Maria. – On dla mnie przestał istnieć.

– Rozumiem cię. A kiedyś myślałam inaczej. Miałam taką koleżankę, przyjaciółkę właściwie. Janeczkę Jurecką. Obie jeszcze byłyśmy młode siuśki. Koło trzydziestki. A, to tak jak ty... I ona kiedyś zastała własnego męża we własnym łóżku z własną pracownicą. Opowiadała mi potem, że w jednej chwili wielka miłość jej przeszła, jakby nigdy jej nie było. Uznałam, że to niemożliwe, i jeszcze ją próbowałam nawracać. Żeby ratowała małżeństwo. Nie masz pojęcia, jak ona na mnie spojrzała. Odeszła od męża natychmiast i zabrała dziecko. Ksiądz nie dał jej rozgrzeszenia, a ona wtedy odpuściła sobie kościół. Patrz, ja jakoś nie potrafię. Oszukuję księdza, a Bóg pewnie nie dał się nabrać. Mam nadzieję, że jest mądrzejszy i bardziej wyrozumiały od mojego poprzedniego proboszcza. No i patrz, mniej więcej rok po tej głupiej historii z mężem Janeczki, zrozumiałam, o co jej chodziło. Tylko że mój mnie nie zdradzał, a bił. Potem zresztą pewnie też zdradzał. W każdym razie zrozumiałam Janeczkę, bo po pierwszym laniu, jakie mi sprawił, on też przestał dla mnie istnieć. Nie mam pojęcia, jak to się stało, że żyłam jeszcze trzydzieści lat z takim nieistniejącym... Ale twój były jest moim synem. Ty go możesz porzucić, a ja nie. – Zadumała się i tak jakby chciała sobie popłakać, ale powstrzymała niewczesną słabość niewieścią. – To okropne, ale chyba lepiej, że nie mieliście dzieci.

Ukryła twarz w dłoniach i jednak się rozpłakała. Maria nie wiedziała, co robić, na wszelki więc wypadek nie zrobiła nic. Olga pobiegła do łazienki i tam jakiś czas przebywała. Wróciła ze zmytym makijażem i trochę jakby mizerniejsza.

– Przepraszam cię. Cholera, a taka byłam twarda. Nie będę ci tutaj opowiadała bajek, jakim to Alek był słodkim syneczkiem, chociaż był... dopóki nie zaczął dorastać pod światłym wpływem swojego tatusia. A tatuś postanowił zrobić z niego mężczyznę. To się wiązało z demonstracyjną pogardą okazywaną mnie. Nie posunął się nigdy do tego, żeby mnie bić przy nim, nie wiem, czy miał jeszcze odrobinę przyzwoitości, czy bał się, że syn nie zareaguje tak, jak on by chciał... Po gębie dostawałam w sypialni. Albo mną rzucał po meblach, tak na zasadzie trafi-nie-trafi. Starał się nie trafiać w kanty i narożniki, więc się obyło bez ostrzejszych urazów. A ja, idiotka, wciąż uważałam, że przysięga małżeńska mnie wiąże i to przyrzeczenie księdzu dane w konfesjonale.

– Słuchaj... – Maria nie bardzo wiedziała, jak powinna się zwracać do teściowej, bo przecież nie „mamo". – Ale na początku było dobrze?

– Mów mi Olga. Było. U was też, prawda?

Maria chciała odpowiedzieć, ale Olga znowu zaczęła płakać.

– Przepraszam cię – powiedziała niewyraźnie. – Przepraszam. Podejrzewałam, że tak to się może skończyć, ale tak strasznie chciałam, żeby Alek nie był taki jak jego ojciec... to przecież i mój syn... Ty nie masz pojęcia, jak ja go kochałam, żyłam właściwie tylko dla niego... tyle lat... nie słuchaj mnie, ja ględzę okropnie w tej chwili, ale za dużo mi się nawarstwiło... Mogę nie kochać męża, ale nie mogę nie kochać własnego syna...

– Przecież ja wcale nie chcę, żebyś przestała go kochać!

– Ja wiem, ale to takie beznadziejne... Bo ja go przecież straciłam już dawno...

– Jak to, dawno?

– Dawno, kiedy ojciec nauczył go tej cholernej pogardy dla kobiet, u Mirka to było w ogóle na granicy nienawiści, nie mam pojęcia, skąd mu się to wzięło!

– Może z rodziny? Też po tatusiu?

– Nie, on był z domu dziecka. Aleks ci nie opowiadał? Myślałam o tym. Może go źle traktowały te całe wychowawczynie.

Nigdy nie chciał o tym rozmawiać. Mój mąż był zawsze potwornie ambitny, ale też zdolny, więc się wybijał. No i wybił się na mafijną papugę, jak wiesz.

– Aleks odziedziczył po nim talent... i charakter, jak się okazuje – zauważyła Maria.

Dłuższą chwilę obie panie Strachocińskie milczały ponuro. Pierwsza odezwała się teściowa.

– Wypłakałaś się już?

Synowa pokręciła głową przecząco.

– Za wcześnie. Ja cię rozumiem. Przyjdzie i na ciebie. Nie broń się, to dobrze robi. Trzeba to z siebie wyrzucić. Mówiłam ci, tobie będzie łatwiej. Ja męża odpłakałam, syna nie mogę. Nie można przestać być matką. Nie masz pojęcia, jak żałuję, że wam nie wyszło. Nic, Maryś, damy radę. Ja jestem twarda góralka.

– A ja twarda Kaszubka.

Zaśmiały się, ale niespecjalnie wesoło.

– Zrobię jakąś kolację. Z akcentem góralskim. I zastanowimy się, co dalej.

W charakterze akcentu góralskiego wystąpiły placuszki z mąki i wody, które Olga nazywała moskolami, upiekła na blasze kuchennej i podała z masłem. Okazały się nadspodziewanie smaczne. Maria miała nadzieję na owcze serki, ale została uświadomiona, że owcze to dopiero od maja, na razie muszą jej wystarczyć „krówskie".

– Krówskie też dobre. Mam zaprzyjaźnionych gazdów, dostaję od nich to genialne masło, serki, jajka. Prawie zostałam wegetarianką. Ale kwaśnica nie istnieje bez żeberek. Zrobię jutro na obiad.

– Ty naprawdę jesteś góralką? Stąd?

– Taką do połowy. Tata góral z dziada pradziada, a mama miastowa panienka, ceperka, co to przyjeżdżała do Zakopanego z Sandomierza na nartach jeździć. Ten dom mam po rodzicach, a oni po dziadkach Witkach. Dziadek Daniel Witek był cieślą, to on budował dom i stodołę. W stodole mam garaż.

– A twoi rodzice?

– Przenieśli się do siostry, do Kościeliska, pomagają jej prowadzić pensjonat. Mają już swoje lata, ale też twardzi oboje. A ja tu sobie siedzę, tu mam firmę i mieszkanie. I Gapcia, też po rodzicach.

– Sama jesteś? Przepraszam, nie powinnam cię pytać o takie rzeczy...

– W sensie chłopa? Sama. Mam tu trochę starych przyjaciół, trochę nowych. Powiem ci coś, Marysiu. Mnie to moje małżeństwo zniszczyło. Jako kobietę, jako człowieka...

– Daj spokój, co ty gadasz! Jakie zniszczyło? Od początku podziwiam, jak wyglądasz, ładna jesteś, elegancka...

Olga uśmiechnęła się gorzko.

– Wiem, co mówię. Jestem kompletnie pusta w środku. Nie wiem, czy rozumiesz, co mam na myśli.

– Chyba rozumiem. Poczułam coś takiego, kiedy Aleks mnie uderzył. I też mi zostało.

– Mam nadzieję, że jednak ci nie zostanie. Spróbuj się tego pozbyć. Ja chyba za długo ćwiczyłam kamienną twarz. No i zaszkodziło mi. Dobrze. Dosyć na ten temat. Sama to sobie poukładasz. Powiedz, czy masz jakieś konkretne plany, co teraz?

Maria bezradnie wzruszyła ramionami.

– Właśnie nie wiem, co teraz. Do Warszawy nie pojadę, chociaż na uniwerku na mnie czekają z otwartymi ramionami, ale tam by było za blisko do Aleksa. Do rodziców, do Słupska nie wrócę, bo oni są po jego stronie. Może Jacek im przemówi do rozumu, ale nie będę ryzykować. Ty nie znasz przypadkiem jakiegoś miejsca, gdzie bym się mogła schować?

– Chciałabyś tutaj? Jakąś pracę chyba byśmy ci znalazły, może w szkole?

Maria pokręciła głową.

– Bardzo ci dziękuję, ale to by chyba nie było najlepsze na początek nowego życia.

– Bez przerwy byśmy o nich rozmawiały, co? Masz rację. Słuchaj, posiedzisz u mnie kilka dni, odsapniesz, coś wymyślimy.

– Mogę pomieszkać? Bardzo ci dziękuję. Chyba trochę jestem w szoku. Słuchaj, a nie masz ty czegoś do picia? Mocniejszego niż herbata? Powinnam coś kupić po drodze, ale nie miałam głowy do niczego...

– Jasne. Wolisz koniak czy whisky?

– Koniak.

– To bardzo dobry pomysł. Ja też się napiję. Też jestem w szoku. Mniejszym, ale zawsze. Nasze kawalerskie!

Przyznać należy, iż panie Strachocińskie wypiły tego wieczoru naprawdę imponującą ilość bardzo dobrego koniaku, który Olga dostała kiedyś w prezencie od klientki i schowała na specjalną okazję. Specjalniejszej nie mogła sobie wyobrazić, więc go otworzyła. W rezultacie obie przepłakały większą część nocy – Olga z żalu nad swoim życiem spędzonym u boku męża sadysty, Maria, bo jej się wreszcie odblokowały emocje. Następnego dnia, a była to niedziela, obudziły się koło południa – zapuchnięte, ale w lepszym nastroju

– Podobno ranek jest mądrzejszy od wieczora – powiedziała Olga, ziewając przeraźliwie. – Mam propozycję.

– Miejsca dla mnie do życia?

– Na razie śniadanka. Chcesz delikatnie czy solidnie? Może na wszelki wypadek delikatnie. Trochę się przetrenowałyśmy. Wiesz, że wypiłyśmy zero siedemdziesiąt martelka? Nie wiem jak ty, ale ja mam w żyłach sam alkohol.

– Ja też. Może najpierw pójdę się wykąpać...

– To idź szybko pod prysznic, a ja zrobię jajeczniczkę. Może uda nam się ją zjeść. Ona będzie z jajek od szczęśliwych kur.

Jajeczniczka była dobrym pomysłem. Krzepiła, nie wymagając specjalnego wysiłku przy jedzeniu. Jak się okazało, miała jeszcze jedną zaletę – przyniosła wspomnienie, a wspomnienie przyniosło rozwiązanie pewnego problemu.

– Coś mi chodzi po głowie – oświadczyła Olga, grzebiąc w resztkach pożywnej substancji, pozostałej w miseczce. – Chcesz te ostatki? Będziesz miła i gładka.

– Chcę. Nie paprz w tym, daj mi na chlebek. Co ci chodzi?

– Wspomnienie z dzieciństwa. Dużo kur w kurniku. Tu był za domem, gdzie teraz mam skalniaczek, nie wiem, czy zauważyłaś wczoraj. Białe i kolorowe. Te kury. Mama nie pozwalała nam się z nimi bawić, prawdopodobnie słusznie, bo one chyba inaczej pojmowały zabawę niż my z Lilką. Lilka to była daleka kuzynka z rodziny mamy... niewiele starsza ode mnie, ale wtedy osiem lat to była przepaść. Robiłam wszystko, czego ode mnie chciała.

– I dawałyście kurom do wiwatu?

– Trochę tak. Kiedyś ciocia Tenia, mama Lilki, wzięła nas do Krakowa na „Czarodziejski flet" Mozarta, nie wiem, czy ty to znasz?

– Z grubsza.

– Tam jest ptasznik. Papageno. I ptaszniczka Papagena. Mieli piękne kostiumy z piórek. Lilusia postanowiła, że my też będziemy ptaszniczkami i że trzeba nam skombinować chociażby czapeczki, jeśli nie całe stroje. Najpierw zbierałyśmy te piórka z ziemi, ale było za mało i poszłyśmy na całość. Podobno nasze kury dostały od tego nerwicy...

Panie Strachocińskie, którym w żyłach hasał jeszcze w najlepsze koniak Martell, na myśl o podskubanych i zdenerwowanych do szaleństwa kurach dostały nagłego ataku śmiechu. Maria wyśmiała się pierwsza.

– Dostałyście w tyłek?

– W tyłek nie, bo u nas w domu rękoczyny były nieznane, ale tato wygłosił wstrząsające kazanie. Byłam przekonana, że pójdę prosto do piekła. Lilka bardzo się kajała, ale przekonała starszych, że oddawanie piórek teraz i tak nie miałoby sensu. Obiecałyśmy, że cały tydzień będziemy sprzątać kurnik. A Lila wycyganiła od mojej mamy dwa stare berety, takie włóczkowe, wiesz, luźno dziane, przymocowała do nich te wszystkie piórka... i to nie żeby tak tylko powtykała byle jak, każdziuteńkie piórko było przyszyte nitką. Jakie te czapki ptaszniczki były śliczne, to ty, Maryś, nie masz pojęcia. Rodzice prawie przestali się na nas gniewać. Lilka dorobiła do nich jeszcze maseczki. Gdzieś mam zdjęcia, w starych albumach, jak na nie trafię, to ci pokażę. W każdym razie Lilka zdolności nie zmarnowała, została perukarką w teatrze. I fryzjerką. Ostatnio, o ile wiem, pracowała w operze w Szczecinie. Jej mąż tam wykładał na Akademii Rolniczej, a syna chyba też ma jakiegoś uczonego wykładowcę. Mąż nie żyje, to wiem. Syn się rozwiódł. A Lilka chyba już poszła na emeryturę. Rzadko się teraz kontaktujemy, ale ja ją wciąż bardzo lubię. Ona jest trochę stuknięta, jak to prawdziwi artyści.

Maria zastygła z widelcem w ręce.

– Szczecin, mówisz...

– No właśnie. Lilka by cię przechowała na początku. Ona się na pewno zgodzi, bo to bardzo życzliwa osoba. Pomieszkasz trochę u niej, znajdziesz pracę, usamodzielnisz się. Co ty na to? Znasz Szczecin?

– W życiu tam nie byłam. Trójmiasto znam. Ze Słupska bliżej było do Gdyni i Gdańska. Tam mamy jakąś rodzinę. Ale mnie jakoś nie ciągnie. Chociaż lubię Gdynię. Wszędzie tam łaziliśmy z Aleksem.

– Wiesz, co ja bym zrobiła na twoim miejscu? Pojechałabym w nieznane. Gdzieś, gdzie nie zdążyłaś być z Aleksem. Maryśka, ty młoda jesteś, krzywdy sobie zrobić nie dasz, jedź do Lilki. Najwyżej wyjedziesz, jeśli coś ci się nie spodoba, ona albo Szczecin.

– Może to i dobry pomysł? Aleks nigdy nie wpadnie na to, żeby mnie tam szukać. Mówiłam ci, chcę się na jakiś czas przytaić, żeby mi się wszystko uleżało. A zadzwoniłabyś do tej Lilki?

– Już dzwonię. Mam jej miejski telefon. Czekaj, zaraz znajdę.

Olga wyciągnęła z torby notes oprawiony w kwiecisty aksamit i odszukała potrzebny numer. Niestety, Lilka nie odpowiadała.

Panie Strachocińskie wybrały się w związku z tym na spacer Drogą Pod Reglami. Wszystkie najważniejsze sprawy omówiły już i opłakały poprzedniego wieczoru i nocy, teraz więc po prostu cieszyły się majem... wprawdzie brakowało do niego jeszcze kilku dni, ale zapach w lesie był zdecydowanie wiosenny, a spod drzew wyglądały białe zawilce i ukochane przez Marię fiołki. Na leżące tu i ówdzie płaty śniegu panie postanowiły nie zwracać uwagi.

W drodze powrotnej wpadły do salonu komórkowego i Maria nabyła telefon na kartę. Tamtego poprzedniego konsekwentnie nie włączała. Nie chciała wysłuchiwać tego, co miał jej do powiedzenia były (coraz bardziej przyzwyczajała się do tego słówka) małżonek.

Przez cały dzień telefon Lilki milczał. Olga więc wzięła się na sposób i w porze wieczornych przedstawień zadzwoniła do szczecińskiej opery. Poprosiła do telefonu panią garderobianą.

– Nie pamiętam nazwiska – powiedziała bezczelnie. – Tę starszą, dobrze?

Chwilę później okazało się, że pani garderobiana jest dobrą znajomą Lili i owszem, ma jej telefon komórkowy. Owszem, udostępni. Normalnie wcale by nie udostępniła, ale Lilunia wspominała o kuzynce Oli z Zakopanego, więc skoro to właśnie kuzynka Ola, to ona uczyni wyjątek.

Wreszcie pani Lilianna Bronikowska odebrała telefon i ucieszyła się ogromnie. Widocznie wspólne podskubywanie kur w dzieciństwie naprawdę łączy. Ach, trzeba pomóc synowej?

To znaczy synowej na wylocie? A co? Ach, Aleks się nie sprawdził? Ach, zachował się podobnie jak tatunio? To okropne, Olu, jak ty się musisz z tym czuć! No tak, to absolutnie zrozumiałe, że synowa dała nogę. Kiedy przyjedzie? Jutro? Pojutrze? Doskonale. Ona, Lila, będzie czekała z kolacją, bo pewnie dziewczyna pojedzie cały boży dzień. Na pewno wszystko będzie w porządku. Niech już ona się nie martwi. No to całuskowo, kochana Olu, a ty też mogłabyś przyjechać, najlepiej w lecie, kiedy będą jakieś imprezki z żaglowcami!

– Jakaś fajna ta twoja Lila – zauważyła Maria, słuchająca tego wszystkiego przez głośniczek.

– Bardzo – przyświadczyła Olga, kiwając głową energicznie. – Optymistyczna. Niezatapialna Molly Brown. Polubisz ją, nie widzę innej możliwości. Ale jutro cię jeszcze nie puszczę. Wyskoczymy sobie na Sarnie Skały, chcesz? Złapiesz trochę prawdziwego powietrza, zanim wrócisz do miasta i do cywilizacji beztlenowej.

Poszły na te Sarnie Skały, tonąc w tatrzańskim wiosennym błotku. Olga miała nadzieję, że może już zakwitnie jakiś nadgorliwy dębik ośmiopłatkowy, ale na dębik było jeszcze za wcześnie. Spod płatów śniegu wyglądały tylko płożące się malutkie listeczki, podobne do liści zwykłego dębu.

– Tego są tu całe łany – powiedziała Olga, gmerając ręką w śniegu, beznadziejnie poszukując choćby jednego kwiatka. – Ja je uwielbiam. Takie małe kwiatuszeczki, mają po osiem płatków, białe. Na Boczaniu też są i też dużo. Kiedyś rąbnęłam kępkę i posadziłam sobie na skalniaku, a potem latałam do spowiedzi, bo one są chronione. Chyba dostałam przebaczenie, bo mi się przyjęły. Ale wolę je oglądać na ich naturalnym stanowisku. Ty lubisz kwiatki?

– Lubię, ale się na nich nie znam.

– A to błąd. Trzeba się znać na kwiatkach. Dębik ośmiopłatkowy. *Dryas octopetala*.

– O matko. Nie licz na mnie. Boskie słońce. Opalimy się.

– Najlepsze słońce wiosenne.

– Właśnie. A jutro... skaczemy w przepaść. – W głosie Marii niespodziewanie zabrzmiała gorycz.

– Nie myśl tak. Myśl inaczej. Zaczynasz nowe życie.

❧

Teściowa i synowa pożegnały się w poniedziałek o ósmej rano. Dobry nastrój gdzieś im się ulotnił i obie były poważne.

– Przykro mi, że mój syn się nie sprawdził – powiedziała Olga tonem mającym udawać beztroski.

Maria uściskała ją serdecznie.

– Tylko się teraz tym nie katuj. Wyszło, jak wyszło. Jadę do tej twojej Lilki. Pozdrowię ją od ciebie, chcesz?

– Oczywiście. A ty się trzymaj. Jedź już, bo ja chyba jednak znowu będę beczeć. A ty nie becz, tylko skup się na drodze. Gapcio, całuj gościa.

Podhalańczyk wspiął się na tylne łapy, bez trudu sięgnął do twarzy Marii i obdarował ją solennym buziaczkiem. Jego pani wzięła go za obrożę i oboje weszli do domu. Teraz Maria też miała ochotę popłakać, ale opanowała się. Wsiadła do yarisa, zatrąbiła i odjechała. Nie widziała już teściowej szlochającej bezradnie za koronkową firaneczką w kuchennym oknie.

❧

Kiedyś dawno temu ktoś opowiedział Marii historyjkę: za górami, za lasami, za morzami i rzekami był sobie kraj, a w tym kraju stał złoty pałac. Mieszkała w nim piękna królewna. Któregoś dnia królewna wyszła na balkon w swoim pokoju, ogarnęła wzrokiem bezbrzeżne dale i powiedziała: „Cholera jasna, jak ja mam wszędzie daleko!".

W dziesiątej godzinie jazdy Maria była skłonna przypuszczać, że królewna miała ten pałac w Szczecinie.

Pani Lilianna Bronikowska mieszkała, na szczęście, w miejscu łatwym do zlokalizowania, nawet bez pomocy GPS-a... Maria nie zabrała go z samochodu Aleksa wyłącznie przez zapomnienie. Ulica Zygmunta Starego znajdowała się na tyłach Wałów Chrobrego, które imponowały wielkością i urodą wszystkim wjeżdżającym do miasta przez Trasę Zamkową. Maria wjeżdżała właśnie Trasą i miała teraz po lewej ręce oranżowozłocistą Odrę z następnymi mostami i wysokimi budynkami poczty, dworca i kolei, za którymi właśnie zaczynało na czerwono zachodzić słońce; po prawej zaś tę samą Odrę, ale intensywnie błękitną, bo inaczej oświetloną, ze słońcem, a dalej przysadzisty elewator, stocznię i port najeżony dźwigami. Szczecin robił co mógł, żeby wynagrodzić jej jedenaście i pół godziny jazdy. Poczuła się dobrze usposobiona do tego miasta, tak pięknego od pierwszego wejrzenia. Ciekawe jakie będzie drugie.

Drugie wejrzenie, czyli pani Lilianna, też było raczej korzystne. Mała kobietka, z włosami przypominającymi pasiasty ogon szopa pracza, fantastycznie jak na tak wczesną wiosnę opalona, z żywymi, wesołymi oczkami. Ubrana była w czerwoną spódnicę i czarny topik, na który narzuciła bajecznie kolorową męską koszulę w palmy i hibiskusy. I ona jest osiem lat starsza od Olgi? Nie do uwierzenia.

Co innego podskubywanie kur i czapka ptaszniczki – TO stało się nagle jak najbardziej zrozumiałe.

– Witaj, dziecko – powiedziała, obrzuciwszy Marię bystrym spojrzeniem. – Wchodź i czuj się u siebie. Mam gości, to przyjaciele. Czekaliśmy na ciebie, prawdę mówiąc.

Maria nie spodziewała się komitetu powitalnego, ale uznała, że najważniejsza jest ewidentna życzliwość kolorowej starszej pani. Posłusznie weszła za nią do saloniku, gdzie zastała kolejną doskonale zadomowioną parę staruszków: kościstą damę o postawie dragona oraz siwego faceta z odrobinkę jakby łajdackim wyrazem twarzy. Oboje równie pięknie opaleni jak gospodyni.

– Jest nasza Marysia – oznajmiła pani Lila uroczyście. – Synowa mojej młodszej kuzynki czy jak tam, nigdy nie chciało mi się rozkminiać tych wszystkich zawiłości w pokrewieństwach. Słowa „rozkminiać" nauczył mnie inny mój przyjaciel – uznała, że winna jest Marii wyjaśnienie. – Młody bardzo, licealista. Byliśmy w jednej załodze na Karaibach.

Na Karaibach! Stąd ta wspaniała opalenizna.

Swoją drogą, odkąd to polskie babcie szwendają się po Karaibach? Jachtem, skoro mowa o załodze. Coś podobnego!

Maria przywitała się z panią Różą Chrzanowską, której uścisk dłoni przypominał żelazne obcęgi, i z Noelem Hartem, który dla odmiany wyglądał jak łagodność sama. Pani Lila przedstawiła go jako Irlandczyka, który był w Polsce, potem zwiał do Irlandii, a teraz znowu wrócił, no i jest.

– Uciekł od żony megiery. – Konwencjonalnie pojmowany takt i subtelność najwyraźniej były dla pani Lili pojęciami względnymi, ale łagodnie uśmiechnięty Noel nie miał zamiaru się obrażać. – Zupełnie jak ty, Marysiu, od tego swojego męża, damskiego boksera.

Skoro ten cały Noel się nie obraził, to ona, Maria, też nie musi. Zresztą starsza pani była zabawna i sympatyczna z tym swoim bezpośrednim sposobem bycia. No i mówiła samą prawdę.

– Zapewne mamy z sobą wiele wspólnego – odezwał się Irlandczyk najczystszą polszczyzną. – Uprzedzę pani pytanie, skąd tak dobrze znam pani język. Jestem slawistą, po Ujocie, wykładałem w Dublinie, a teraz przyjechałem tu na zaproszenie córki, aby zostać dziadkiem.

– Ja też jestem filolożką – ucieszyła się mimo pewnego oszołomienia wywołanego długą drogą i nietypowym powitaniem.

– Ale po Uniwersytecie Warszawskim. Miałam w planie doktorat, z komparatystyki, ogólnie rzecz biorąc, ale wyszłam za mąż i się urwało. Kiedyś do tego wrócę.

– A ja byłam prostą księgową – huknęła pani Róża. – Lilu, ta dziewczyna umiera ze zmęczenia! Skoro przyjechała z Zakopanego! Sama za kierownicą, tyle godzin! Trzeba ją szybko nakarmić i położyć spać!

– Nie jest tak źle – zaprotestowała Maria, której całe towarzystwo zaczęło się podobać. – Napiłabym się herbaty...

– Ja zrobię – zerwał się Noel. – Herbata to moja specjalność. A Lila chowa dla pani jakieś nadzwyczajne kanapki.

Kilka minut później na stole pojawiła się taca z misternymi tartinkami – były mikroskopijne, za to w ilościach przemysłowych, bo taca miała rozmiary małego boiska do piłki nożnej. Noel przytaszczył prawie równie wielką tacę z zastawą do herbaty i dodatkowo kilka butelek ładnie schłodzonego guinessa.

– Przechowuję trochę tego u Lili na wszelki wypadek – wyjaśnił Marii. – Narodowe bogactwo mojego kraju. Lubi pani?

– Nigdy nie próbowałam.

– Polecam. Może nawet bardziej niż herbatę. Lać?

Chwilę później Maria pochłaniała małe cuda obłożone różnościami i popijała ciemnym piwem z mocną pianą. Spodobał jej się wyrazisty smak napoju, co wywołało uśmiech zadowolenia na twarzy irlandzkiego patrioty.

Pani Lila patrzała na nią uważnie, jakby tylko czekała na moment, kiedy się pożywi i będzie ją można zasypać pytaniami. Maria poczuła się tym rozśmieszona.

– Uważasz, że jesteśmy trójką strasznych staruchów żyjących cudzym życiem? – Niespodziewane pytanie gospodyni było przerażająco bezpośrednie. Maria zakrztusiła się tartinką.

– To pozory. W istocie jesteśmy dosyć wścibscy, ale to wynika z naszej ogólnej życzliwości. Bo my ogólnie lubimy ludzkość.

– Wychodzimy z założenia, że w rewanżu ludzkość polubi nas – zarechotała pani Róża, delektując się tartinką z łososiem. – Pani będzie mieszkać u Lilki – raczej stwierdziła, niż spytała. – To ja mam propozycję, żebyśmy mówili sobie po imieniu. Taki żeglarski zwyczaj. Wiek nie ma znaczenia.

– Państwo są żeglarzami... To bardzo miła propozycja. Mam na imię Maria.

– Raz się trafiło – zachichotała prawdomówna pani Róża. – Z tym żeglarstwem.

– Ale za to na Karaibach – podkreśliła pani Lila. – British Virgin Islands – dodała ze smakiem. – Rozumie pani... to jest, rozumiesz, że czka nam się tymi Karaibami mniej więcej co sześć sekund. – Pochłonęła kolejną kanapeczkę.

– Wcale się nie dziwię – roześmiała się Maria.

– Ale nie będziemy przecież mówić do ciebie „Mario", jak na ambitnym filmie nurtu egzystencjalnego – mruknął Noel. – Jakie lubisz zdrobnienia?

– Mąż mnie nie zdrabniał, bo uważał, że to gminne... przepraszam cię, Noelu. Mój ulubiony profesor i prawie promotor mówił do mnie „Maryniu"...

– Zrozumiałe, pewnie lubił Sienkiewicza – kiwnął głową Noel, slawista, który doskonale znał „Rodzinę Połanieckich".

– A tak to była Marysia, Maryś, różnie. Mani nie lubię. A mój dziadek mówił do mnie „Mareszka". To kaszubskie. Dziadkowie Kwiatkowie byli Kaszubami.

– Pięknie! – Noel był wyraźnie zachwycony. – Mareszka. Kaszubska Mareszka. Jestem za. Czy zechcesz dla nas być Mareszką?

– Z przyjemnością. – Ogólna życzliwość starszych państwa i może też trochę guiness sprawiły, że Maria czuła się coraz lepiej. – Nie byłam Mareszką od dzieciństwa.

– Jakie masz plany, Mareszko? – Pani Róża wyraźnie chciała jak najszybciej przejść do rzeczy.

– Chcesz uczyć w szkole? – spytał Noel. – Ja uczę w bardzo dobrej szkole, ale tam już mają komplet nauczycieli. Może jednak moja dyrektorka będzie mogła pomóc. Czy wolisz startować od razu na uniwersytet?

– Myślałam o jednym i o drugim, ale doszłam do wniosku, że ani jedno, ani drugie. Nie chciałabym przez jakiś czas być nękana przez Aleksa, mojego męża. Muszę sobie przetrawić różne rzeczy, a jak on mnie dopadnie, to nie będę miała spokoju. On będzie szukał na uniwersytetach i w szkołach...

– Ty jeszcze nie wiesz, czy chcesz się z nim rozwieść, co? – zagadnęła domyślnie pani Lila. – Uciekłaś od niego, ale nie wiesz, czy nie zechcesz wrócić?

– Moim zdaniem to bardzo mądre podejście – pochwaliła Marię pani Róża. – Masz wiele rozsądku, moje dziecko. Pod wpływem wydarzeń podjęłaś decyzję, ale nie jesteś pewna, czy ta decyzja jest słuszna. Musisz pomyśleć. To rzadko spotykana postawa. Ja cię popieram.

– Wszyscy cię popieramy – powiedziała z pewnym zniecierpliwieniem pani Lila. – A ja uważam, że nie powinnaś do niego wracać, chociaż to mój daleki krewniak, ten Aleks. Olga cierpiała niepotrzebnie ponad trzydzieści lat. Oczywiście, zrobisz, co zechcesz. Jak stoisz finansowo?

Po raz kolejny bezpośredniość gospodyni nieco Marią wstrząsnęła.

– Mam pieniądze, wypłaciłam sobie z naszego konta honorarium za pracę domową, gotowanie, sprzątanie i tak dalej. Ale wolałabym tego wszystkiego nie wydawać, tylko zachować na czarną godzinę, i znaleźć sobie jakieś zajęcie.

– Ale jakie?

– Nie śmiejcie się ze mnie, ale miałam takie dwa skojarzenia, jak jechałam do was z tego południa. Po pierwsze, jestem Marysia, a Marysie to były służące. Po drugie, jeśli nie liczyć mojej komparatystyki, przekładów poetyckich i tych rzeczy, to ja najlepiej umiem być gospodynią domową. Miałam ogromne mieszkanie, wydawałam proszone obiadki i przyjęcia, i nawet, powiem wam, wcale mnie to nie brzydziło... zanim mi się nie znudziło, skąd zresztą cały problem...

– Nie nazywaj tego problemem – zauważył łagodny Noel. – To raczej rozwiązanie problemu... mam na myśli twoją rejteradę. Kiedyś zrobiłem podobnie i uważam, że miałem rację. Nie ma sensu męczyć się całe życie, jak twoja teściowa, Mareszko.

– Ludzie od nas wyjeżdżają od lat sprzątać i zmywać gary w Ameryce albo w Anglii czy Szkocji, a ja mogę zmywać gary i sprzątać w Polsce, bo generalnie wolę mieszkać w Polsce niż gdzie indziej.

– Coś w tym jest – bąknęła Róża. – Ale ja tam nie wiem...

Zapadła cisza. Noel popijał swoje piwo, pani Róża bębniła kościstymi palcami w stół, pani Lila marszczyła się okropnie i chyba usiłowała sobie coś przypomnieć, Maria kończyła dziewiątą miniaturową tartinkę.

– Wiem!

Pani Lila przestała się marszczyć a oczy jej błyszczały.

– „Czwarta pięćdziesiąt z Paddington"!

– O czym ty mówisz, Lilu?

– Nie czytasz kryminałów, Różo!

– Ależ czytam, Lilu!

– Ale może nie te co trzeba – wtrącił łagodząco Noel. – Ja wiem, o czym Lila mówi. To jest taki kryminał Agaty. Tam była gospodyni domowa do wynajęcia.

– Właśnie – podjęła pani Lila z błyskiem w oku. – Ona się nie wynajmowała codziennie na godziny, tylko sprowadzała się do rodzin, tych angielskich, na kilka tygodni. I sprawiała, że życie pani domu stawało się rajem. Bo ta dziewczyna robiła za nią wszystko.

– Wszystko, to odpada – mruknęła kandydatka na gosposię. – Usług seksualnych świadczyć nie będę za żadne pieniądze.

– Ona też nie świadczyła – uspokoiła ją pani Lila. – Sprzątała, gotowała, opiekowała się dziećmi, zdejmowała biednym paniom domu wszelkie ciężary z głowy. Dzieci ją uwielbiały. Panie domu też. Najdalej po dwóch tygodniach, o ile pamiętam, odchodziła. Kasowała tych państwa na całkiem niezłe pieniądze. Wracała po roku na kolejny miesiąc i panie zachłystywały się na jej widok z radości. Może byś też tak spróbowała.

– Chętnie będę kasowała państwa na niezłe pieniądze – oświadczyła Maria. – Tylko ja wolę na godziny. Albo na dni. Dwa dni tu, dwa dni tam. Nie wiem, czy u nas jest zapotrzebowanie na takie gosposie, co to przyjdą na miesiąc albo dwa. U nas chyba raczej ludzie chcieliby na stałe, za to nie codziennie.

– Tylko pamiętaj, moja droga, ważny jest pijar – zatroszczyła się pani Róża. – My ci chętnie damy lewe referencje. Ci twoi nowi pracodawcy muszą wiedzieć, że zatrudniają absolutny brylant i dlatego muszą solidnie zapłacić.

– Trzeba dać ogłoszenie w Internecie – podpowiedziała Lila, która była wielką zwolenniczką elektronicznej komunikacji międzyludzkiej.

Róża pokręciła głową.

– To nie jest dobry pomysł, z tym Internetem. Ja uważam, że tylko ustne polecenie, najlepiej w głębokiej tajemnicy. Brylanty nie ogłaszają się ani w Internecie, ani po gazetach. Trzeba posiać taką wiadomość, że supergosposia, osoba ekscentryczna, znudziła się dotychczasowymi chlebodawcami w Warszawie... albo lepiej w Krakowie i szuka nowych domów, nowych wyzwań. Rozumiecie – zapaliła się starsza dama – doprowadziła te poprzednie domy do absolutnej doskonałości i normalnie nie ma tam już nic do roboty, samo się kręci.

– Nikt nie kręci, nie pompuje, sama woda widryzguje – podpowiedziała Lila z niejakim przekąsem.

– No właśnie, dokładnie tak!

– A jak zamierzasz posiać tę wiadomość?

– Mamy wielu przyjaciół – wtrącił Noel, dotychczas w zasłuchaniu sączący guinessa. – Agnieszka ma szkołę dla ambitnych, również finansowo. Grzegorz ma pacjentów i pacjentki, może któraś pani skarżyła się, że się nie może samorealizować przez ten okropny dom, tylko sprząta i sprząta, a wolałaby chodzić do teatru.

– Ja mam znajomych w teatrach! – zawołała Lila. – Tylko że oni groszem raczej nie śmierdzą...

– Alina pracuje w wypasionej klinice – przypomniał Noel.

– Słuchajcie, dziewczynki i chłopcy – zachichotała nagle Róża. – Marceli dom wymaga pilnie miotły... To by Mareszka miała na pół roku roboty...

– A nie – powiedziała Lila z tajemniczym uśmiechem. – Nie znacie nowin. A ja znam.

– Bo masz wtyczkę w Stolcu – wzruszyła ramionami Róża. – Nie patrz tak na mnie, Mareszko, jedna nasza znajoma mieszka w takiej wsi, co się nazywa Stolec. A Lili syn, Eduś, to jest epuzer tej znajomej. No, kawaler, kandydat na męża, chociaż to tak do końca nie wiadomo. Ona jest flejtuch i nie sprząta w domu wcale, wszystko podmiata pod dywan. Chyba że czegoś nie wiem? – Zawiesiła głos.

– No, nie wiesz, nie wiesz. Ty, Noelu, też nie wiesz. Ale ja wam powiem – Lila napawała się swoją pozycją osoby, która WIE, podczas gdy inni nie wiedzą. – Otóż Marcela zaczęła sprzątać. Idzie jej po prostu nadzwyczajnie. Eduś znowu siedzi na gruszy, odkąd mu ptaki zaczęły przylatywać, a Marcelka sprząta aż furczy.

– Czy zaczęła od pokoju dziecinnego? – zagadnął niewinnie Noel.

– O matko!

– Ty nie bądź taki domyślny Irlandczyk! Owszem, sprząta pokój dziecinny. Zostanę babcią!

– Patrz, to oni się tak pięknie pogodzili po tych Karaibach! – Róża z wrażenia wypiła jednym haustem pół filiżanki herbaty.
– Noel, nalej mi piwa, proszę!

– Pogodzili się po Karaibach i, jak znam naturę ludzką, to teraz Marcela pęknie, a nie wpuści do domu obcej kobiety, zwłaszcza młodszej i ładniejszej od siebie. U Marcelki Marysia nie zarobi. Chyba żeby się przebrała za starą wiedźmę...

– Tak jak my kiedyś...

Maria nie była pewna, czy dobrze słyszy. Dwie stare wiedźmy przebierały się za stare wiedźmy? No, uczciwie mówiąc, to nie są wiedźmy, tylko całkiem sympatyczne staruszki, ale przecież staruszki. Może się bawiły w Halloween.

Lila zauważyła jej spojrzenie.

– Kiedyś ci opowiemy*. Teraz chyba naprawdę powinniśmy skończyć mityng, bo w końcu nam się przewrócisz. Zaprowadzę cię do twojego pokoju. Jutro będziesz sobie odpoczywać, a my rozpuścimy wici.

Przez chwilę Maria poczuła się jak mała Mareszka, którą babcia zabierała dziadkowi w połowie najlepszej zabawy i kładła do łóżka. Trzeba zresztą przyznać babci, że wiedziała, kiedy zaingerować i robiła to tylko wtedy, gdy Mareszka naprawdę padała z nóg. Tak jak teraz.

Pożegnana życzliwymi okrzykami Róży i Noela, zapewniających ją, że owszem, jutro od rana zaczną intensywnie poszukiwać dla niej pracy, Maria pozwoliła się zaprowadzić do przeznaczonego dla siebie pokoju gościnnego, miłego i przytulnego, którego ściany obwieszone były powiększonymi zdjęciami aktorów i aktorek w stylowych fryzurach i przedziwnych perukach. Wiele koafiur zdobiły najróżniejsze

---

* Historyjka ta została opowiedziana w książce „Zatoka Trujących Jabłuszek", a więcej o sympatycznym acz starszawym tercecie i jego przyjaciołach również w powieściach „Klub Mało Używanych Dziewic" oraz „Dziewice, do boju!".

pióra, widać kurze doświadczenie z dzieciństwa pozostało dla Lilianny nieustającą inspiracją.

Maria wypakowała tylko kilka niezbędnych rzeczy z podręcznej torby, wzięła szybki prysznic i padła na łóżko. Zanim zasnęła, spłakała się rzetelnie na myśl o tym, że nigdy już babcia i dziadek nie pochylą się nad jej łóżeczkiem, aby na dwa głosy powiedzieć jej „dobranoc". Sama nie wiedziała, dlaczego właśnie ta sprawa wydała jej się w tej chwili najważniejsza – i najsmutniejsza – na świecie.

Kiedy zasnęła, śniło jej się, że jest w ogromnym i bardzo wytwornym domu mody dla służących, gdzie na wieszakach wiszą rzędy identycznych fartuszków, w gablotach leżą te okropne, nietwarzowe, angielskie czepeczki pokojówek, a w stojakach stoją niezliczone miotły na długich kijach.

❧

Następny tydzień Maria spędziła na przyzwyczajaniu się do nowego miejsca i swojej nowej sytuacji – osoby ponownie wolnej. O tym, że jest też osobą, która porzuciła właśnie dom i męża, wolała na razie nie myśleć. Pani Lila wykazała się zdumiewającym (przy tym jej strasznym wścibstwie) taktem i pozostawiła ją właściwie samą sobie – jeśli nie liczyć doskonałych posiłków, na które zapraszała ją, kiedy Maria akurat była w domu.

Na wszelki wypadek Maria wrzuciła do Internetu ogłoszenie o „idealnej gosposi prawie do wszystkiego" i drugie, poważniejsze, o „idealnej gospodyni twojego domu". Nikt jakoś nie odpowiedział ani nie zadzwonił, mogła więc zająć się zwiedzaniem miasta. Chciała wiedzieć, czy będzie w stanie je polubić. Wyobrażała je sobie trochę jak gigantyczne koszary, a to za sprawą Lili, która uświadomiła ją, że jeszcze sto lat temu z małym kawałkiem Szczecin był w istocie miastem militarnym, garnizonowym, kompleksem wielkich fortyfikacji z kilkoma gwiaździstymi twierdzami.

– Fort Leopolda, Fort Wilhelma i Fort Prrrrrojssen. – Lila ze szczególnym smakiem wymawiała nazwę Fortu Preussen, warcząc i sycząc w sposób, jak jej się wydawało, wybitnie pruski. – Tu, gdzie my mieszkamy, był Fort Leopolda. Przerobili go na Wały Chrobrego z przyległościami. To znaczy oni go przerobili na Hakenterrasse, Niemcy, mam na myśli. Chcieli się podlizać swojemu burgemajstrowi. On był nawet nadburgemajster, ten Haken, a potem chyba minister finansów, no, to zrozumiałe, że się podlizywali. Dopiero za nas to są Wały Chrobrego. Niektórzy mówią, że Chrobry w tym miejscu pale graniczne kazał wbijać w wodę, ale ja myślę, że to bzdura. Tu jest głęboko. Teraz tu na tej rotundzie, na Wałach, odnowili stary napis „Hakenterrasse". Jakbyś się chciała naprawdę wszystkiego dowiedzieć, to w ratuszu jest muzeum miasta.

– Nie przepadam za muzeami. Ale zastanowię się. Na razie chyba połażę po mieście, zobaczę, jakie jest.

Lila udzieliła jej jeszcze kilku niezbędnych instrukcji i Maria ruszyła „w kurs". Wałęsała się po Wałach i po nowiutkiej Starówce, zajrzała do katedry i do kościoła Świętego Jana Ewangelisty, powędrowała w stronę magistratu, minęła go i zachwyciła się Jasnymi Błoniami, a zwłaszcza wspaniałymi alejami starych platanów. Wróciła nad Odrę i obejrzała sobie zamek. Zero skojarzeń z garnizonem i koszarami.

Szczecin do niej przemówił.

Przemówiła i ona do niego.

– Chyba u ciebie zostanę – zawiadomiła miasto z wyżyn zamkowego tarasu, opierając się o wielką lufę czegoś, co podobno parę wieków temu było armatą. O ile sama lufa może być armatą. – Podobasz mi się.

– Ty mnie też – zapewnił ją męski głos tuż obok. – W życiu nie widziałem takich pięknych włosów.

Włosy Marii miały aktualnie naturalny złotokasztanowy połysk i długość lekko poza ramiona. Nie chciało jej się dzisiaj czesać, zebrała je więc gumką recepturką w klasyczny koński ogon z lat sześćdziesiątych.

Facet, który stał – jak się okazało – o metr od niej, czego nie zauważyła zamyślona, wyglądał jak ucieleśnienie Leńskiego, romantycznego młodzieńca z wiekopomnego poematu Aleksandra Siergiejewicza Puszkina „Eugeniusz Oniegin". Maria wielbiła ten poemat, jednak od słodkiego gamonia Leńskiego, który kompletnie bez sensu dał się zabić, zdecydowanie wolała jego zabójcę, rzeczonego Oniegina, razem z jego wszystkimi romantycznymi rozterkami i nietrafionymi decyzjami. Ona też popełniała życiowe pomyłki. Niemniej ten tu Leński robił sympatyczne wrażenie, z tymi błękitnymi oczami pełnymi wyrazu, długimi, jasnymi włosami, i gitarą, którą dzierżył w objęciach.

– Idziemy na kawę? – spytał bezczelnie Leński. Miał lekki rosyjski akcent. Coś podobnego.

– „Przystojny i bogaty Leński o duszy iście getyngeńskiej" – zacytowała wbrew sobie. Wcale nie chciała odzywać się do obcego nachała, samo wyszło.

Obcy nachał się ucieszył.

– Że niby ja? Pani lubi Puszkina?

No proszę. Nachał rozpoznał Puszkina. Może po Leńskim. Gitarę ma, pewnie zna się na muzyce, chodzi do opery.

– Pan też?

– Proszę pani! Ja jestem Rosjaninem!

No, to by coś tłumaczyło.

– Nie wszyscy moi rodacy kochają Mickiewicza, proszę pana.

– A ja Puszkina kocham. Wcale nie dlatego, że mi się kazali uczyć „Borodina" w szkole. Uważam, że on jest genialny. Pani pozwoli, Aleksandr Winogradow. Dla pani może być Aleks. Moi polscy przyjaciele mówią do mnie Aleks. Niektórzy.

– Nie znoszę imienia Aleks. Właśnie uciekłam od jednego. Nie rozumiała, dlaczego mu to powiedziała. Obcemu człowiekowi!

– A, to ja się cieszę. Bo tak naprawdę to ja jestem Sasza. Sasza Winogradow, native speaker, tłumacz i poeta z bożej łaski oraz śpiewak. Bardzo skromny śpiewak. W każdym razie nie piosenkarz. Pieśniarz?... Tak sobie przy gitarze śpiewam troszkę.

– Okudżawę i Wysockiego?

– No tak, tu wszyscy ich uwielbiają, nie wiem, jakim cudem. A ja jeszcze śpiewam takie rosyjskie pieśni więzienne, nie wiem, czy pani słyszała...

– „Bradziaga" – rzuciła Maria w przestrzeń.

– Właśnie. U nas to się trochę inaczej wymawia...

– To się spolszczyło. U nas się mówi „bradziaga" i „zabradziażyć".

– Zabradziażyć! No tak, to mniej więcej jak zahulać, zaguliat'. „Ech, zaguliał, zaguliał, parień maładoj"! Zahulał chłopak młody... i słusznie, tak należy robić w młodości. Pani jest językoznawcą?

– Teoretyczką literatury.

– Być nie może! Ja byłem historykiem literatury, tam, u siebie, w Saratowie. Ale tam jest nadprodukcja nauczycieli rosyjskiego. A tu ostatnio zrobił się deficyt. Żona mnie tu przysłała.

– A pan obce baby zaprasza na kawę. Ładnie to?

– Ładnie, bo ona mnie puściła kantem natychmiast po moim wyjeździe. Podejrzewam, że właśnie dlatego wysłała mnie do Polski. Żeby mieć swobodę. A ja się zadomowiłem. Jedenasty rok tu siedzę.

– W Szczecinie?

– W Szczecinie ósmy. Przedtem byłem w Gdańsku, tam mnie kolega ściągnął, ale jakoś mi nie szło. Potem dwa lata w Bydgoszczy. A potem dowiedziałem się o tym etacie w Szczecinie. No i jestem. I tu mi idzie doskonale. Już prawie zapuściłem korzenie. A pani co? Do kogo pani mówiła, że z nim zostanie?

– Do miasta. – Maria wykonała szeroki gest ręką, wskazując panoramę Szczecina od strony rzeki.

– No proszę – ucieszył się Leński-Winogradow. – I naprawdę pani uciekła od jakiegoś Aleksa?

– Naprawdę.

– To chodźmy na tę kawę. Zrehabilituję to szlachetne imię. Imię Puszkina, proszę zauważyć! Tylko ja nie jestem Siergiejewicz, a Fiodorowicz. Jak Borys Godunow. Też z Puszkina. Idziemy? Porozmawiamy o poezji rosyjskiej i polskiej. A potem może zaśpiewam pani „Konie" Wysockiego.

– Mnie raczej jest potrzebny „Trolejbus" Okudżawy – zaśmiała się Maria. – Chociaż właściwie ja już do niego wsiadłam i różni ludzie mi pomagają. Pamięta pan?

– „Twoi pasażyry, matrosy twoi prichodiat na pomoszcz" – zacytował Sasza Winogradow, kiwając energicznie głową.

– No właśnie. Dziękuję za zaproszenie. I za rozmowę. Fajnie jest spotkać kogoś, kto lubi Puszkina. Nie pójdę z panem na kawę, Sasza. Ale podobno Szczecin to jest wiocha z tramwajami, tak mi mówiła pani, u której mieszkam. Jeśli to prawda, to kiedyś wpadniemy na siebie. Bo ja naprawdę tu zostanę na jakiś czas. Ale na razie nie mam nastroju na randki. Do widzenia.

Wyciągnęła rękę, a Sasza pochylił się nisko i ucałował ją jak romantyczny Leński.

– A wie pani, jak śpiewał Wysocki? „Jeszcze nie wieczór"! Jeszcze się spotkamy. Jestem pewien. Szkoda, że nie chce pani od razu ze mną rozmawiać. Czas minie, przyjdzie i rozmowa. Do widzenia... powie mi pani, jak pani na imię?

– Maria.

– Pani nie wygląda jak Maria. Maria jest chudy, zimny patyczak. Pani wygląda jak Marysia. Do widzenia, Marysiu.

– Czasami jestem Mareszką. To kaszubska odmiana Marysi.

– Mareszka! Pięknie. Mareszka pasuje. Tak jak nasza Marusia. Ale ty jesteś Mareszka, rzeczywiście. Do zobaczenia, Mareszko.

– Mario. Do widzenia.

Miała wielką ochotę obejrzeć się za nim... no to się obejrzała, któż jej zabroni? Sasza Winogradow stał ze swą gitarą w czarnym futerale koło osiemnastowiecznej armaty, na tle niebieskiego nieba z puchatymi chmurkami. Miał na sobie czarne spodnie i białą koszulę. Wyglądał stylowo. Wiatr rozwiewał mu długie, jasne włosy. No, Leński jak w pysk dał! Pomachała mu ręką; niech sobie nie myśli, że odwróciła się tylko, żeby się pogapić. Odmachał z leniwym wdziękiem.

– Sasza Winogradow? – Pani Lila zamarła na chwilę, przeszukując zakamarki pamięci. – Nie słyszałam o takim. W teatrze chyba nie występował żadnym, w operze na pewno nie. Może on jest jakiś off-coś tam. Artysta piwniczny. Kabareciarz. Trzeba było wziąć od niego numer telefonu. Co tak patrzysz, dziewczyno? Uważasz, że nie wypada? Ech, i to ja, w moich latach, muszę uświadamiać młodzieży, że żyjemy w dwudziestym pierwszym wieku!

– Ja nie jestem taka nowoczesna jak ty, Lilu...

Pani Lilianna popatrzyła na nią bystro.

– Uważasz, że jestem ZA nowoczesna?

– Nie, skąd. Po prostu ja taka nie jestem.

– Nie wiem, czy nie jesteś. Jak na moje wyczucie, postąpiłaś ostatnio bardzo nowocześnie. Bardzo dobrze zrobiłaś, nie wiem, czy już ci mówiłam, że cię pochwalam. Gorąco! Mężczyzna, który bije kobietę, nie zasługuje na nią. Ani na nic dobrego w ogóle. A ty, być może, zasługujesz na Saszę. Kto to wie? Trzeba było wziąć telefon!

~

Spotkanie z leńskopodobnym Saszą Fiodorowiczem Winogradowem doskonale wpłynęło Marii na samopoczucie. Większości kobiet dobrze robi zainteresowanie ze strony przystojnego mężczyzny, nawet jeśli nie zamierzają tego mężczyzny w żaden sposób spożytkować. Na razie żadni mężczyźni Marii nie interesowali, chyba że jacyś potencjalni chlebodawcy. Tych jednak na horyzoncie nie było widać (nie licząc dwóch kompletnie bezsensownych propozycji po pięć złotych za godzinę dwa razy w tygodniu); Maria zaczynała już mieć wyrzuty sumienia, że siedzi Lili na głowie drugi tydzień i jest taka kompletnie bezproduktywna.

– Za grosz logiki, droga Marysiu. Za grosz logiki. Gdybyś nawet pracowała, to też byś u mnie siedziała. Więc co za różnica, pracujesz czy nie. Nawet lepiej, jak nie pracujesz bo odkurzasz i gotujesz. Mnie jest z tobą bardzo przyjemnie, a moje mieszkanie... sama widzisz, że jest za duże jak na jedną starszą panią. W pewnym sensie uratowałaś mi życie, bo mój syn się upierał, żebym zamieszkała z nimi, to znaczy głównie z jego smętną donną, bo jemu zaczął się sezon lęgowy. Będzie ganiał za ptakami do późnej jesieni. Ale on się martwi o mamunię. Znaczy, o mnie. Ktoś mu wmówił, że w moim wieku nie można mieszkać samotnie, bo jak człowieka nagły szlag trafi, to będzie tak leżał w domu, aż zaśmierdnie albo koty go zjedzą. Na szczęście nie mam kota. No i w geriatrycznego brydżyka się z tobą świetnie gra! – Tym dziarskim stwierdzeniem Lilianna zakończyła jałową dyskusję na temat uciążliwości Marii jako lokatorki.

Brydżyki odbyły się już trzy, odkąd Maria zawitała w gościnne progi mamy Bronikowskiej. Zarówno Lila, jak i Róża grały z pasją i trochę oszukiwały. Noel usiłował zaprowadzić jakiś sportowy porządek w tej materii, ale za bardzo go rozśmieszały leciwe przyjaciółki, kłócące się zajadle o każdą lewę. Maria stanowiła element równowagi w tym wybuchowym układzie, no i obniżała średnią wieku.

Czwarty brydżyk przyniósł dobrą wiadomość.

– Agnieszka jest, jak zwykle, niezawodna – oświadczył Noel, wyciągając ze swojej czarnej torby dwie niewielkie flaszki. – Przyniosłem coś dobrego na to konto. Żeby uczcić.

– A co to takie małe? – Róża, którą zabrał swoją taksówką po drodze, wykazała niezadowolenie. – Pokaż. No, nie! Noel, jednak jesteś wielki, Skąd to masz?

– Z supermarketu, kochana. *Vinum regum, rex vinorum.* Marysiu, powiedz tym damom, co to znaczy. My, humaniści, musimy trzymać się razem.

– Wino królów, król win. Znaczy kupiłeś jakiś fajny tokaj.

– Najlepszy. To znaczy najlepszy, jaki mieli. Aszú. Pięcioputtonowy. Ale nie wiem, co to są te puttony. Mam wrażenie, że kosze rodzynek, tylko co oni z nimi robią, tego nie zdołałem się dowiedzieć. Nie wiem, jak wy, dziewczynki, ja tokaj uwielbiam. Niewiele słodkich win da się uwielbiać.

– Puttony to są takie ceberki – wyjaśniła autorytatywnie pani Lila. – Z moim nieboszczykiem mężem byliśmy raz w życiu na wczasach zagranicznych, właśnie na Węgrzech. To był wtedy wielki świat. Ja te ceberki widziałam. Ale oni, znaczy Węgrzy, nie sypią do nich rodzynek, tylko takie specjalne, spleśniałe winogrona...

– A fuj – wtrąciła z godnością Róża. – Spleśniałe winogrona? I my to pijemy?!

– A spleśniałe serki lubisz? I kwaśne mleko? No. Czekaj, to już wam wszystko powiem. Oni, znaczy Węgrzy, sypią te puttony do beczek. Jak jest pięć puttonów, to pięć cebrzyków tych pleśniaków na beczkę. One są bardzo słodkie i mają taki nadzwyczajny smak, właściwie wcale nie są spleśniałe, tylko tak specjalnie zwiędnięte. A to wcale nie są duże beczki, mówię wam. Niecałe sto czterdzieści litrów. Widziałam. Piłam u źródła. Natomiast nie mam pojęcia, dlaczego tak wszystko zapamiętałam. Bo przeważnie zapominam.

– Tematyka ci odpowiada – zarechotała Róża. – Na Karaibach zostałaś alkoholiczką...

– Wszyscy zostaliśmy! Noelu, ja też uwielbiam tokaj. Za co pijemy?

– Za pierwszych pracodawców Marysi. Daj, Lilu, ja to otworzę, bo jak patrzę na ciebie, to mam wrażenie, że chcesz popełnić samobójstwo...

Po chwili wszyscy czworo siedzieli przy stole i z nabożeństwem popijali bursztynowe, słodkie i pachnące wino królów. Bez zagrychy, ponieważ Lila uznała, że zagrycha byłaby świętokradztwem. Tylko pani Róża pomrukiwała pod nosem coś o spleśniałych rodzynkach.

– Co ty tam mamroczesz? Chcesz sera? Ale mam tylko rycki...

– Co to są rycki?

– Rycki ser. Z Ryk. Takie miasto, Ryki. Ser rycki, z Ryk. Rozumiesz?

– Oczywiście, że rozumiem. Nie chcę żadnych ryckówNoel, ty nas zagadałeś tokajem, a podobno masz pracę dla Marysi! Przecież ta dziewczyna za chwilę pęknie. Mów!

Noel z niejakim żalem odstawił kieliszek.

– Agnieszka ma w szkole takie rodzeństwo z bogatymi rodzicami i dużym domem. Pan domu stale pracuje, a pani domu chciałaby się realizować w czymś atrakcyjniejszym niż wycieranie kurzów. Wcale nie wiadomo, czy nie zechcą cię, Marysiu, zatrudnić na całość, tak jak tę panienkę z Agaty, nie pamiętam, jak jej było. Emma, Edna, Eliza... pojęcia nie mam. Chyba Lucy.

– Marysia, Noelu, Marysia – skorygowała Lila.

– Mania – powiedziała ze smakiem Róża.

– Albo Mareszka – powiedział Noel.

– Mareszką będę tylko w niedzielę – oświadczyła Maria. – Prywatnie. Zdrowie waszej Agnieszki, kimkolwiek ona jest!

∾

Kiedy Maria sprawdziła na planie miasta, gdzie mieszkają państwo Regina i Witold Pultokowie, machnęła ręką i poszła kupić sobie GPS. Ostatecznie miała te swoje pieniądze, zarobione w lofcie Tkalnia, swoją drogą ciekawe, czy Aleks zdecydował się jakoś zadziałać w banku... Zaciekawiło ją to zagadnienie i spróbowała wyjąć z bankomatu pięćdziesiąt złotych. Bankomat odmówił. Na koncie były jakieś drobne, konieczne dla jego utrzymania, ale już za małe do wyjęcia. Aleks nie wierzył, że Marii wystarczy to, co wzięła, i schował resztę. A to łobuz – pomyślała, ale się nie przejęła. Może by warto do niego zatelefonować?

Do niego, jak do niego, ale do rodziców.

Nie mogąc się zdecydować, czy dzwonić do matki, czy do ojca, zadzwoniła na numer domowy. Odebrał ojciec.

– Cześć, tato. Co u was słychać?

– Matko boska! – Ojciec aż się zatchnął.

– To nie Matka Boska, to ja. Twoja córka. Tato, ty się cieszysz czy wręcz przeciwnie?

– Sam nie wiem – rzekł ojciec takim tonem, jakby naprawdę nie wiedział. – Skąd dzwonisz?

– Nie powiem ci, tatku, na wszelki wypadek. Strasznie cię przepraszam, ale jeszcze nie pora na to.

– Myślisz, że doniosę Aleksowi?

– A bo ja wiem? A doniesiesz?

– Mam mieszane uczucia – wyznał ojciec. – Twoja matka wcale nie uwierzyła w to, co nam powiedział ten twój doktorek, ale ja zacząłem mieć wątpliwości. Dawno nie mówiłaś do mnie „tatku".

– Tęsknię za wami – westchnęła. – Trochę tu jestem samotna, chociaż trafiłam na życzliwych ludzi. Bardzo sympatycznych.

– Maryś... ty chcesz się rozwodzić?

– Bezwzględnie tak. Tylko powiem ci, tatku, skoro już tak rozmawiamy po ludzku, że jeszcze się boję. Że mogłabym się pozwolić przekabacić albo przestraszyć, nie wiem. Ja go już nie kocham, tato, nie wyobrażasz sobie, jak to jest, kiedy ktoś rzuca tobą jak szmatą o glebę... a ty wpadasz na ostre kanty.

– Matka jest zmartwiona. Rozmawiała o tobie z naszym księdzem proboszczem. On jej mówił, żebyś przyjechała, a on cię przekona. Bo popełniasz grzech. Maryś, może ty naprawdę zbyt pochopnie zadziałałaś. Jesteś pewna, że nie będziesz nigdy żałować? Takie z was było piękne małżeństwo, mieliście taki piękny dom... mogliście mieć dzieci...

– Tato, a ty wiesz, że matka Aleksa jakiś czas temu odeszła od swojego męża? On ją bił trzydzieści pięć lat. Ja sobie tak pomyślałam, że Aleks chyba by się nie zmienił. On by raczej też mnie bił trzydzieści lat, a ja bym tego nie wytrzymała. Chciałbyś, żeby mąż bił mnie przez trzydzieści lat, tato?

Ojciec zamilkł na jakiś czas.

– Tato, jesteś?

– Jestem. Maryś... ty naprawdę nie piłaś?

– Naprawdę, tato. W sensie alkoholizmu, oczywiście, bo tak normalnie, to owszem, nawet wczoraj, pyszny tokaj, mówię ci, rewelacja.

– Nie, nie, miałem na myśli uzależnienie...

– Tatku! Słowo honoru, NIE.

Głębokie westchnienie ojca dotarło do ucha Marii.

– Nawet nie wiesz, jak mi ulżyło. Ja właściwie uwierzyłem temu doktorowi, ale matka nie potrafiła zwątpić w ukochanego zięcia. I tak mnie te wątpliwości trzymały. Wierzę ci, Maryś. Kamień mi z serca spadł. No, powiedz, jakie masz plany, niech ja wiem, że sobie dajesz radę. Podobno rąbnęłaś

Aleksowi jakieś pieniądze? On tak mówił. To nie jesteś bez środków do życia?

– Wypłaciłam sobie honoraria za lata pracy. Wiesz, gotowanie, sprzątanie, pranie i tak dalej. Usługi seksualne pominęłam.

– Przestań, Marysiu... Jakie usługi seksualne, przecież go chyba kochałaś. Na początku przynajmniej.

– Tato, ja go kochałam aż do tego dnia, kiedy mnie uderzył. Dlatego teraz mam wątpliwości, boję się, czy mi to nie wróci. Nie chcę, żeby wróciło. Zaczynam naprawdę nowe życie, na własny rachunek. Już mam namotaną pracę.

– Na uczelni?

– Nie. Ale ci na razie nic nie powiem, dopiero jak mi zacznie wychodzić. Tato, mnie też kamień z serca spadł. Nie mogłam znieść myśli, że wy się będziecie na mnie gniewać. Tatku, spróbuj przekonać mamę.

– To nie będzie łatwe. Matka martwi się, że popełniasz grzech. Ja też się o to martwię, ale mam nadzieję, że się dogadasz z Panem Bogiem. Jakoś naprawdę nie mogę myśleć o tym, że ktoś mógłby cię bić i znęcać się nad tobą.

– Kocham cię, tato.

– Ja też cię kocham, Mareszko. Matka też... tylko trzeba jej dać jeszcze trochę czasu.

– Popracuj nad nią!

– Popracuję. Telefon zmieniłaś, zastrzeżony masz?

– Tak, ale zaraz ci wyślę numer esemesem. Nie chciałam, żeby Aleks do mnie dzwonił i mnie denerwował. Muszę się bronić, tato. Rozumiesz.

– Rozumiem. Trzymaj się ciepło, dziecinko.

– Tato, jak będziesz do mnie mówił „dziecinko", to się poryczę! Ty się też trzymaj i mamę uściskaj. Pa, tatku.

– Pa, Mareszko. Do usłyszenia.

Maria wytężyła siłę woli i udało jej się nie rozpłakać. Ta rozmowa zrobiła jej jeszcze lepiej niż Sasza Winogradow (może szkoda, że mu nie dała telefonu). Bardzo nie chciała mieć wrogów we własnych rodzicach. Ojciec najwyraźniej jest już po jej stronie. Matkę się przerobi!

Wysłała ojcu nowy numer komórki, porozmawiała chwilę z GPS-em i zaprogramowała sobie adres państwa Pultoków na ulicy Nowowiejskiej, w dzielnicy Bezrzecze. Chytre urządzenie doprowadziło ją do pięknej i ewidentnie zasobnej willi na peryferiach. Marię zachwycił widok: z tego tarasu, którego kafelki już niedługo, być może, będzie pucować jakimś Cilitem Bangiem albo innym świństwem, widać było rozległą panoramę miasta. Proszę bardzo, chętnie wypucuje taras z takim widokiem.

Zaparkowała yarisa na podjeździe i zadzwoniła do drzwi. Otworzyła je i wyszła na podjazd (starannie zamykając za sobą drzwi) przystojna, czterdziestoletnia mniej więcej dama, odziana w różowy, obcisły sweterek bouclé i czarne legginsy. Maria pomyślała sobie, że jeśli kiedyś wejdzie z panią w bliższą komitywę, poradzi jej ubrania o dwa numery większe. Apetyczna, kobieca sylwetka, upchnięta w za małe rozmiary, nie wyglądała tak ponętnie, jakby mogła. Efekt psuły te cholerne wałeczki... wszędzie właściwie.

Dama również przyjrzała się Marii bystrym okiem. Zobaczyła elegancką kobietę uczesaną w ciasny koczek, w wygodnej, fałdzistej spódnicy i zamszowej kurteczce. Wszystko w brązach, z jednym wyjątkiem: kolorową apaszką od Hermesa. To znaczy z podróbką oczywiście. Szukające pracy pomoce domowe nie miewają apaszek od Hermesa.

Apaszka była autentyczna. Maria dostała ją na poprzednie imieniny od męża. Ewentualna chlebodawczyni nie mogła tego wiedzieć, więc nie zepsuło jej to humoru na starcie.

– Dzień dobry – zaczęła Maria mało oryginalnie. – Jestem Maria Strachocińska, z polecenia pani Agnieszki Brańskiej-Borowskiej. W sprawie pracy.

– Dzień dobry – odrzekła dama w legginsach. – Gina Pultok. Jak pani toleruje psy?

– Bardzo lubię psy i chyba z wzajemnością.

– To korzystnie – orzekła dama. Miała straszny głos, niby normalny, ale o jakiejś takiej częstotliwości, wysokiej i rozedrganej, wprawiającej w niepokój. Jakby co, trzeba się będzie przyzwyczaić. – Mam dwie suczki. Najważniejsze, żeby one panią akceptowały. Jeśli im się pani spodoba, będziemy rozmawiać.

– Jestem do dyspozycji – uśmiechnęła się Maria.

Przed przyjściem tutaj zastanawiała się, jaką taktykę przyjąć, czy udawać matołka i na przykład ukryć swoje wykształcenie, ale doszła do wniosku, że na dłuższą metę to by było okropnie męczące. Postanowiła być sobą. Skonsultowała zamiar z Lilą i uzyskała aprobatę.

– Zdecydowanie masz rację, Mareszko – powiedziała ta doświadczona osoba. – Niech oni się czują dowartościowani, ci Pultokowie... czy Pultocy? Pultokowie chyba. No. Że pracuje u nich osoba na poziomie. Może o doktoracie już nie mów... Jeśli pozwolisz, podcieniowałabym ci te loki. Zostawię dosyć długie, żebyś mogła robić sobie kok, bo uważam, że do pracy powinnaś wyglądać skromnie. A jak znajdziesz Saszę Winogradowa, hehe, to rozpuścisz na ramiona.

Maria przypomniała sobie, że Lila była całe życie fryzjerką i perukarką w teatrze, zaryzykowała więc i zgodziła się. I nie pożałowała. Między innymi dlatego wyglądała teraz na panią, a pani Gina Pultok na służącą... odrobinę niechlujną.

Gina Pultokowa otworzyła drzwi do domu. Maria weszła i znalazła się w obszernej sieni. Zastanawiała się teraz, jakiej rasy są ukochane suczki pani. Może to dwie dożyce... albo rottweilerki, tfu, na psa urok. Zanim zdążyła się przestraszyć własnymi pomysłami, pani Gina otwarła kolejne drzwi i spódnicę Marii zaatakowały dwie nastroszone figurki.

– Większa jest Josia – powiedziała pani Gina. – Josephine z Psiego Zamku na Dolinie. Ona jest Alfa. Mniejsza ma na imię Jasia. Jeanne z Psiego Zamku na Dolinie. Jak się pani wita, to najpierw koniecznie z Josią, bo inaczej ona się rzuca na Jasię i ją gryzie.

Ale jak je odróżnić? – pomyślała w lekkiej panice Maria. Sposobem, tylko sposobem.

– Josia! – zawołała słabo, w nadziei, że inkryminowana Alfa się ujawni. Obie psinki rzuciły się na nią ze zdwojoną energią. Maria po prostu wysunęła do nich rękę, która natychmiast została oblizana i przyjaźnie poobgryzana. Josia i Jasia uznały, że tyle na razie wystarczy, i popędziły gdzieś w głąb mieszkania, szczekając przeraźliwie. Maria była ciekawa, czy one kiedyś milkną. Podobno psy sporo śpią. Nie wiadomo, czy yorkshire teriery o tym wiedzą.

– No, chyba dobrze poszło – oceniła spotkanie na szczycie pani Pultok. – Napijemy się kawy i porozmawiamy.

– Czy mam zrobić? – uśmiechnęła się Maria zniewalająco i natychmiast spostrzegła, że wybiegła przed orkiestrę.

– Jeszcze pani tu nie pracuje – powiedziała sucho pani domu i zabrała się do współpracy z ekspresem do kawy. Kiedy trzeci raz nie udało jej się trafić zbiorniczkiem z kawą we właściwie miejsce, kiwnęła na Marię. – Zna się pani na tym?

– One są różne, ale spróbuję.

Maria spróbowała, ale i jej nie szło za dobrze. Na ustach pani domu zaczął już zakwitać uśmiech będący misternym połączeniem pogardy i satysfakcji, kiedy kandydatka na służącą pochyliła się, wejrzała w ekspres od spodu i coś zauważyła. W otworze tkwił już jakiś zbiorniczek. Widocznie został tam, bo nie siedział dobrze w uchwycie, który pani Gina teraz wyjęła i załadowała większym zbiorniczkiem, na dwie filiżanki kawy.

– Coś podobnego!

– Już zaraz będzie działać. On się tu podstępnie schował. Nie zauważyła go pani, bo głęboko siedział.

– No tak. Która jest Josia?

Matko jedyna, ona robi testy! Dwie potargane suczki kotłowały się na podłodze. Maria nie mogła się zorientować, czy one już się gryzą na śmierć i życie, czy na razie tylko rozkosznie figlują.

– Większa – orzekła bezczelnie. Alfa powinna być większa, choć Maria na razie nie widziała między nimi żadnej różnicy.

– Dobrze – powiedziała Pani. Maria zaczynała ją właśnie tak widzieć, jako Panią przez duże P. Bez dodawania imienia, bo to by była zbytnia poufałość. – No to ja teraz chciałabym przystąpić do rzeczy.

– Jestem do dyspozycji.

– Pani już pracowała jako gosposia.

– Tak – potwierdziła spokojnie, przypominając sobie loft Osiedle Tkalnia i wymagania Aleksa dotyczące odkurzania oraz podawania do stołu. Widelce nie miały prawa leżeć na stole nieprawidłowo. A ją kiedyś bawiła jego pedanteria. Cha, cha. Śmieszne to było jak nie wiem co. – Cztery lata. U adwokata i jego żony pod Warszawą.

– Ma pani od nich jakieś referencje?

– Musiałabym sama je sobie napisać. To był mój dom. Bardzo duże mieszkanie właściwie, w lofcie, w starej tkalni.

– Chwila. To pani była panią czy gosposią?

– Mnie się wydawało, że panią, ale mój mąż traktował mnie jak gosposię. Dlatego między innymi odeszłam od niego.

– Ach, odeszła pani. Pani dyrektor Borowska... ona wyszła za mąż i teraz nazywa się Brańska, ale dla nas jest wciąż Borowska... mówiła, że pani chce pracować jako... chwilka.

Sięgnęła do kieszeni i wyjęła małą karteczkę.

– Idealna gosposia prawie do wszystkiego. To co właściwie pani chce robić?

– Mogę robić wszystko z wyjątkiem usług męsko-damskich. Żaden seks nie wchodzi w rachubę.

– A co, pani myśli, że ja chcę z panią uprawiać seks?

– To zastrzeżenie na wypadek, gdyby moim pracodawcą miał być mężczyzna. Ale wyjąwszy seks, mogę sprzątać, gotować, robić zakupy, dbać o dzieci, o chorych w rodzinie, o ile tacy będą, załatwiać sprawy w urzędzie, pomagać dzieciom w lekcjach, wypełniać PIT-y; no, po prostu wszystko, co normalnie spada na panią domu.

– A jak będą niespodzianki?

– W jakim sensie?

– Nie wiem. Gdybym wiedziała, toby to nie były niespodzianki.

– No tak. Nie myślałam o tym, ale oczywiście, niespodzianki wchodzą w grę. Nazwijmy to profesjonalnym prowadzeniem domu. Wszystko, co wchodzi w zakres prowadzenia domu.

– Pani ma wykształcenie?

– Jestem polonistką.

– To dlaczego pani nie uczy w szkole?

– Bo nie mam ochoty – roześmiała się Maria i tym zdaniem chyba zapunktowała u wymagającej damy.

– Rozumiem. Ja bym też nie mogła. Dzieci to potwory. Zobaczy pani moje. Kordian i Roksana. Są w pierwszej klasie liceum, u pani Borowskiej, oczywiście. Kordian powtarzał jedną klasę w gimnazjum i teraz im się zbiegło. Z nimi trudniej się pani będzie dogadać niż z Josią i Jasią. Skarbuleńki moje – rozrzewniła się, pochylając nad szalejącymi terierkami. – Ciapatulki najmilsze!

Maria z przykrością stwierdziła, że ciapatulki dobrały się do torebki, którą postawiła na podłodze, i zeżarły sporą jej część. A mówi się, że nie wolno stawiać torby na podłodze, bo forsa ucieka. I proszę, będzie musiała sobie kupić nową torebkę.

– Nie może pani stawiać torby na podłodze – pouczyła ją Pani. – Dziewczynki robią takie rzeczy. To do przewidzenia, jeśli chodzi o teriery. One mają temperament.

Dziewczynki znowu wyglądały, jakby się chciały pozabijać.

– Kota, kota! – Pańcia użyła sposobu i ciapatulki runęły z wrzaskiem gdzieś w głąb mieszkania. – Nienawidzą kotów – poinformowała nieco skonsternowaną Marię. – Mam jeszcze trzecią córkę, najstarszą, ale już się usamodzielniła. Ja tam uważam, że dzieci powinny jak najszybciej odchodzić od rodziców – złożyła niespodziewaną deklarację.

Maria była zdania, że taka piękna willa jak ta doskonale nadawałyby się na gniazdo rodzinne. Przy swoich imponujących rozmiarach pomieściłaby babcię, dziadka, rodziców, dzieci i jeszcze wnuki. Nie wyrywała się jednak z tym poglądem.

– A jak ma na imię najstarsza córka? – spytała zamiast tego.

– Wirginia. Nazwałam ją tak, żeby można było na nią mówić „Gina", ale ona nie chciała. To ja sobie wzięłam „Ginę". Bo jestem Regina, przedtem mówili na mnie „pani Reno". „Rena" ostatecznie może być, ale dopiero „Gina" to jest naprawdę ładnie. Ładnie, nie?

– Bardzo – uśmiechnęła się Maria uprzejmie, zastanawiając się, czy ta wytworna matka dzieciom zaangażuje ją w końcu, czy nie.

Matka jakby usłyszała.

– No dobrze, my tu gadu, gadu, a chłop śliwki rwie. Porozmawiajmy o warunkach. Ja proponuję pięć złotych za godzinę.

– Rozumiem, że pani żartuje. Za tę cenę nie dostanie pani nawet Ukrainki zagrożonej deportacją. Ja się nie wynajmuję do sprzątania na godziny. Ja się wynajmuję do prowadzenia domu, co oznacza, że pani będzie miała całkowitą swobodę.

– Dziesięć?

– Proszę pani. Pozostaję u pani przez miesiąc lub półtora. Pracuję maksimum osiem godzin dziennie, za to w dowolnym przedziale czasowym. W wyjątkowych wypadkach zostaję dłużej. Niedzielę mam wolną. Płaci mi pani tysiąc dwieście złotych tygodniowo. Jeśli będę wyjeżdżać w sprawach domu, zwraca mi pani za paliwo.

– Zwariowała pani?

– Takie są moje warunki. Może ich pani nie przyjąć, jeśli pani na mnie nie stać. Może pani też w każdej chwili zrezygnować z moich usług, jeśli będzie pani niezadowolona. Proponowałabym tydzień na próbę.

– A co to znaczy miesiąc, półtora?

– Po tym czasie prawdopodobnie dom będzie już doprowadzony do błysku, a ja nie wiem, czy będę chciała pracować zbyt długo na jednym miejscu. Wolałabym umawiać się tylko na miesiąc. Może potem zgodzę się na dłużej. Ewentualnie na dwa dni w tygodniu.

– Zachowuje się pani jak jakaś hrabina, a nie jak gosposia!

– Bo nie jestem zwykłą gosposią. Jestem profesjonalną gospodynią domową. Pozwoli pani, że zapytam: wspominała pani, że przydałby się pani czas na realizację własnych pomysłów życiowych...

Maria uważała, że mały bluff nie zaszkodzi. Pani Gina Pultok o niczym podobnym nie wspominała, ale teraz kiwnęła głową.

– Myślałam o otworzeniu małego sklepiku z biżuterią. Mój mąż handluje tą całą armaturą łazienkową... nie wiem, może pani słyszała o firmie „Piękna łazienka"...

Maria kiwnęła głową. W Tkalni miała przepiękne i potwornie drogie krany i prysznice zakupione w firmie „Piękna łazienka".

– No właśnie. Więc on jeździ stale po kraju albo wyjeżdża za granicę, czasem chciałabym gdzieś z nim pojechać, a nie mogę. Ale najbardziej mnie ciągnie taki mały buticzek z biżutami. Vito mówi, że nic z tego, ktoś musi być w domu.

– Sama pani widzi. Uważam, że właściciela firmy, w której kupiłam kiedyś kran za trzy tysiące, stać na zatrudnienie gospodyni domowej i ulżenie małżonce w obowiązkach.

– To teraz pani co miesiąc zarobi na taki kran – zachichotała pani Pultokowa. – I jeszcze zostanie na waciki. No, dobrze. Nie moja sprawa. Umówimy się na ten tydzień próby. Kiedy pani może zacząć?

– Od poniedziałku. Tylko zastrzegam sobie, że pierwszy dzień mam na rozeznanie i sporządzenie planów. Dopiero od wtorku zaczynam działać.

– I ja za ten poniedziałek pani płacę?

– Oczywiście. Przecież planowanie to też praca. Nie mogę działać chaotycznie.

– Vito mnie zabije. Ale trudno. Jak się chce mieć dom na poziomie, to trzeba płacić.

– Święte słowa, proszę pani. – Maria opracowała sobie kilka podobnych powiedzonek w nadziei, że uwiarygodnią jej kreację. – Przyjdę o dziewiątej. Małżonek na pewno przekona się, że miała pani słuszność.

∽

Oczywiście Maria wcale nie była tego taka pewna, ale uznała, że z tym problemem musi się zmierzyć pani Pultokowa.

Snując te akademickie rozważania, Maria opuściła swoje potencjalne miejsce pracy i z pewnym zdziwieniem stwierdziła, że jest odrobinę zdenerwowana. Śmieszne uczucie: zależeć od fanaberii pani Giny Pultok. Będzie się musiała do tego przyzwyczaić. Ciekawe, czy pani Pultok jest mocno fanaberyczna, czy tylko trochę.

Wrzask klaksonu z tyłu uchronił ją przed wjechaniem na skrzyżowanie przy czerwonym świetle. Podniesieniem ręki podziękowała temu komuś, co miał lepszy refleks niż ona, i zaczęła rozglądać się za możliwością zaparkowania. Udało jej się to tuż za rondem.

Na miękkich kolanach wysiadła z yarisa. Należy jej się jakaś kawa. Albo lepiej czekolada. Magnez, dużo magnezu. Gdzie tu coś takiego dają?

Wyglądało na to, że raczej nigdzie. Spytała jakąś starszą panią (starsza, to powinna być tutejsza) i uzyskała wiedzę, że oto jedna z ulic odchodzących od tego tu Placu Zgody („on się, pani, nazywał Plac Przyjaźni Polsko-Radzieckiej, hi, hi, hi, ale to za tamtego Ruska, a i tak nikt tak nie mówił, wszyscy tylko Plac Zgody i Plac Zgody"), no więc jedna ulic, o ta, ta (tu wyraźne wskazanie dłonią, ramieniem i całą osobą), to jest, pani, deptak, i komu to był potrzebny taki deptak, ale tam są jakieś kawiarnie, to sobie pani odpocznie, tylko na tych skubanych strażników musi pani uważać, o, już mandat pani piszą, a tu są takie automaty do biletów na parkowanie...

Maria podziękowała życzliwej damie i popędziła się kłócić z panią od strefy płatnego parkowania. Pani strefowa miała wytrzeszcz oraz aparat fotograficzny i dla odmiany wcale nie była życzliwa.

– Ja na panią specjalnie patrzyłam – powiedziała z dużą satysfakcją, wkładając wydruk za wycieraczkę. – Wcale się pani nie spieszyło.

– Ale ja nie jestem stąd i właśnie pytałam, gdzie tu są parkomaty – oświadczyła Maria częściowo kłamliwie. – Za chwilę bym skasowała...

– Ja patrzę i widzę, a co tam pani chciała, to mnie nie obchodzi.

Pani strefowa odchyliła się profesjonalnie i pstryknęła zdjęcie kwitka za wycieraczką.

Maria nie chciała się kłócić. Tym bardziej że mandat miał szanse trafić do Osiedla Tkalnia w starej fabryczce pod Żyrardowem, a kawa i czekolada wzywały ją do jak najszybszego przejścia przez plac. Zostawiła miejską funkcjonariuszkę nie-pocieszoną (chciała ona sobie troszkę podyskutować z tą paniusią) i oddaliła się w kierunku owego deptaka.

Odległość do najbliższej kawiarni o nazwie „Biały Pudel" była śmieszna, a jednak omal nie zwaliła Marii z nóg. Jakiś kryzys ją łapał ewidentnie. Na tych uginających się nogach weszła i ostatnie, co jej się udało zrobić, to usiąść, nie przewracając fotelika.

Nie zemdlała, ale mało brakowało. Przez moment przeszło jej przez myśl, że jednak nabudował jej się jakiś wielki, opóźniony krwiak i zaraz dostanie wylewu, i oczywiście umrze. Nie umarła, więc uznała, że chyba naprawdę po prostu nagromadzone emocje postanowiły jakoś znaleźć sobie ujście.

Zamówiła tę czekoladę, zastanawiając się, czy nie wziąć od razu podwójnej porcji. Z powodu magnezu. I ciastko. I wodę mineralną. I jeszcze jedną czekoladę, a niech tam. Wszystko na raz.

Pierwszą porcję wchłonęła trzema łykami i przejrzała na oczy. W połowie drugiej zaczęła słyszeć głosy. Po kolejnej chwili świat wrócił do normy. Ani chybi magnez zadziałał. Albo coś innego.

Ciastko po dwóch filiżankach czekolady okazało się niejadalne. Zamówiła herbatę i postanowiła przeczekać.

I wtedy zaczął do niej docierać dialog kobiety i mężczyzny. Siedzieli przy stoliku obok, nie zwracając uwagi na otoczenie. Głos kobiety był wzburzony, może dlatego Maria zaczęła słuchać.

– Naprawdę nie wiesz, dlaczego cię tu przyprowadziłam? Czy robisz sobie ze mnie żarty?

– Jakie żarty, gdzieżbym śmiał. Nie wiem, Anielko droga, trzeci raz ci to mówię albo i czwarty... O, zrymowało mi się...

Wzburzona Anielka nie przejęła się tym wcale.

– A pamiętasz, co tu kiedyś było?

– Anielko, serce, nie mam pojęcia, co tu było. Ulica normalna...

– Ulica! Mój Boże! No, może nie tak całkiem dokładnie w tym miejscu, ale tu niedaleko. Przez ulicę. No, od placu, w pawilonach...

Mężczyzna wyraźnie się ucieszył.

– Masz na myśli „Maskotkę", serce moje? Kawiarnię naszej wczesnej młodości?

Damski głos prychnął wściekle.

– Jednak! Coś pamiętasz! A „Maskotka" z czymś ci się kojarzy, czy też tylko z ciasteczkami?!

– Jeszcze z kawą... Nie, Anielko, proszę, nie gniewaj się! Ja tak powiedziałem dla efektu. Oczywiście, pamiętam wszystko. Oświadczyłem ci się w „Maskotce". Dałem ci pierścionek. Masz go na paluszku. To było pięćdziesiąt lat temu.

– Pięćdziesiąt pięć – warknęła dama. – Masz sklerozę, Stefanie!

Maria nie wytrzymała i rozejrzała się dyskretnie. Spierającą się parę było widać, może nie całkiem wyraźnie, w szybie. Istotnie, byli mocno starsi, choć bardzo eleganccy oboje. Ze swojego miejsca Maria lepiej widziała rozwścieczoną panią Anielę – platynową blondynkę w słomkowym kapelusiku ozdobionym różą i sukni, czy może garsonce w różowe kwiaty. Z jej partnera mogła dostrzec tylko plecy i siwą głowę. Oboje musieli być raczej wysocy.

– Mam sklerozę – zgodził się pogodnie pan Stefan. – A właściwie po co ja się podkładam? Nie mam żadnej sklerozy, doskonale wiem, kiedy to było, chciałem ci ująć chociaż pięć lat...

– Jesteś bezczelny!

– Może trochę. Jestem też przeciwko awanturom w miejscu publicznym, Anielko. Dajmy temu spokój...

– W miejscu prywatnym zupełnie nie da się z tobą rozmawiać. Żądam od ciebie odpowiedzi: co zamierzasz w związku z Alergenem i Makaronem?

Uszy Marii wydłużyły się znacznie. Pańcia ma alergię na węglowodany? A on co? Siłą ją tym karmi? Czy obsypuje?...

– Anielko, co ty chcesz od biednego Gienka?

– Dostaję od niego wysypki!

– Tylko wtedy, kiedy go dotykasz. A stary, dobry Makaron?

– Śmierdzi!

Śmierdzący makaron! Może jakiś chiński, Chińczycy jajka trzymają w ziemi, aż nabiorą właściwości bomby atomowej. O, jeśli tak, to leciwa Aniela ma najzupełniejszą rację... Alergen za to może być wszystkim.

– Anielko, starość nie radość. Sami o tym wiemy. Biedny Makaron może faktycznie trochę podśmierduje, ale i my nie jesteśmy już doskonali...

– Stefanie, jesteś podły. Mniejsza z tym. A jeśli dam ci do wyboru, Alergen i Makaron albo ja?

Pan Stefan zaśmiał się z lekkim przymusem i wyraźnie zakłopotany.

– Nie śmiej się, bo nie ma z czego.

– No wiesz, kochana, ty byś sobie beze mnie jakoś poradziła, a one to by chyba umarły...

Nastąpiła przeraźliwa chwila ciszy, w której odsunięcie krzesełka starszej damy zabrzmiało jak wystrzał z armaty. Maria podskoczyła. Tym bardziej że dama z całym impetem usiadła naprzeciwko niej, przy jej stoliku.

– Przepraszam panią – huknęła.

– Ależ proszę. – Maria aż się skuliła, tylko pod wpływem siły głosu damy, bo tak w ogóle czuła się nawet troszkę rozśmieszona. Oczy pani Anieli płonęły jednak wielkim ogniem i nie do śmiechu jej było.

– Przepraszam, że się narzucam – powtórzyła dama. – Pani jest osobą młodą i nowoczesną. Ja tylko starą jędzą dobiegającą osiemdziesiątki...

– Masz dopiero siedemdziesiąt sześć, kochanie – skorygował pan Stefan, odwróciwszy się na krześle w ich stronę. – Ja mam osiemdziesiąt dwa.

– Nie podsłuchuj! Albo zresztą słuchaj sobie, może coś zrozumiesz. Proszę pani...

– Tak?

– Po pierwsze: czy pani uważa, że osoba w moim wieku ma prawo do jakichś uczuć?

– Oczywiście, że ma – odrzekła zdumiona Maria.

– Cieszę się. Bo ja jestem o tym głęboko przekonana, na własnym przykładzie zresztą. Po drugie: załóżmy, że złapała pani chłopa... to jest mężczyznę, którego pani pokochała i on panią, i teraz jesteście razem. Mijają lata i okazuje się, że on panią cały czas dręczy i upokarza...

– Anielko, błagam, ja cię upokarzam?...

– Cicho siedź. Nagadałeś się dosyć przez te pięćdziesiąt pięć lat! Niech pani słucha dalej. I lekceważy panią, traktuje jak coś gorszego, jak przedmiot, i ma pani być zawsze do jego dyspozycji, jak ta służąca i jak gejsza jakaś japąska na dodatek!

Japąska gejsza. Śliczności.

– Anielko...

– Cicho! To co by pani zrobiła?

– Ale ja nie jestem panią...

– Ja nie pytam, co by pani zrobiła na moim miejscu. Ja po prostu pytam panią, co by pani zrobiła?

– Ja... odeszłam od niego, ale dopiero jak mnie uderzył – wyjąkała Maria zaskoczona niebotycznie. Nigdy jeszcze nie napadały na nią staruszki i nie żądały publicznej odpowiedzi na tak krępujące pytania.

Rzeczona staruszka wyprostowała się z tryumfem w oczach.

– Ja cię nigdy nie uderzyłem, na Boga! – wykrzyknął jej mąż. – Anielko, błagam cię!

– Niekoniecznie uderzenia bolą najbardziej! – wygłosiła Aniela. – Fizyczne – dodała dla wyjaśnienia. – Bardzo pani dziękuję. Bardzo. Teraz już wiem, co powinnam zrobić. Nosiłam się z tą myślą dawno, ale nie miałam pewności. Pani mi ją dała. Dziękuję. Stefanie, dla ciebie byłam zawsze ostatnia w łańcuchu pokarmowym. Mówię w przenośni, ale chyba mnie rozumiesz. Podjęłam pewną decyzję, ale dowiesz się o niej dopiero w domu. Nie będziemy prać brudów publicznie.

Trochę dziwnie to zabrzmiało, bo od jakiegoś czasu prała te brudy, a słuchała jej cała obsługa kawiarni „Biały Pudel" oraz Maria i siedem osób spożywających różne łakocie przy pozostałych stoliczkach. Dama w słomkowym kapeluszu nie przejęła się tym drobiazgiem, po raz drugi z hukiem odsunęła krzesełko i po prostu wyszła.

– Chryste Panie! – jęknął pan Stefan, oszołomiony, trzęsącymi rękami rzucił na stolik jakiś banknot i wybiegł za żoną. Maria widziała przez okno, jak usiłował ją dogonić.

Obsługa dyskretnie schowała się na zapleczu, ale pięcioro konsumentów w wieku i o wyglądzie japiszońskim nie posiadało się z radości i nie szczędziło błyskotliwych uwag na temat komicznych pierników, którym kompletnie odbiło, prawdopodobnie wskutek sklerozy starczej, a może nawet początków alzheimera. W dyskusji udziału nie wzięli migdalący się przy stoliku w kącie pięćdziesięciolatek i elegancka panienka z lokami koloru wściekłej pomarańczy, prawdopodobnie pracująca, trzymająca mu aktualnie dłoń w spodniach.

Niespodziewanie dla siebie samej, Maria wstała z krzesła i powiedziała bardzo głośno:

– Przepraszam, ale obrzydliwie jest słuchać tego, co mówicie! Każdy z was będzie kiedyś starym piernikiem i wtedy chcielibyście tak wyglądać jak oni! A do uczuć ma się prawo, dopóki śmierć nie przyjdzie. Powinniście się wstydzić!

Zupełnie tak samo jak pan Stefan przed chwilą, rzuciła banknot na stolik i wyszła, nie słuchając, co mówią ludzie za jej plecami.

Miała nadzieję, że starsi państwo jakoś się pogodzą. Przez te ponad pięćdziesiąt lat chyba nieraz sprzeczali się i godzili.

Byli bardzo przystojni oboje, elegancko ubrani, mieli świetne figury i naturalną grację w ruchach...

W tym wieku!

∾

Pani Gina Pultok przyrządziła sobie słodkie i pieniste cappuccino, zasiadła przy telewizorze i zerkając na gwiazdy tańczące na lodzie, oddała się pracy myślowej. Nie była pewna, czy nie popełniła jakiegoś błędu. Przede wszystkim ta elegancka damulka, która podobno chce u niej kurze wycierać i obiady gotować, może nie mieć o tym zielonego pojęcia. Jeśli ją było stać na krany pana Pultoka, to na pewno miała też gosposię, a teraz ściemnia po prostu, żeby dostać pracę. Ciekawe, czemu musi pracować. Prawdopodobnie mąż ją z domu wyrzucił, ale dlaczego to zrobił? Zapewne damulka puszczała się na prawo i lewo, nikt by tego nie wytrzymał, znaczy się mąż miał stuprocentową rację. Z tym wykształceniem też pewnie szkli, nikt normalny z wyższymi studiami nie szukałby pracy jako kuchta – i to w Polsce, mogła przecież jechać zmywać gary do Szkocji albo Irlandii!

Po drugie – czy ona się nie będzie wywyższać?

No, jeśli o to chodzi, to niedoczekanie.

Czy jednak Vito nie będzie miał pretensji o to straszne wynagrodzenie, na które ona, Gina, tak lekkomyślnie przystała?

Zobaczymy przez ten pierwszy tydzień. Jeśli okaże się taką rewelacją, jak się przedstawia, to bardzo dobrze. A jak nie, to i honorarium takie duże nie będzie, mowy nie ma. I na drzewo, wynocha, fora ze dwora, czy jak to się tam kiedyś mówiło.

Jakby jednak była dobra, jakby udało jej się poskromić koszmarnego Kordiana i jeszcze koszmarniejszą Roksanę (podłe dzieci, a ona, Gina, tak się męczyła przy obu porodach!), jakby Vito był zadowolony, to może by jej pozwolił na ten buticzek...

Pani Gina przeoczyła informację, że Maria zamierza u niej pracować miesiąc do sześciu tygodni. Ale zazwyczaj słuchała, co się do niej mówi, dość wybiórczo. Tak było i tym razem.

∾

– Czy będziesz nosiła fartuszek i czepeczek?

Okrągłe i jak zawsze starannie podmalowane oczka pani Lili wpatrywały się intensywnie w Marię. Prawdopodobnie starsza pani robiła właśnie w myślach przegląd wszystkich operowych i teatralnych subretek, które czesała w ciągu przeszło czterdziestu lat pracy i w wyobraźni przymierzała Marii ich fartuszki i czepeczki.

– Uważasz, że powinnam?

Maria siedziała w bujanym fotelu i kiwała się nieco bezmyślnie. Czuła się kiepsko, jakby opuściły ją wszystkie siły. Łapała ją jakaś trzęsionka, jak przy grypie. Odkąd zamieszkała u pani Lili, podobne samopoczucie ogarniało ją prawie każdego wieczora, kiedy już skończyła robić to, co sobie zaplanowała na dany dzień, i zaczynała myśleć o sytuacji, w jakiej się znalazła. Pojawiały się wątpliwości, czy naprawdę dobrze zrobiła. Po wielekroć analizowała własne uczucia i zawsze wychodziło jej to samo: zimna, czarna dziura w sercu, dokładnie tam, gdzie jeszcze niedawno chowała uczucia do męża. Czarna dziura. I chłód. W sumie okropieństwo.

Jako istota myśląca, nie uważała się za pępek świata ani za jedyną kobietę cierpiącą z powodu mężczyzny. Miała też nadzieję, że te kryzysy uczuciowe da się przeczekać. Była zdecydowana je przeczekać. Nie było to jednak proste. Poza tym pojawiło się pytanie, jak właściwie zareagował Aleks?

A jeśli to z jego strony był jednorazowy wyskok, jeśli on teraz włosy z głowy sobie wyrywa?...

– Nie słuchasz, co do ciebie mówię. – Bystre oczka przewierciły Marię na wylot. – Źle się czujesz? Trzęsie cię? Bo jakoś tak wyglądasz.

– Przepraszam, Lilu. Powtórz, co mówiłaś, dobrze?

– Zaraz powtórzę. Grypa cię łapie czy smuteczki?

– Nie wiem. Może jedno i drugie.

– Dam ci aspirynę. Nie zaszkodzi. Poczekaj tu.

Maria posłusznie połknęła dwie aspiryny i popiła wodą mineralną podaną przez panią Lilę ze wzruszającą troskliwością.

– Tęsknisz za nim?

Maria skuliła się w fotelu.

– Chyba tak, tylko że jego... już nie ma.

– Nie ma, mówisz. No tak, ja rozumiem. Pokazał ci swoje drugie oblicze, a wariant A zniknął...

– Niezupełnie. Pokazał drugie oblicze, ale ja pamiętam jego pierwsze i nie do końca wiem, które jest autentyczne.

– Moim zdaniem oba. Używa ich zależnie od okoliczności. Ujawnił drugie, kiedy już był pewien, że należysz do niego duszą i ciałem, że się tak wyrażę.

– No, chyba faktycznie należałam, ale, widzisz, to nie tylko to... Lilu, ja już byłam pewna, że znalazłam swoje miejsce na ziemi. To mieszkanie... ja je sama urządzałam, praktycznie bez niczyjej pomocy, przywiązałam się. Planowałam różne rzeczy. I on był zawsze w tych planach...

– Ale mówiłaś, że kiedy planowałaś, to on był niezadowolony. Widział cię tylko w domu. Nie chciał nawet gosposi. Tak naprawdę odseparował cię od świata. Te jego przyjęcia się nie liczą. Bo to nie były przecież przyjątka dla twoich przyjaciół, prawda? Czekaj. – Lila wstała z fotela i zaczęła chodzić po pokoju. Przystanęła w pół kroku. – A może ty naprawdę zatęskniłaś i z tej tęsknoty wypierasz tamte niedobre wspomnienia? Słuchaj, ja mam zaprzyjaźnionego psychiatrę, to znaczy my mamy, z Różą i Noelem...

ten psychiatra tak mówi. O wypieraniu. Nie chcesz pamiętać złego. Tylko dobre.

– Nie wiem... Przecież pamiętam wszystko.

– Ale wyraźniej dobre. Poza tym zaczęłaś się bać pracy u ludzi, teraz ona jest już konkretna, a ty byś się najchętniej z tego wykręciła. Wiem, co trzeba zrobić. Maryś, zadzwoń do niego. Nie rób takiej miny, tylko zadzwoń. Jest dopiero dziesiąta. Normalni ludzie nie śpią. Dzwoń! Numer masz zastrzeżony, więc cię po nim nie znajdzie, a zobaczymy, co ci powie. Ja nie będę podsłuchiwać. Absolutnie. Pójdę, zrobię jakąś kolacyjkę. Niedużą. Podam ci komórkę, siedź.

W istocie, pani Lila podała Marii telefon i zniknęła w kuchni, gdzie natychmiast zaczęła hałasować filiżankami i demonstracyjnie trzaskać drzwiami od lodówki.

Aspiryna chyba zadziałała, bo Maria przestała się trząść. Pani Lila najprawdopodobniej miała rację. Niezależnie od tego, co się okaże, warto zadzwonić.

Czując, jak jej serce wali, Maria wybrała numer.

Odezwała się poczta głosowa.

– Zadzwoń jeszcze raz – krzyknęła z kuchni pani Lila, która absolutnie nie podsłuchiwała. – Mógł być w łazience albo co.

Racja.

Lila miała rację. Tym razem Aleks odebrał. A przynajmniej Marii tak się zdawało przez jakieś dwie sekundy, dopóki nie usłyszała damskiego głosu:

– Halooo...

– Dobry wieczór – powiedziała, zaskoczona. – Przepraszam, to jest telefon pana Strachocińskiego?

– Tak, tylko on właśnie siedzi pod prysznicem, ja powiem, że pani dzwoniła. To coś pilnego?

– Niespecjalnie – Maria chciała podziękować i się wyłączyć, ale damski głos zaćwierkał:

– O, już wychodzi. Aleks! Telefon do ciebie! Dwa razy dzwonił, to odebrałam.

– O tej porze? – zdziwił się głos Aleksa. – Kto to?

– Nie wiem, jakaś pani.

– Ach, pani? Pati, zwolniłem ci łazienkę, możesz iść się kąpać. No już, już.

Maria rozpoznała w głosie męża ten nacisk, któremu trudno się było oprzeć. Zapewne teraz nieznajoma Pati śmignęła do łazienki, aż się za nią zakurzyło. Marii też to się zdarzyło kilka razy... i też, kiedy dzwonił telefon. Tylko wtedy nie były to kobiety, a raczej wołomińsko-niewiadomojacy mocodawcy.

Głos Aleksa zdradzał pewne napięcie, kiedy powiedział „słucham". Może spodziewał się tego telefonu, może na niego czekał.

– Cześć, to ja. – Maria gwałtownie zastanawiała się, co powiedzieć. Znowu wszystko zaczęło się w niej trząść. Może nawet bardziej niż przedtem.

– Nie do wiary. To naprawdę ty. Czy chcesz mi powiedzieć, że wróciłaś i teraz stoisz pod bramą? I nie możesz otworzyć drzwi, bo ci klucze nie pasują?

– Zmieniłeś zamki?

– Oczywiście. A czego się spodziewałaś?

Trzęsionka Marii ustąpiła jak ręką odjął. Dotarło do niej wreszcie, że Aleks niczego sobie z głowy nie wyrywał.

– Że będziesz bardziej spostrzegawczy. Moje klucze zostały w sieni na haczyku. Cały pęk. Nie zauważyłeś? Nie przewidywałam, żeby jeszcze miały mi się przydać.

– Co zamierzasz?

– Jeszcze nie do końca wiem.

Ton głosu Aleksa nagle zmienił się, złagodniał. Być może niezidentyfikowana dama o imieniu Pati weszła już pod prysznic.

– Może zastanowiłaś się i chcesz wrócić? Mario, brak mi ciebie. Słuchaj, to wszystko nie ma sensu. Kompletnie. Ja tu sam, ty nie wiem gdzie, uciekasz przede mną, ja nie wiem, czy ty sobie wyobrażasz, że ja cię znajdę i zabiję?

Ja, ja, ja.

– No powiedz. Tak to sobie wyobrażasz? Chowasz się, zmieniasz telefony, zabierasz mi pieniądze, zmąciłaś kompletnie tego biednego Jacka... Tak nawiasem: on się rozwodzi z twojego powodu?

– Nie, nie z mojego.

– No to ja go zupełnie nie rozumiem. Twoja mama włosy sobie z głowy wyrywa, biedna kobieta. Musiałem wynająć gosposię...

– Pati, tę czyściochę?

– No, Pati, Pati. Trochę dłużej jej dziś zeszło i musiała zanocować.

– I jest z tobą na ty, i odbiera twoje telefony.

– Mario, o czym ty mówisz? Ona w ogóle nie myśli. Usłyszała, że dzwoni, to odebrała. Ona się nie liczy. To jak, wracasz? Wynagrodzę ci wszystko. Chociaż to ty powinnaś pomyśleć o ładnych przeprosinach. Ale wybaczę ci. Wracaj. Dom czeka. Ja czekam...

Aleks mówił dalej, ale Maria już nie słuchała. Wszystko, co powiedział, brzmiało w jej uszach jakoś tak okropnie nieprawdziwie, banalnie i bez sensu.

– Odezwę się – powiedziała i wyłączyła telefon.

Nie usłyszała solidnego przekleństwa, jakim rzucił Aleks prościutko w Bogu ducha winną Pati, wychodzącą właśnie z łazienki, bardzo ponętną i odzianą tylko w turban z ręcznika. Dopiero drugi tydzień była jego sekretarką i dosyć się tym przejęła, więc skończyło się na tym, że musiał ją specjalnie przepraszać i uspokajać.

Pani Lila natychmiast wyłoniła się z kuchni, niosąc tacę z jakimiś kanapkami, znacznie odbiegającymi klasą od tartinek, które potrafiła zrobić, kiedy nie podsłuchiwała. Postawiła tacę na stole i zachłannie wpatrzyła się w Marię.

– I co?

– Bla, bla – powiedziała Maria zmęczonym tonem. W paru krótkich zdaniach streściła rozmowę i dobrała się do kanapek. Poczuła nagle zdrowy głód.

– Pati, powiadasz. – Pani Lila zdjęła z kanapki plasterek sera i odgryzła kawałek. – Pati. A co mówi twoje serce, Maryś?

– Nie wiem, Lilu, nie wiem. Naprawdę nie wiem. W każdym razie nie wyrywa się do Żyrardowa za wszelką cenę. Chyba jeszcze muszę poczekać z ostateczną decyzją. Lila, ale ty nie masz mnie za idiotkę, która sama nie wie, czego chce?

– Przeciwnie, moja droga. Tylko idioci nie miewają wątpliwości.

~

Pan Vito (de domo Witold) Pultok specjalnie opóźnił swój wyjazd do firmy w poniedziałkowy ranek, bo chciał obejrzeć sobie tego nienormalnego garkotłuka, któremu żona obiecała co tydzień takie pieniądze, na jakie normalny garkotłuk musi tyrać przez miesiąc i to niekiedy w dwóch miejscach. Oczywiście stać go było nawet na dwie lub trzy baby do sprzątania, co nie znaczy jednak, że on, odpowiedzialny przedsiębiorca, będzie wyrzucał pieniądze przez okno.

Baba zadzwoniła do furtki punktualnie o dziewiątej, jak się umówiła. Na chodniku przed ogrodzeniem zaparkowała pomidorowego yarisa. Miała dobrą figurę, co zaobserwował pan Pultok przez okno. Była też dobrze ubrana (żadne dżinsy i kurtka, tylko stonowana, beżowa garsonka w paseczki) i doskonale uczesana (pani Lila osobiście upięła Marii koczek, który uznała za „służbowy").

Prezes lokalnego oddziału dużego banku? Nie. Garkotłuk klasy lux.

Pan poczuł coś w rodzaju zadowolenia. Poprzednie służące zatrudniane przez Ginkę prezencją nie umywały się do tej. Inna rzecz, że prezencją kuchty człowiek się nie naje. Trzeba będzie najpierw ją sprawdzić, a potem się zobaczy.

– Profesjonalna pani domu, tak? – zagrzmiał donośnym głosem, otwierając drzwi. – Tak to pani nazwała?

– Profesjonalna gospodyni domowa – uśmiechnęła się kuchta. Niebrzydka i z bliska, pomyślał pan, coraz bardziej zadowolony. – Nazywam się Maria Strachocińska.

– No, dla nas pani będzie raczej Marysią – raczej stwierdził, niż spytał pan. – Proszę wejść. Moja żona jeszcze nie wstała. Psy, na szczęście, też. Ale z nią już pani rozmawiała, teraz pora na mnie.

– Jak pan sobie życzy.

– Życzę sobie. Na początek możesz mi zrobić kawy. Gdybyś była domyślna i przyniosła bułki, tobyś nie musiała po nie teraz lecieć...

– Chwileczkę. – Maria uniosła dłoń i słowotok pana ustał. – Umawiałam się z pana małżonką, że dziś zapoznaję się z domem i z tym, co trzeba zrobić. Jeśli zacznę chaotycznie robić wszystko naraz, nie zrobię tak naprawdę niczego.

– I ja mam za to płacić? Będzie się pani... będziesz się cały dzień obijać za moje pieniądze?

– Planowanie jest pracą. Proszę pana, oczywiście mogę zaparzyć panu kawy, już znam państwa ekspres, ale przy tej kawie chciałabym panu kilka rzeczy wyjaśnić. Dla dobra naszej współpracy.

– To nie ma być współpraca, tylko praca dla mnie – skorygował pan. – Dla mnie, za moje. A ja nie lubię z ekspresu. Tylko fusianeczkę. Jest w szafce. Możesz zrobić dla siebie też. Jedną kawą na początek mogę cię poczęstować, ale nie wyobrażaj sobie, że będziesz tu piła i jadła. Ty masz tu pracować. Pra-co-wać – dodał, kontent ze swojej stanowczości.

– Rozumiem. Filiżanki... a, nie filiżanki, tylko kubki, tak?

Zajrzała do kubka i skonstatowała, że jest w środku pokryty brunatnym nalotem herbacianym, a jego brzeg zdobią ślady karminowej szminki.

– Zmywarka nie domywa – mruknął pan, trochę jakby speszony.

– Używają państwo programów oszczędnościowych, co?

– Możliwe. Żona zmywa. To znaczy nastawia.

– Będę chciała państwa przekonać do innych metod. Ale to nie teraz. Pozwoli pan, że umyję porządnie te dwa kubeczki.

Widok gąbki służącej do celów kuchennych, wstrząsnął Marią. Nalała na nią sporo płynu, przeprała, a następnie umyła kubki. Wypłukała bardzo, ale to bardzo starannie i zrobiła dwie kawy.

Pan posłodził sobie kawę i podsunął cukierniczkę Marii. Zakonotowała sobie, że śliczne cynowe naczyńko również wymaga doczyszczenia.

– Nie słodzę, dziękuję. Jeśli można, przedstawię panu swoje warunki. Pan je przyjmie albo nie.

– A może to ja przedstawię swoje warunki? Ostatecznie to ja mam płacić, więc chyba mam jakieś prawa.

– Oczywiście, tylko że, widzi pan, jeśli pańskie warunki podobne są do tego, co mi zaproponowała pani Gina, to mnie one nie interesują. Proponuję tak: powiem swoje, a jeśli panu nie będzie to odpowiadać, odejdę, przepraszając pana za stracony czas.

– Od kiedy to służące dyktują warunki? No dobrze, mów.

Maria uśmiechnęła się zniewalająco.

– Przede wszystkim nie jestem służącą, tylko gospodynią. Mówiłam to już wiele razy. To oznacza, że nie biegnę na każde skinienie, aby wykonywać chaotycznie wydawane polecenia, tylko sama planuję sobie pracę. A ta praca obejmuje całkowite prowadzenie domu. Począwszy od doprowadzenia go do porządku i czystości, co potrwa kilka dni, bo dom tego wymaga, poprzez jej utrzymanie, codzienne gotowanie obiadów i kolacji, bieżące pranie, prasowanie, załatwianie domowych spraw urzędowych, typu PIT-y i rachunki...

– Rachunki płacimy bezpośrednio z konta – wtrącił pan, żeby coś powiedzieć, poczuł się bowiem nagle nieco zdominowany przez eleganckiego garkotłuka.

– Doskonała decyzja – pochwalił garkotłuk. – Generalnie, jak pan widzi, robię wszystko, co należy do gospodyni domowej. Jeśli trzeba, potrafię dopomóc dzieciom w przedmiotach humanistycznych, w pozostałych przeważnie też. Mogę dojrzeć ogrodu, chociaż, jak rozumiem, zajmuje się nim profesjonalny ogrodnik. Jestem w stanie go dopilnować, jeśli zajdzie taka konieczność. Mogę przygotować dowolne przyjęcie, z tym, że jeśli będzie bardzo duże, będę potrzebowała wsparcia na przykład kelnerów, ale to jest do omówienia. Dobrze będzie, jeśli otrzymam od państwa carte blanche na wzywanie fachowców do drobnych napraw domowych, typu awaria pralki. Nie wiem, jaki sprzęt domowy i kuchenny państwo posiadają, odkurzacz na pewno jest, ale będę potrzebować malaksera, maszynki do mięsa, paru innych drobiazgów. Generalnie pracuję osiem godzin codziennie, z wyjątkiem weekendów, co do godzin możemy się umówić, a w razie potrzeby zostaję dłużej. W szczególnej potrzebie pracuję i w weekend. Oczywiście za dodatkowym wynagrodzeniem.

– I chce pani tysiąc dwieście co tydzień? – W głosie pana Pultoka dała się wyczuć mordercza ironia. Maria nie zmieniła uprzejmego i rzeczowego tonu.

– Tak. Jeśli po tygodniu uznają państwo, że nie warto mi tyle płacić, to mnie państwo nie zatrudnią.

– Ten próbny tydzień też za tyle?

– Tak. To będzie dla mnie najcięższy tydzień, bo będę musiała wszystko rozeznać, zaplanować i doprowadzić dom do błysku. Nie wiem, czy państwa stać na zatrudnienie mnie, czy też nie, ale pan to przecież wie. Nie bijmy więc piany niepotrzebnie i podejmijmy jakąś decyzję.

Pan Vito Pultok łamał się widocznie. Z jednej strony żal mu było pieniędzy, z drugiej jednak podobała mu się wizja posiadania tak eleganckiej kuchty. Być może widział już oczami duszy własne przyjęcie urodzinowe, na którym ta nowa Marysia podaje gościom drinki i zakąski, a wygląda przy tym jak lala. Każe się jej założyć miniówkę. Nogi ma w porządku, w każdym razie do kolan. Więc i ponad pewnie też.

– Zaryzykuję ten tydzień – powiedział surowo. – Tylko żeby mi było bez żadnych hopsztosów. Pieniądze wypłacam w sobotę.

– W piątek – sprostowała wdzięcznie kuchta. – W soboty i niedziele nie pracuję. Przygotowuję tylko wcześniej dla państwa obiady, tak żeby łatwo było je odgrzać. I jeszcze jedno. Przy całym moim szacunku dla państwa, państwo nie mówią mi po imieniu. Dla państwa i dla dzieci jestem panią Marią.

∾

– Bardzo dobrze mu powiedziałaś, kochana. – Pani Róża z impetem trzepnęła kościstymi palcami w blat stołu, przy którym siedzieli wszyscy czworo: Róża, Lila, Maria i Noel.

Noel przyniósł najnowsze zdjęcia swojej dwumiesięcznej wnuczki Ani i pierwsza część kolacji poświęcona była podziwianiu maleństwa, a druga wysłuchaniu opowieści Marii. Część pierwszą załatwiono nadzwyczajnie szybko. Maria w życiu nie widziała jeszcze staruszek tak mało wrażliwych na niemowlęce wdzięki. Rzuciły okiem na fotki, pocmokały grzecznościowo i gładko przeszły do bardziej interesujących spraw dorosłych.

– I co dalej, co dalej? – niecierpliwiła się Lila.

Noel nic nie mówił, tylko się uśmiechał i dbał, aby panie miały w kieliszkach znakomity tokaj. Odkąd wpadł na niego przypadkiem, kupując w supermarkecie polski chleb i irlandzkie masło, tracił na niego część pensji, jaką wypłacała mu pani dyrektor Agnieszka Brańska (oczywiście rękami swojej księgowej).

– Co dalej... Dalej to obejrzałam sobie rezydencję tych Bukietów, znaczy rozeznałam terytorium wroga, poleciałam do sklepu, kupiłam tonę proszków, płynów i pianek, gumowe rękawiczki na moje rączki białe, mnóstwo ścierek z tej chytrej mikrofibry, czy jak tam się to nazywa, jakieś mopy, śmietniczki, odwaniacze, dowaniacze, psikacze, wybłyszczacze i uznałam, że jestem gotowa do czynu zbrojnego.

– Przepraszam was na chwileczkę – wtrąciła nagle Róża i oddaliła się od towarzystwa.

Z uwagi na jej podeszły wiek można by powiedzieć – oddreptała, jednak jeśli weźmiemy pod uwagę rozmiar jej stóp obutych w ortopedyczne czółenka, to raczej odmaszerowała. Usiadła przed telewizorem i podkręciła nieco głośność, ściszoną prawie do zera. Maria pomyślała, że zostawiać tak wszystkich dla jakiegoś durnego serialu, który można obejrzeć w osiemdziesięciu ośmiu powtórkach, to jednak przesada – z głośnika dobiegały jednak dźwięki zupełnie nieserialowe. Jakby raczej wiadomości. Starsza pani lubi być na czasie?

– Przepraszam, już jestem. – Róża po minucie znów zasiadła do wspólnego stołu. – I co, Marysiu?

– I nic właściwie, już wszystko wam powiedziałam. A co było ciekawego w telewizji?

– Aaaa, takie tam... wiadomości – bąknęła pani Róża i zaróżowiły jej się pomarszczone policzki. Gdyby Maria znała się na kwiatkach, pomyślałaby pewnie w tej chwili o róży pomarszczonej, *Rosa rugosa*, ale nie miała o nich bladego pojęcia.

Pani Lila natomiast zachichotała, co jej sędziwą przyjaciółkę wprawiło w jeszcze większe zakłopotanie.

– Nigdy byś nie zgadła, kochana Marysiu – odezwała się Lila, mrugając oczkami. – Ale ja ci powiem – dodała bezlitośnie.

– Nasza Różyczka się zakochała... jakiś czas temu. Niestety, swojego ukochanego może zobaczyć tylko w telewizji. Więc jak tylko coś się dzieje w sferach militarnych, to cały dzień ogląda telewizje informacyjne...

– W sferach militarnych? Ach, rozumiem, w wojsku! Różyczko, naprawdę zakochałaś się w wojskowym? W jakimś generale? Albo admirale? Bo niższej szarży dla ciebie nie przyjmuję do wiadomości...

– Oj, przestańcie! – Róża nie wytrzymała i fuknęła na rozbawione przyjaciółki (Noel udawał, że nie słyszy i starannie nalewał paniom tokaju do kieliszków). – Zaraz „zakochała"! Jakie tam „zakochała"? Jestem pod urokiem, nie przeczę, ale żadne „zakochała"!

– Pod czyim urokiem?

Róża podniosła wyblakłe oczy ku sufitowi, a Lila natychmiast skorzystała z jej chwilowego milczenia i odpowiedziała Marii:

– Ona ci się nie chce przyznać, że zakochała się w ministrze obrony!

Maria zrobiła w głowie błyskawiczny przegląd aktualnej rady ministrów.

– Ach!

– Ach, ach – przedrzeźniała ją Róża, lekko rozzłoszczona. – Absolutnie nie ma się z czego śmiać!

– Ja się absolutnie nie śmieję – oświadczyła Maria. – Ja cię absolutnie rozumiem. Niech zgadnę, to z powodu jego manier?

Róża spojrzała na nią z wdzięcznością i sympatią.

– Masz intuicję, moje dziecko. Tak, przede wszystkim z powodu jego manier. Ostatni raz spotkałam tak wychowanego człowieka, kiedy byłam młodą dzieweczką, czyli jakieś sześć-dziesiąt pięć lat temu... no, siedemdziesiąt, niech wam będzie. To był przedwojenny porucznik ułanów z Grudziądza. Kiedy go poznałam, to już miał wyższą rangę, ale przed wojną był tym porucznikiem. W jego obecności każda kobieta czuła się jak prawdziwa dama. I ten minister to ma. I jak mu dzien-nikarze zadają pytania, to nie chachmęci, tylko odpowiada. No i w sumie jest całkiem przystojny. Troszkę podobny do mojego nieboszczyka Tadeusza. Lila, jak się będziesz ze mnie naśmiewać, to opowiem Marysi, jak wzdychasz do Noela! Od Karaibów ci się zaczęło. Marysiu, a ty się możesz śmiać z nas obydwu, starych wariatek...

– Lileczko, naprawdę wzdychasz do mnie? – spytał niewin-nie Noel. Teraz Lila poróżowiała gwałtownie.

– Chyba zwariowałeś! W moim wieku! W twoim wieku! A Róża jest stara plotkara! W jej wieku!

Zatchnęła się i wybiegła z pokoju. Ucieszyło to Różę nad-zwyczajnie, zaczęła śmiać się i klepać kościstymi dłońmi po kolanach aż echo poszło. Noel podał jej kieliszek wybornego wina, wypiła łyczek, wciąż chichocząc, co skończyło się za-krztuszeniem i uderzaniem ją w plecy przez nieco wystraszoną Marię.

Z drugiego pokoju wyłoniła się Lila z naręczem jakichś ubrań.

– Aaaa – powiedziała z zadowoleniem. – Kara boska. Jak będziesz się ze mnie wyśmiewać, to zawsze tak będziesz miała.

– Ty się pierwsza ze mnie śmiałaś – wykrztusiła Róża. – Skończmy ten temat, bo Marysia pomyśli, że jesteśmy kom-pletne wariatki.

– Przecież jesteście – zauważył czule Noel. – Marysiu, tylko wariatki mogły przez tydzień biegać do operowej krawcowej, żeby ci uszyła ubranka robocze. Pokaż jej to, Lilu. Jestem bardzo ciekaw, co nasza Marysia na to powie.

Ubranka robocze rodem z operowej pracowni krawieckiej, niewątpliwie trąciły operą. A może nawet operetką. Fartuszek i czepeczek pokojówki rodem prościutko z „Wesela Figara", obszerny kucharski fartuch i wysoki czepek jak z musicalu o tematyce kulinarnej oraz czarny kelnerski fartuch do samej ziemi, z długim paskiem do zamotania w talii i zawiązania z przodu. Jednym słowem zaprzeczenie rozkosznej, króliczkowatej wizji pana Pultoka.

– Ale będziesz to nosić?

Pytanie pani Lili zdradzało niejakie wątpliwości, ale Maria już podjęła decyzję.

– Będę. One wszystkie są słodkie. Wy też jesteście słodkie. Że wam się tak chciało... A przecież właściwie wcale mnie nie znacie. To naprawdę jedna z milszych rzeczy, jakie mnie na tym świecie spotkały.

– One tak mają – wyjaśnił Noel. – Są kompletnie stuknięte i ja nie jestem z nimi pewien dnia ani godziny, ale to bardzo poczciwe staruszki.

∿

Maria zjawiła się u państwa Pultoków punktualnie o godzinie dziewiątej i wyciągnęła z łóżka niezadowoloną panią i dwie zachwycone terierki. Wypuściła psy do ogrodu (wczoraj upewniła się co do szczelności ogrodzenia) i zaparzyła kawę, którą podała pani wychodzącej ze skwaszoną miną z łazienki. Mina pani nie stała się dzięki temu promienna, ale coś w niej jakby drgnęło.

– Proponuję, żeby pani spokojnie posiedziała, wypiła kawkę, zrelaksowała się, a ja podam śniadanie. Życzy pani sobie coś konkretnego czy mam sama zarządzić?

Pani Ginie spodobała się możliwość otrzymania śniadania pod nos, bez konieczności dokonywania codziennych, męczących wyborów między parówką, jajecznicą lub kanapką z wczorajszego chleba obłożoną czymkolwiek.

– Niech pani coś zrobi – machnęła ręką, ale żeby ta wyniosła baba w głupkowatym, kuchennym fartuchu (do włożenia wysokiego czepka Maria się jednak nie posunęła) nie zrobiła się zanadto pewna siebie, dodała suchym głosem: – Ta kawa... Jest jakaś inna. Coś pani do niej dodała?

– Nie smakuje pani?

– Pytałam o coś, prawda?

– Kawa jest inna, bo pozwoliłam sobie zaparzyć inny gatunek, niż państwo mieli w domu. Wydawało mi się, że powinna państwu odpowiadać.

– Nie kazałam pani kupować kawy!

– Przyniosłam własną. Pijam kilka filiżanek dziennie, więc chciałam ją mieć pod ręką. Jeśli pani woli poprzednią, to oczywiście, nie ma sprawy, zaparzę pani drugą.

Tu pani Gina znalazła się w sytuacji niezręcznej, bo kawa była znakomita. Ale kuchta wykazała samowolkę, co wydało się trudne do zaakceptowania.

– Proszę ze mną uzgadniać takie sprawy. I w ogóle.

– Chętnie – powiedziała kuchta bezczelnie. – Ale, jeśli pani pozwoli, zaproponuję coś innego. Przyszłam do państwa pracować, żeby zarobić, ale także odciążyć panią od codziennych obowiązków. Rozmawiałyśmy wczoraj i wiem mniej więcej, jakie państwo mają upodobania kulinarne. Proszę mi wyznaczyć jakąś kwotę do wydania codziennie na jedzenie, albo lepiej na tydzień, będę miała większe pole manewru. A pani zapomni o sprawunkach i gotowaniu.

Pani zapomniała przede wszystkim, że już wczoraj zgodziła się na taką metodę, więc teraz tylko po raz kolejny machnęła ręką.

– Ta kawa może być. To znaczy, może ją pani zawsze kupować. Śniadanie poproszę na tarasie. Zjem w szlafroku. Wykąpię się później.

Maria skinęła głową. Bała się trochę tego pierwszego roboczego dnia, jednak dzisiaj stwierdziła, że sytuacja ją bawi.

Z ręki mi będziesz jadła – pomyślała rozweselona. I zaraz zaczniesz.

Kiedy pani Gina w różowym satynowym szlafroku, na którego połach jechały dwie kudłate suczki, ukazała się na tarasie, zastała tam pięknie zastawiony stolik, sok pomarańczowy, świeże bułeczki, masło, dżem, kilka tostów, talerzyk z wędliną i serem, dzbanuszek z herbatą. Widok to był rozkoszny. Pani rozsiadła się w fotelu i w tymże momencie kuchta doniosła delikatną jajeczniczkę na małej patelence. Zapamiętała z wczorajszej rozmowy, że pani lubi lekko ściętą!

Do Reginy Pultok zaczęło docierać, że właśnie zaczyna nowe, piękniejsze życie. Jako zapracowana dotąd pani domu (poprzednie kuchty trzeba było stale kontrolować!) nie do końca jednak potrafiła w to uwierzyć.

Maria tymczasem zmieniła swój kucharski fartuch na fartuszek subretki i ruszyła na początek porządkować sypialnię państwa. Nie była przedtem pewna, jak to będzie z tym sprzątaniem po kimś, ale teraz stwierdziła z zadowoleniem, że da się to traktować zupełnie zawodowo. Zresztą nie miała specjalnie czasu na roztrząsanie sytuacji, w jakiej się na własną prośbę znalazła, bowiem pracy w dużej willi było sporo. Pogratulowała sobie precyzyjnego rozłożenia obowiązków, które przemyślała poprzedniego dnia.

Pani Gina, zjadłszy wyborne śniadanie, nie bardzo wiedziała, co z sobą zrobić. Miała ochotę pochodzić trochę za gosposią i popatrzeć jej na ręce, ale jakoś jej było głupio. Gosposia, w przeciwieństwie do swoich poprzedniczek, nie wdawała się w rozmówki o kłopotach domowych, mężu alkoholiku, bólach kręgosłupa, niewdzięcznych dzieciach ani kobiecych kłopotach. Przesuwała się po mieszkaniu jak maszyna, a wszędzie, gdzie przeszła, zostawiała czystość i ład. Nie zadawała pytań. Najwyraźniej wiedziała, co robić.

– Na kiedy planuje pani obiad? – spytała pani Gina, żeby nie czuć się tak zupełnie niepotrzebną we własnym domu.

Najchętniej wyszłaby gdzieś: do fryzjera, kosmetyczki, na ploty, na zakupy... ale przecież nie mogła kuchty zostawić samej w domu. Wprawdzie zeskanowała sobie jej dowód osobisty i zapisała szczeciński adres... ten adres może być nieprawdziwy, nawiasem mówiąc, a jeśli ona coś ukradnie i ucieknie, to sam diabeł za nią nie trafi. Policja będzie musiała rozesłać listy gończe.

Myśl o listach gończych uspokoiła właścicielkę rezydencji. Zauważyła, że Maria od jakiegoś czasu coś mówi.

– Przepraszam, zamyśliłam się nagle. Proszę powtórzyć...

– Obiad uzgodniłyśmy wczoraj dla wszystkich państwa na szesnastą, kiedy pan Pultok wróci. Jeśli pani sobie życzy zjeść wcześniej, proszę bardzo.

– Nie, dziękuję, nie będzie trzeba – machnęła ręką pani i zamilkła niemal w pół słowa.

Maria domyśliła się jej rozterek.

– Jeśli wolno mi coś zasugerować – zaczęła dyplomatycznie. – Jest taka piękna pogoda, może chciałaby pani wyciągnąć się na leżaku z książką? Albo wykorzystać którąś z tych rewelacyjnych maseczek, które widziałam w łazience. Kiedy ostatnio miała pani czas, żeby wyciągnąć się w wannie z solami i jakiś czas nie myśleć o niczym? Jeśli będę miała jakieś wątpliwości, to się do pani zgłoszę z prośbą o pomoc. Na razie wszystko wiem.

Listy gończe. Portret pamięciowy.

A nie, portret pamięciowy nie będzie potrzebny, jest skan z dowodu, ze zdjęciem.

Na wszelki wypadek pani Gina chwyciła komórkę i błyskawicznie zrobiła Marii dwa zdjęcia.

– Ładnie pani wygląda w tym fartuszku – ćwierknęła, sprawdzając, czy ostro wyszło. – Chyba pójdę do łazienki. Pani tam już sprzątała?

– Z grubsza. Na duży błysk zrobię pojutrze.

– Pojutrze? – skrzywiła się madame Pultok, żeby zademonstrować, kto tu właściwie rządzi. – No, trudno. Gdyby pani czegoś nie wiedziała, proszę zapukać.

– Dobrze, proszę pani – odrzekła Maria tonem podsłuchanym u angielskich pokojówek z seriali o Herkulesie Poirot i pannie Marple.

Czuła się coraz lepiej. Jak to jest – zastanawiała się jakiś czas później (pani po raz kolejny wyszła z łazienki i teraz opalała się na tarasie), doprawiając szczodrze majerankiem pieczeń z karkówki, że nie ma żadnych oporów w prowadzeniu gospodarstwa obcym ludziom, za pieniądze, a nie umiała sobie wyobrazić pozostania we własnym mieszkania, gdzie mąż niczego od niej nie wymagał poza właśnie wzorowym prowadzeniem domu.

Prostsze układy. Ona pracuje, oni jej płacą, a gdyby ktokolwiek ośmielił się podnieść na nią rękę, skończyłoby się na policji.

Dlaczego wtedy nie zawiadomiła policji?

Bo nie wyobrażała sobie, że ktoś obcy będzie jej grzebał w życiu prywatnym.

Jacka sama poprosiła o pomoc, ale to było co innego. Ciekawe, czy on się już rozwiódł?

Rozmyślania przerwał jej dziwny dźwięk, jakby jednostajne buczenie i pochrząkiwanie. Spuściwszy wzrok, zobaczyła dwie terierki siedzące o pół metra od niej na podłodze i śpiewające odwieczną psią pieśń łakomstwa. Ich małe czarne noski celowały prosto w niebo, czyli w kierunku, skąd dobiegały rozkoszne zapachy, a jedwabiste ogony zamiatały kafelki w niebieskie wiatraki.

– O, miotełki małe – roześmiała się Maria. – Czekajcie, dam wam, tylko nic nie mówcie swojej pańci, bo nie wiem, czy wam wolno...

Obie suczki rzuciły się do jej dłoni z zamiarem wydarcia wszystkiego, co się w niej znajdowało i na koniec zjedzenia samej ręki. Do łokcia.

– Chwila, dziewczynki. Zachowujecie się jak głodny proletariat, a podobno jesteście arystokracja. Siadamy. No już, siad, obydwie. Siad.

Potrwało to chwilę, ale ostatecznie Josia i Jasia zrozumiały, czego od nich chce ta nowa szafarka mięska, którego ich własna pani zazwyczaj im odmawiała. Usiadły, okropnie się przy tym wiercąc, kiedy jednak zobaczyły mięso prawie w zasięgu zębów, znowu zrobiły awanturę.

Mięsko odfrunęło.

– Nie możecie robić takiej wiochy, bo wam nic nie dam – powiedziała nowa. – No już. Ćwiczymy. Siad na dupci i najpierw Josia dostanie, a potem Jasia. Kolejność dziobania obowiązuje. Grzecznie, proszę.

Jeszcze kilka prób i zwierzaczki udowodniły, że opinie o inteligencji terierów mają pewne podstawy. Po chwili wgryzały się w ścinki boskiej karkówki.

– Ja piędrolę – odezwał się nagle głos z charakterystycznym pianiem świadczącym, że jego właściciel przechodzi aktualnie mutację. Terierki pomachały grzecznościowo ogonkami i nadal czekały na przysmaczek. – One w życiu takie grzeczne nie były. Normalnie to potrafią rzucić się na siebie i próbują się zagryźć. Matki głos tak na nie działa, jak Boga kocham. Ona strasznie wrzeszczy. Ja sam bym czasem chętnie kogoś zarąbał, jak ona się wydrze. Pani jest nowa kuchta? I sprzątaczka, tak?

– Zgadza się. Nazywam się Maria Strachocińska. Ty jesteś Kordian, prawda?

– Prawda. To daj mi coś do zjedzenia. Jak się do ciebie mówi? Maryśka?

– Nie, do mnie się mówi „pani Mario". Zrobić ci omlet?

– Dlaczego „pani", kiedy jesteś nasza kuchta? I dlaczego do mnie mówisz na ty?

W głosie młodziana nie było jakiejś specjalnej irytacji, raczej leniwe zaciekawienie.

– Mówię tak, bo jesteś niepełnoletni, ale jeśli sobie życzysz, mogę mówić „paniczu". A ja jestem panią Marią, bo jestem już od dawna dorosła. Poza tym nie kuchta ani sprzątaczka, tylko gospodyni.

– Coś w rodzaju ochmistrzyni? Pani Serczykowa?

– „Paziowie króla Zygmunta" – uśmiechnęła się kuchta. Nawet sympatyczny miała ten uśmiech.

– „Pani Serczykowa, śniadania czekamy!" – zacytował miłośnik literatury.

– „O raju, w tej chwilusi!"* – odcytowała kuchta.

Oboje roześmiali się. Kordian pokiwał głową. Rzeczywiście, dojrzewał i oprócz mutacji miał pryszcze, ale za to był wysoki i postawny. Oraz łysy, co uwydatniało zgrabny kształt głowy i długi, cienki nos. Na prawym przedramieniu miał wytatuowany krzyż celtycki, a na lewej napis „Biała Siła". Marii coś tu się nie zgadzało. „Biała Siła", która cytuje „Paziów króla Zygmunta"?

– Omlet z groszkiem?

– Wolę to mięcho jakoś na szybko. Ukraj mi kawałek i usmaż.

– Mięcha nie mogę, bo to pieczeń w całości, właśnie wstawiam do piecyka, będzie na obiad, jak wróci twój ojciec. O czwartej. Omlecik proponuję. Albo jakieś inne jajka, jak wolisz. Albo parówki, mogę odgrzać z wody albo na patelni.

---

* Wszystkie cytaty z uroczej powieści Antoniny Domańskiej „Paziowie króla Zygmunta".

Tak czy inaczej, dam ci jeść, jeśli zapamiętasz, że do mnie się mówi „pani".

– A jak nie będę chciał?

– To będziesz głodny chodził albo sam sobie zrobisz. Ale ja ci radzę, skorzystaj z mojej oferty. Robię pyszne omlety. Wolisz na słodko czy na słono?

– Słodkie nie. Walnij tak ze cztery jajka. Pięć. Sześć.

– Pani walnie.

– Pani walnie – westchnęła zrezygnowana Biała Siła. – Jezu, czy ja się teraz będę musiał poniżać, żeby jakieś żarcie dostać? Machać ogonkiem jak te suki? Łapkę podawać?

– Ależ nie. Tylko wzajemny szacunek. Słuchaj, mogę do groszku dołożyć łososia. Jadłeś z łososiem?

– Nie. A to dobre?

– Dobre, proszę panicza.

Biała Siła nie wytrzymała i roześmiała się.

– To ja poproszę. Proszę pani.

Kilka chwil później Kordian Pultok przekonał się, podobnie jak dwie małe terierki, że ochmistrzynię należy traktować z szacunkiem, a może się to opłacić. Takiego omletu w życiu nie jadł.

– Będę mówił „proszę pani" – oznajmił, oddając Marii talerz. – Czy mógłbym dostać drugą porcję?

– Proszę, wrzuć od razu ten talerz do zmywarki. Cieszę się, że ci smakowało. Drugiej porcji wolałabym ci nie robić, bo chciałabym, żebyś zjadł obiad. Też będzie dobry.

– Mogę nie doczekać – powiedział ponuro Kordian. – Proszę PANI...

– Ja cię nie chcę torturować, naprawdę. Kordianie, może zjesz zupę, to najwyżej na obiad już ją sobie darujesz. Albo zjesz drugą porcję.

– Niech mi pani nie mówi „Kordianie", bo się pochlastam. To nie jest normalne imię dla normalnych ludzi. Moja matka chciała mi życie złamać na starcie i złamała. Kurdę, Kordian...

– Paniczu?

– Nie, no, bez siary...

– Kordzik?

– To taki sztylet, kurdę, pani sobie ze mnie łacha drze, a mnie nieszczęście spotkało. Może być Korek. Pani daje tę zupę... pani Serczykowa, hi, hi...

Przy drugim talerzu staropolskiego żurku przymierze między ofiarą wytwornej matki i ochmistrzynią zostało na dobre zawarte. Przypieczętowała je miseczka galaretki z truskawkami (Maria zrobiła trzy takie miseczki ekstra, na wszelki wypadek i jak się okazało, był to dobry pomysł).

Cóż, Kordian był nie tylko w wieku mutacji i pryszczy. Był także w wieku wzmożonych możliwości spożywczych. Mówiąc prościej – dziecko rośnie, dziecko dojrzewa, dziecko ma apetyt! Ciekawe, czy jego siostra ma to samo, czy raczej żywi się jednym listkiem sałaty i plasterkiem ogórka. Odtłuszczonego.

Córkę jednak Maria miała poznać dopiero w przyszłym tygodniu, w tym bowiem wyjechała na obóz jakiegoś bliżej nieokreślonego szkolnego koła naukowego.

Maria zauważyła, że chwilami Kordian zapomina o swoim „kurdę", „bez siary" i „ja piędrolę", i wysławia się zupełnie poprawnie. Postanowiła przekonać go, że w nowych, przyjaznych stosunkach bilateralnych między nimi ta poza jest niepotrzebna. Sądząc z miny Kordiana pochłaniającego galaretkę, rzecz nie wydawała się specjalnie trudna.

Serce i żołądek u mężczyzn chyba rzeczywiście są jakoś biologicznie połączone, bo również pan domu, po powrocie z firmy nieco nabzdyczony, jednak bez walki uległ kojącemu wpływowi żurku z jajkiem, kiełbaską, majerankiem i skwareczkami z cebulką, zaś po jego spożyciu (dwa talerze) stał się panem łagodnym oraz afirmatywnym. Owszem, próbował jeszcze zwracać się do Marii po imieniu (co to jest, żeby do kuchty mówić „pani"?!), ale po dwukrotnym uprzejmym zwróceniu mu uwagi – a już na stół wjeżdżała bosko pachnąca pieczeń z kopytkami – przestał się mylić.

Paryż wart był mszy, a jakość wyżerki przygotowanej przez nowego garkotłuka była warta tytułowania baby nawet jej królewską mością.

Przy galaretce pan Vito na dobre odżałował swoje tysiąc dwieście złotych tygodniowo. Za takie żarcie mógłby płacić dwa razy tyle.

Jego małżonka mniejszą, choć też niebagatelną wagę przykładała do kwestii gastronomicznych, zdecydowanie jednak bardziej zachwyciło ją zjawisko polegające na tym, że tam, gdzie przeszła pani Maria, domostwo państwa Pultoków zaczynało lśnić własnym blaskiem. A przecież Gina nie była flejtuchem, co to, to nie. Tylko te poprzednie służące... szkoda gadać, sprzątały głównie po wierzchu i śmieci podmiatały pod dywan. Nowa gosposia najwyraźniej była czymś w rodzaju maszyny do sprzątania i gotowania.

No to chyba Vito zgodzi się na buticzek.

– Jak mówisz? Gina i Vito? Kordian i Roksana?
– I Wirginia, droga Lilu.
– Znaczy Reginka i Wituś? Renia i Wicio? Po prostu? Za to dzieci w sznycie wytwornym. Siedź, kochana, dosyć się w tygodniu napracowałaś, teraz ja o ciebie zadbam.

Był sobotni poranek. Po pięciu dniach pracy u państwa Pultoków Maria czuła się dość wyczerpana. Na szczęście rodzina pultocza dość szybko doceniła wygody płynące z jej obecności w domu i zaniechała wydawania zbędnych poleceń oraz niepotrzebnych instrukcji, jednak doprowadzenie do błysku sporej willi oraz obsłużenie trzech osób (domowa, młodsza córka zapowiedziała powrót dopiero na niedzielny wieczór) kosztowało ją sporo wysiłku. Z radością więc powitała humanitarną ofertę Lili i w domowej sukience wyciągnęła się przed telewizorem, niespecjalnie zresztą zważając na program. Po małej chwili z kuchni rozległ się lekko fałszujący śpiew gospodyni:

– Żyli w pałacu Wicio z Reginą,
On zwał się Rodryg, onaaaaaaaaa Franczeska!
A w drugiem domu za ich meliną
Mieszkała sobie jedna Wiśniewska!...*

– Co to za piosenka? – zawołała Maria w stronę kuchni. Odpowiedzią była druga zwrotka.

– Niewinne serce miała hrabinia
I takąż duszę, pieskąąąąąąąąąąą, niebieską,
A on był gałgan i straszna świnia,
I pitigrylił się z tą Wiśniewską!

– Ja to chyba gdzieś słyszałam! – zawołała znowu Maria.

– To jest z jakiegoś kabaretu, ale ja nie wiem z jakiego. Mój mąż to śpiewał. Jak mieliśmy bankiecіki. Lalalalala, dalej nie pamiętam, trutututu, coś tam dolę pieską, „a on wciąż ganiał do tej łachudry i czule szeptał: Och, ty Wiśniewsko"!

Śpiewająca Lila pojawiła się w drzwiach z zastawioną tacą w rękach. Maria rzuciła się jej pomagać, a pani Lila, oddawszy tacę, kontynuowała:

– Aż raz Regina miecz zdjęła z ściany,
Zmierzyła Wicia okiem królewskiem,
Siedź tu, powiada, ty, w herb drapany,
Dzisiaj nie pójdziesz do tej Wiśniewskiej!

Śpiewaczka siadła z impetem na krześle i przysunęła sobie maselniczkę oraz koszyk z bułkami. Maria zaprotestowała:

– No nie! To ma jakiś ciąg dalszy?

---

* W oryginale „Żyli w pałacu hrabia z hrabiną" – z „Ballady o jednej Wiśniewskiej" Jerzego Jurandota.

Lila skłoniła wdzięcznie głowę i smarując bułkę masłem kontynuowała:

– On zaś będący pod ankoholem,

Czyli, jak mówią, zalany w pestkę,

Wyrżnął hrabinę łbem w antresolę... (Patrz, Marysia, to trochę jak ten twój ciebie...)

I dawaj gazu do ty Wiśniewskiej!

Nagle Lila przerwała i zasłoniła usta małą rączką. W jej oczach pojawiło się przerażenie.

– Maryś, ja cię strasznie, ale to strasznie przepraszam! Co ja wygaduję, w jaką antresolę...

– Mnie to w kolumienkę – odparła, śmiejąc się, Maria. – Nie przejmuj się, Lileczko. Ja to już sobie chyba uporządkowałam i nie mam z tym problemu. Naprawdę. Sama się dziwię, że tak szybko.

– Musiało ci się od jakiegoś czasu zbierać, kochanieńka. Ja ci to mówię, stara kobieta, doświadczona własnym życiem i wszystkimi plotkami o wszystkich znajomych. To nie było tak znienacka. Sama mówiłaś, że zaczynałaś się czuć jak niewolnica. On, znaczy ten twój mąż, przelał czarę. Twoja podświadomość czekała na to, no i się doczekała. A ty już byłaś gotowa na odejście. Czy ty w ogóle doceniasz, jak ja pięknie do ciebie mówię? Dwa tygodnie na jednym jachcie z psychiatrą i człowiek sam się robi mądry jak jaki doktor.

– Pewnie masz rację, Lilu. A co było dalej z jedną Wiśniewską?

– Nie pamiętam tekstu – przyznała Lila z żalem. – Ona, znaczy hrabinia, padła i zalała się krwią niebieską, i powiedziała: „czekaj, och ty, Wiśniewsko", a on ją pochował i poleciał do tej Wiśniewskiej, a ona z mogiłki wstała i dała im wycisk. I teraz leżą w jednej mogile, Wituś, Regina... Tfu. Hrabia, hrabina i ta Wiśniewska. No. Już wiem, to jest Jurandota. On pisał cudne teksty. Ale ja pamiętam tylko ten jeden i to, jak widzisz, niedokładnie. Jeszcze było coś o francie, co wyciął mu kuranta, ale nie wiem, komu wyciął, zresztą kurant mu odrósł. Aaa, niedobrze, panie Bobrze. Więcej nic. Czarna dziura. Ach, i jeszcze „Na Górnickiego koło Dantyszka w niewielkiem domu z remontu żył sobie jeden Ignacy Pliszka z żoną i dzieckiem od frontu". I to naprawdę wszystko. Marysiu kochana, tylko ja się martwię...

– O co się martwisz? Nie martw się.

– Martwię się o ciebie. Żebyś ty aby nie dostała jakiegoś urazu do chłopów na stałe.

W zaokrąglonych oczkach pani Lili była w istocie taka głęboka troska, że Maria poczuła się wzruszona. Nie mogła jednak swej leciwej przyjaciółki pocieszyć od ręki, bo sama jeszcze nie wiedziała, jak to teraz będzie z tymi chłopami. Powiedziała jej o tym.

– No cóż – westchnęła Lila. – Będziemy czekać. Ach, słuchaj, jaż mam dla ciebie komunikat kulturalno-oświatowy! Twój Sasza Winokurow ma koncert!

– On jest Winogradow. I nie mój. Jaki koncert?

– Nie pamiętam. Ale mam gazetę, tam jest taki dodatek, „Co jest grane", to tam powinien być twój Sasza.

– On nie jest mój.

– Nieważne. Nie możesz siedzieć w domu jak taka domowa zatyka. Gdzie jest gazeta?

Pani Lila podreptała chwilę w kółko, przypomniała sobie, gdzie czytała prasę, i popędziła do łazienki. Wróciła, wymachując dodatkiem kulturalnym.

– Masz, szukaj.

Maria przerzuciła strony.

– Mam. Ale to jest koncert „Sklepu z ptasimi piórami". Sasza tam śpiewa, zdaje się, jako support...

– Co to znaczy?

– W tym przypadku, powiedziałabym, wprowadzenie. Główna gwiazda to ten „Sklep". Co to za zespół?

– Aaa, to świetny zespół, musisz koniecznie iść ich posłuchać. Sama bym z tobą poszła, bo ich po prostu uwielbiam, ale jutro... oni jutro grają? Czy dziś?

– Dziś.

– No właśnie. Jutro bym mogła wybrać się z tobą, ale dzisiaj właśnie umówiłam się z Różą i Noelem, jedziemy do Stolca z małą wizytą towarzyską, do mojego syna i Marceli. Ale ty idź koniecznie, a nie pożałujesz.

Maria była o krok od zapytania pani Lili o coś bliższego na temat „Sklepu z ptasimi piórami" (nazwa bardzo jej się spodobała; wróżyła poetyckie klimaty, które owszem, dosyć lubiła), ale byłaby to czysta złośliwość, było bowiem jasne jak na dłoni, że starsza pani pojęcia nie ma o zespole, natomiast bardzo, ale to bardzo chce wypchnąć Marię na spotkanie z Saszą Winogradowem.

No i dobrze, właściwie to dlaczego nie miałaby spotkać młodego Leńskiego? Najprawdopodobniej zresztą on będzie otoczony wielbicielkami.

Albo jedną wielbicielką. Co gorsza.

∾

Koncert odbywał się w teatrze „Kana", a więc bardzo niedaleko od mieszkania pani Lilianny. Maria wybrała się tam piechotą. Po raz nie wiadomo który pogratulowała sobie teściowej mającej kuzynkę, która mieszka w tak pięknej, starej dzielnicy – koło ogromnego, pięknego parku, Wałów Chrobrego, Zamku, Bramy Królewskiej, katedry i zabytkowego polsko-katolickiego gotyckiego kościółka, który szczególnie się Marii spodobał. Wiedziała już, że gdzieś tu niedaleko przyszła na świat księżniczka Zofia z rodu Anhalt-Zerbst, ta sama, która została carycą Rosji Katarzyną II, nie wiedziała jednak dokładnie gdzie. Miała w planie to sprawdzić. Na razie cieszyła się myślą o koncercie.

Cieszyła się tą myślą, dopóki nie doszła do kasy teatru „Kana" i nie zobaczyła tabliczki z obrzydliwym napisem „Bilety wyprzedane", wiszącej w poprzek okienka.

A tak się już nastawiła na Saszę i ten cały „Sklep"!

Postanowiła pokręcić się trochę przy kasie, może stanie się cud i ktoś będzie chciał zwrócić bilety?

Jeśli ktoś porządnie wierzy w cuda, może się ich doczekać.

Pięć minut przed rozpoczęciem koncertu do holu wpadła, trzaskając drzwiami, młoda kobieta urody hiszpańskiej, istna Carmen, wyraźnie w stanie furii. Skierowała się do kasy, trzymając w ręce dwa bilety, które najwyraźniej zamierzała zwrócić. Zanim zdążyła to zrobić, dopadła jej czyhająca na okazję Maria.

– Przepraszam najmocniej, pani oddaje te bilety?

– Tak – warknęła Carmen krótko i wściekle. – Chce pani?

– Z radością! – Maria wyciągnęła z kieszeni przygotowaną portmonetkę, ale Carmen, wciąż ziejąc ogniem, machnęła ręką.

– Niech pani bierze. I dam pani dobrą radę: niech pani nigdy, przenigdy nie umawia się z dupkiem!

Ciekawe, który ją zrobił w konia – pomyślała odruchowo Maria. Don Jose czy Escamillo, dzielny torreador?

– Proszę, niech pani trzyma – niecierpliwiła się Carmen.

– Chwila – powiedziała Maria impulsywnie. – Ja też jestem przeciwko dupkom. Ale dlaczego z ich powodu rezygnować z fajnego koncertu? Ja potrzebuję tylko jednego biletu...

– No to co?

– No to chodźmy razem. Ja też mam swojego dupka, który został w domu. Pod Żyrardowem, gdzie płynie rzeka Pisia Gągolina.

Carmen potrząsnęła burzą czarnych włosów i rzuciła kilka błyskawic z czarnych oczu.

– Naprawdę Pisia? A może masz rację, cholera jasna, psiakrew, szlag by trafił, kurka wodna! Hanka jestem.

– Maria Strachocińska.

– Ten twój dupek to Strachociński? Ja się nazywam Kawalec, ale dupek jeszcze nie mój. I chyba nie będzie – prychnęła wściekle.

– A może jeszcze przyjdzie? – Maria zawahała się na moment z biletem w dłoni.

– Nie przyjdzie, bo dzwonił i udawał głupiego. Chodź, bo się spóźnimy.

W istocie, kiedy zajmowały dwa miejsca w środku pierwszego rzędu, artysta Sasza Fiodorowicz Winogradow, support „Sklepu z ptasimi piórami", wchodził właśnie na scenę. Tym razem nie wyglądał jak Leński, tylko jak Hamlet, tak się w każdym razie Marii skojarzył. Miał czarne spodnie, czarną koszulę częściowo rozpiętą i odsłaniającą foremny tors. Na szyi dyndał mu pokaźny srebrny medalion – ach, to chyba dlatego ten Hamlet, medalion z tatusiem i żałoba... W ręce dzierżył gitarę. Więc jednak Wysocki, ale w roli Hamleta. Hamlet z Taganki. Nie, Hamlet z „Kany".

Po sali przebiegły oklaski. Sasza skłonił się i bystrym spojrzeniem ogarnął widownię. Marii wydawało się, że ją zauważył i poznał, ale sama sobie powiedziała, że to mało prawdopodobne. Jedno przelotne spotkanie. Ona by go też może nie poznała, gdyby przeszli koło siebie na ulicy. Tu miała nad nim przewagę – anonimowego widza nad artystą podpisanym na plakacie.

A jednak?

Sasza przysiadł na stołku przed mikrofonem, podłączył gitarę, brzęknął w struny, spojrzał prosto na nią i bez żadnych wstępów zaśpiewał:

– „Co było, nie wróci i szaty rozdzierać by trudno"...*

---

* Sasza śpiewał balladę Bułata Okudżawy „Aleksander Siergiejewicz Puszkin".

Tu zrobił małą przerwę, jak gdyby czekał na brawa, ale patrzył wyraźnie w jej stronę i uśmiechał się. Brawa rzeczywiście się rozległy.

– „Cóż, każda epoka ma własny porządek i ład"...

Znów przerwał i tym razem wykonał szeroki gest ręką, jakby zachęcając ludzi do śpiewania. Pół sali podjęło z nim razem:

– „A przecież mi żal, że tu w drzwiach nie pojawi się Puszkin,
Tak chętnie bym dziś choć na kwadrans na koniak z nim wpadł"...

Śpiewał i uśmiechał się szeroko. Dośpiewał piosenkę do końca, po brawach powtórzył ostatnią zwrotkę i refren po rosyjsku, po czym powiedział nieco rozmarzonym tonem:

– „Ach, głowę bym dał, że już jutro wydarzy się coś"... A przeszłość nie wraca nigdy... To było dla ciebie, Mareszko.

Spojrzał na nią bardzo wyraziście. Maria aż podskoczyła, ognista Hanka podskoczyła jeszcze wyżej, a Sasza całkiem spokojnie mówił dalej:

– Tylu przyjaciół tu widzę, tylu przyjaciół Bułata słyszałem przed chwilą... I po cóż ja układałem sobie starannie program na dzisiaj, kiedy po prostu musiałem zaśpiewać piosenkę o Puszkinie, dla Mareszki, bo ona Puszkina kocha... Sama mi to mówiła. Więc może teraz wy po prostu mówcie, co chcecie usłyszeć, a ja będę wam śpiewał, jak potrafię, niedoskonale, ale z serca, przysięgam, że z serca... A czasem może sam coś zaproponuję. To co teraz chcecie?

Z sali rozległo się kilka okrzyków, najpierw dość cichych, potem coraz śmielszych. Maria podziwiała swobodę, z jaką Sasza zachowywał się na scenie. Miał przy tym mnóstwo jakby nieśmiałego wdzięku. Dałaby sobie głowę uciąć, że on tym wdziękiem steruje, jak chce, i widownią też, przy okazji.

– Z ręki mu jedzą, nie? – szepnęła w jej stronę Hanka. – On do ciebie mówił o tym Puszkinie? Znasz go?

– Raz się spotkaliśmy, przypadkiem – odszepnęła Maria. – Czekaj, on już coś zaczyna...

Istotnie, Sasza przebierał już palcami po strunach (Maria dopiero teraz zauważyła, jakie ma foremne dłonie). Zaśpiewał „Ostatni trolejbus". Chyba też na jej cześć, bo cytowała ten „Trolejbus" podczas tamtejszej rozmowy, koło zamku. Jeszcze kilka ballad Okudżawy, po czym przeszedł na Wysockiego.

– A Wysockiego, Wołodię, będę wam śpiewał po rosyjsku – zapowiedział. – Bo mi się nie podobają polskie wersje. No, chyba że Młynarskiego. Ale i tak ja bym to zrobił inaczej. Tylko że nie umiem. Szkoda, że nie umiem. „Cygańską" znacie?

Zaśpiewał „Cygańską", potem „Liryczną", a potem „Konie". I to już miał być koniec jego występu – stanowiącego przecież tylko support do koncertu „Sklepu z ptasimi piórami", a więc gwiazdy wieczoru.

„Cygańska" wywołała uśmiech na ustach Marii, przy „Lirycznej" prawie się popłakała na myśl, że cholerny Aleks jej tak nie kochał i że musiała opuścić swój „terem z balkonem na morze", a „Konie" nią wstrząsnęły. Ciepły i liryczny dotąd śpiewak pokazał pazur. Wizja rozszalałego zaprzęgu uwożącego Saszę Winogradowa prosto w przepaść zaparła jej dech w piersiach. Biła brawo jak szalona, razem z resztą słuchaczy.

Sasza Winogradow, jakimś cudem ocalony od niechybnej śmierci, kłaniał się, uśmiechając z leniwym wdziękiem.

Ależ on nie jest żadnym gamoniowatym Leńskim! To Eugeniusz Oniegin we własnej osobie! Oczywiście, Oniegin w pierwszej fazie, Oniegin czarujący, dandys, elegant, bawidamek... no właśnie: wzbudzający uśmiech dam „ogniom nieżdannych epigramm", ogniem nieoczekiwanych epigramatów! Sasza nie układał epigramatów, tylko śpiewał, niemniej wszystkie obecne na sali damy wpatrywały się w niego z zachwytem.

Oniegin przed nawróceniem był też cynikiem, o czym najlepiej przekonała się biedna naiwna Tatiana...

Dobra, dobra. Maria w najmniejszym stopniu nie czuła się kolejną wersją Tatiany. Była kobietą po przejściach, przytomną, doświadczoną – i też stać ją było na cynizm... gdyby okazał się potrzebny.

Sasza, po raz kolejny wywołany na scenę, udawał zaskoczenie, ale oczywiście miał przygotowany bis.

– Zaśpiewam wam jeszcze romans – rzekł, strojąc gitarę. – Nie Bułata i nie Wołodii. Nie będę wam tłumaczył, zrozumiecie sami tę prośbę do gwiazdy, żeby świeciła, gorzała, nawet wtedy, kiedy śpiewający żyć już nie będzie... Podobno napisał tę pieśń biały admirał Kołczak w noc przed swoją śmiercią z rąk bolszewików. Napisał ją dla swojej ukochanej. A ja zaśpiewam ją dla dziewczyny, którą kiedyś spotkałem koło waszego zamku i która mi powiedziała, że przyjechała z daleka, ale tu zostanie. I została... chociaż nie dla mnie.

Tym razem Sasza nie patrzał nawet w stronę Marii, dla niej jednak dedykacja była aż nazbyt wyraźna. On sam chyba nie chciał aż tak wskazywać na jej adresatkę.

Hanka nie zamierzała pozostać w nieświadomości.

– Ej, Marysia, to też dla ciebie? – szepnęła. – Jak on na ciebie mówił? Mareszka?

– To po kaszubsku. Kaszubska Marysia.

– Nie wykręcaj się! Dla ciebie?

– Cicho bądź, on śpiewa!

Uroczy bawidamek Oniegin znowu zmienił się w lirycznego Leńskiego. Obrzucił szczerym spojrzeniem błękitnych, słowiańskich oczu wszystkie damy obecne na sali (Maria przysięgłaby, że panów pominął!) i zaśpiewał rozdzierający serce romans. Jak wiadomo, nic tak nie rozdziera serc jak dobrze zaśpiewane rosyjskie romanse. Przy niektórych podobno biali emigranci strzelali sobie w łeb, czego Maria nigdy nie mogła do końca zrozumieć. Tym razem jakby przybliżyła się do owej tajemnicy.

Kiedy Sasza skończył, miała łzy w oczach. Jak większość niewiast na widowni.

Na więcej bisów artysta nie dał się namówić, przypominając, że to nie jego wieczór, tylko „Sklepu". Ludzie jeszcze trochę poklaskali i wyszli grzecznie na przerwę.

Kiedy Hanka i Maria opuszczały salę, w drzwiach już czekał romantyczny Leński, rozdający uśmiechy i ukłony mijającym go zachwyconym słuchaczom.

– Ładnie było? – zapytał na powitanie, wbijając w Marię niebieskie oczy.

– To jest Hanka, poznajcie się.

Hanka, która już od trzeciej piosenki wyglądała, jakby całkowicie udało jej się zapomnieć o owym dupku, który tak ją wyprowadził z równowagi, rozpromieniła się i podała Saszy dłoń, a on ją nieco demonstracyjnie ucałował. Być może po to, żeby mieć pretekst do ucałowania w następnej kolejności ręki Marii.

– Ładnie było? – powtórzył.

– Bosko! – wyrwała się Hanka, ale on wciąż patrzył na Marię.

– Bardzo ładnie – roześmiała się w końcu. – Z tym Kołczakiem to prawda?

– Podobno tak, ale nie wiem, czy do końca. On rzeczywiście miał jakąś wielką miłość, wcale nie żonę, ona za nim pojechała na Syberię, gdzie zebrał oddziały do walki z bolszewikami, ale oni go, niestety, złapali i rozstrzelali. Ją chcieli wypuścić, ale im powiedziała, że ma to w nosie. I przesiedziała osiemnaście lat. Tak go kochała.

– No a romans?

– Znaczy piosenka? Ja tam nie wiem, jak jest naprawdę. Wszyscy podają innego autora, ale nawet jeśli to nie jest prawda... Wiesz... wiecie, dziewczyny: se non è vero, è ben trovato...

– Co to znaczy? – spytała Hanka. – Ja jestem inżynier! Łaciny na politechnice nie było!

– Jeśli to nawet nieprawda, to jest dobrze wymyślone – objaśnił Sasza. – To po włosku. A wiecie, że on, to znaczy Kołczak, właściwie sam siebie rozstrzelał?

– Z dwóch pistoletów – roześmiała się Hanka.

– Nie, z plutonu egzekucyjnego. Bo tam nie było nikogo wyżej pułkownika, a Kołczak był admirałem, więc nikt w zasadzie nie miał prawa wydać komendy „pli", to znaczy po waszemu... jak, Mareszka, bo nie wiem?

– Pal.

– No właśnie. I Kołczak sam wydał komendę. A oni go na tę komendę zabili. To jest prawdziwa prawda, a z piosenką... nie wiem.

– Ja chyba już kiedyś ją słyszałam – zastanawiała się Hanka.

– Anna German ją śpiewała.

– Właśnie. Wiedziałam. Moja mama ją uwielbiała. Śpiewała całymi dniami.

– Mareszko, ty mówiłaś, że jesteś panią od literatury. Zrób mi tłumaczenie tej piosenki, dobrze? Będę ją śpiewał po polsku. Słuchajcie, dziewczyny, ja muszę lecieć, bo jestem umówiony, nie wiedziałem, że tu przyjdziesz... Proszę, znajdź ją w Internecie, na pewno znajdziesz... i przełóż. Ja ją dla ciebie śpiewałem, a ty ją dla mnie przetłumacz. Muszę pędzić.

I popędził w istocie, machając do kogoś tam ręką. Maria nawet nie zdążyła zaprotestować, przecież on wcale nie wie, czy ona umie, a zażądał tego tłumaczenia!

– Całkiem mnie olał – stwierdziła Hanka, wcale tym niezmartwiona. – Ale boski on jest. Prawdziwe ciacho. Marysia... nie, Mareszka, tak? Ty potrafisz mu to przetłumaczyć?

– W zasadzie potrafię, tylko nie wiem, czy on będzie zadowolony – przyznała Maria. – Chyba spróbuję.

– Matko, to ja to muszę przeczytać! Zadzwoniłabyś do mnie, jak napiszesz? Dam ci wizytówkę. Proszę, Mańka, ja cię proszę! Ty, słuchaj, wracamy, koniec przerwy, zaraz „Sklep" wejdzie, ja ich uwielbiam! Dlatego mogę ci spokojnie odstąpić twojego

pięknego Saszę, ja się kocham w Rysiu Leoszewskim od uro-
dzenia. Dobrze, że mnie namówiłaś i że zostałam. Gdyby nie ty,
siedziałabym w domu i ryczała jak głupia. Boże, ci mężczyźni!

❧

Maria wracała do domu w doskonałym humorze. Trudno
zaprzeczyć, że bard będący skrzyżowaniem Leńskiego z Onieginem, śpiewający specjalnie dla niej dusze-szczypatielnoje romanse, znacznie się różni od ślubnego małżonka, który w ner-
wach „wali hrabinię łbem w antresolę"... swoją drogą ciekawe,
czy ta telefoniczna Pati to żyrardowska jedna Wiśniewska?

Może by rzeczywiście przymierzyć się do tego tłumaczenia?
Od razu widać, że będzie masakra z nieprzetłumaczalnym
początkiem. „Gori, gori, moja zwiezda" – tego się po prostu
nie da przełożyć w żaden żywy sposób na polski, zachowując
rytm oryginału!

Ach, płoń, ach, płoń, ty gwiazdo ma – pomyślała Maria
i zachichotała, budząc niemrawe zainteresowanie jakiegoś
mocno nabombanego osobnika, który posuwał się skokami
naprzód, opierając się o kolejne pnie na trasie, czyli na ulicy
Starzyńskiego, obsadzonej drzewami z obu stron.

– Ja rówszszz uwaszszam, sze szszycie jest szmieszszne, tak,
ap-sslutnie... – wyszemrał nabombany i usiadł bezwładnie
u stóp rozrośniętego jesionu. Maria ominęła go, a on przyjaźnie pomachał jej ręką. Przypuszczalnie zmęczyło go to bardzo,
więc zwinął się w kłębek i usnął.

Już prawie na progu domu przyszedł jej na myśl uroczy
esej Tuwima, który męczył się (Tuwim, nie esej) z przekła-
dem jednego prościutkiego puszkinowskiego czterowiersza,
aż w końcu skapitulował. No, ale ona nie jest Tuwimem, nie
musi od razu tworzyć arcydzieła, Saszy wystarczy przyzwoite
tłumaczenie... miejmy nadzieję.

Lili w domu nie było. Zostawiła kartkę z informacją, że prawdopodobnie prześpi się u syna, w Stolcu, jakkolwiek by to absurdalnie nie brzmiało.

Gori, gori, moja zwiezda...

Maria siadła do komputera i wpisała tytuł do wyszukiwarki. Musiała trochę pokombinować, żeby znaleźć rosyjską grażdankę. Po kilku operacjach miała wreszcie przed oczami cały tekst oryginalny. Niestety, wyglądało na to, że historia z Kołczakiem jest niekoniecznie prawdziwa, autorzy nazywali się zupełnie inaczej.

Przyjrzała się dokładnie tekstowi.

No tak. Same rymy męskie. Maria ćwiczyła już dla własnej przyjemności tłumaczenia z angielskiego, niemieckiego i rosyjskiego, przy czym dokonała odkrycia: z rymami męskimi, czyli jednosylabowymi, wcale w języku polskim nie jest tak źle – pod jednym warunkiem: że pisze się coś śmiesznego. Jeśli chcemy być poważni, natychmiast zaczynają się schody.

Niektórzy tłumacze nie zwracali uwagi na takie drobiazgi i zmieniali akcenty w wierszach na polskie, ale przecież nie można zmienić akcentów w piosence, bo onaż się nie da zaśpiewać!

Maria poczuła nagle, że właśnie chce się zmierzyć z cholernymi rymami męskimi i chce usłyszeć, jak on to śpiewa! Nie była specjalną wielbicielką romansów – ani rosyjskich, ani cygańskich, ani żadnych innych, tym bardziej prośba Saszy stanowiła zaproszenie do wspaniałej zabawy. Ostatecznie nawet najbardziej łzawy wiersz można potraktować ściśle zawodowo!

Mój Boże – pomyślała. Co ja właściwie robię u obcych ludzi z mopem, ścierą i odkurzaczem? Moje miejsce jest gdzie indziej! Moje miejsce jest na uniwersytecie!

Jeszcze nie.

Nie umiałaby powiedzieć, dlaczego tak jest, ale nie była jeszcze gotowa do powrotu na uczelnię. Tak jakby brutalna reakcja Aleksa na jej plany związane z doktoratem postawiła niewidzialną tamę zamierzeniom. Ale do czasu. Przyjdzie czas, że odstawi odkurzacz do kąta i usmaży panu Pultokowi ostatniego kotleta!

Zaczęła po raz kolejny uważnie czytać tekst o gwieździe. Nie musimy być aż tacy dosłowni, proszę państwa. Najważniejsze, to złapać sens i klimat.

„Tysiące gwiazd na niebie drży... ty, moja gwiazdo, dla mnie lśnij..."

Może być na początek.

❧

Za oknem było już całkiem jasno, kiedy Maria wyłączyła komputer, wzięła z drukarki tekst, przeczytała go, uśmiechnęła się i poszła spać. Zupełnie jak w dawnych latach, kiedy spędzała noce, pisząc eseje, tłumacząc wiersze i prozę, przygotowując się do zajęć ze studentami.

Nie może mi pan tego zabronić, panie Strachociński – pomyślała, zanim zasnęła. Śnił jej się Sasza śpiewający przy gitarze „Tysiące gwiazd na niebie drży"... Płakał przy tym rzewnie i wycierał błękitne oczy apaszką od Hermesa.

❧

– Hanka?

– Hanka, a bo co?

– Maria mówi, Mareszka, no. Poznałyśmy się wczoraj.

– Oooo, cześć, Mareszka, fajnie, że dzwonisz. Napisałaś mu to?

– Napisałam. Kurczę, nie wiem, czy to jest dobre. Chyba tak, ale pewności nie mam. Ja nie czuję takich rzewnych romansów. Masz pocztę elektroniczną?

– Mania, obudziłaś się już? Na wizytówce jest!

– Bo poszłam spać o wpół do piątej. Hanka, ja ci wyślę ten tekst, a ty mi powiesz, ale uczciwie, jak ci się podoba. To na razie. Zaraz otwórz pocztę. Cześć!

Pospiesznie wysłała Hance tekst, który stworzyła w nocy i poszła robić sobie średnio wczesne śniadanie. Dochodziła dwunasta.

O dwunastej dwanaście, kiedy Maria rozbijała właśnie estetycznie czubek jajka na miękko, zadzwoniła jej komórka.

– Maryśka?

– Hanka?!

– Maryśka! Genialne! Rewelacja! Popłakałam się.

– Nie gadaj...

– Nie gadam. Naprawdę, śliczne. Jesteś wielką poetką.

– E, tu już zanadto się rozpędziłaś. To tylko rzemiosło. Naprawdę tak ci się podoba?

– No przecież mówię. Kiedy mu to dasz?

– Nie wiem. Nie mam żadnych jego namiarów. Może jak będzie miał następny koncert, to go znajdę.

– Wytrzymasz tak długo? Ty, Mańka, ty mówiłaś, że dopiero wstałaś? To teraz pewnie przeszkadzam ci w śniadaniu. Tak?

– Ugotowałam sobie jakieś tam jajko...

– Mania, jedz to jajko i niech ci będzie na zdrowie. Ja mam teraz coś do zrobienia, jeszcze do ciebie zadzwonię, dziś albo jutro. Pa, kochana. Pa!

– Dziękuję ci bardzo...

– Nie ma za co. Jesteś genialna. Pa!

Maria, rozśmieszona i zadowolona, wróciła do swojego jajka, które jeszcze nie zdążyło ostygnąć. Było to, niewątpliwie, jedno z najsmaczniejszych jajek na świecie.

Resztę dnia zdolna tłumaczka spędziła na miłym nieróbstwie. Miała wreszcie trochę czasu, żeby zajrzeć do biblioteki pani Lili, a była to biblioteka rodzinna, bardzo solidna. Oprócz dzieł medycznych ojca Lili, doktora Nałęcza, i przyrodniczych męża, Tuptusia (tak mówiła na niego żona, ku jego zgrozie, ale że był łagodny, więc jakoś to znosił) Bronikowskiego, kanonu klasycznego, który powinien znaleźć się w każdym domu, i doskonałych książek dla dzieci (zapewne syna Edusia), była tam spora szafka pełna kryminałów i sensacji. Maria wyciągnęła uroczą powieść o Charliem Chanie, chińskim detektywie, i zagłębiła się w niej z przyjemnością.

Koło dziewiętnastej Noel przywiózł Lilę i Różę. Zjedli razem kolację i pojechał odwieźć z kolei Różę do jej domu, Lila zaś poszła spać wcześniej niż zwykle, bo czuła się zmęczona.

O dwudziestej trzeciej komórka Marii zaczęła szaleć.

Wyświetliło się imię: Hanka.

– No, cześć, Hanuś – powiedziała Maria zachęcająco.

Od wczorajszego wieczoru zdążyła polubić impulsywną Carmen, jak się okazało, inżyniera, specjalistkę od konstrukcji stalowych. Ale Hanka jej nie odpowiedziała.

Zamiast tego w słuchawce rozległo się kilka brzęknięć gitary i aksamitny głos Saszy Winogradowa, z ledwie dostrzegalnym cieniem rosyjskiej, miękkiej wymowy, zaśpiewał:

– Tysiące gwiazd na niebie drży, ty, moja gwiazdo, dla mnie lśnij.

Życzliwy sercom, jasny, miły blask – jedynaś taka pośród gwiazd…

Marii zaparło dech. Jako się rzekło, tłumaczenie pieśni o gwieździe traktowała właściwie wyłącznie jako zadanie zawodowe – jednak czym innym był tekst, nawet całkiem zadowalający, na papierze lub ekranie komputera – czym innym wyśpiewany aksamitnym głosem młodego Leńskiego skrzyżowanego z Onieginem!

Sasza kontynuował:

– Miłości skrywasz tajemnicze sny... płomieniu dawnych moich dni!

Zostaniesz wieczna, nie odmienisz się na udręczonej duszy dnie...

Światłości twojej tajemnicza moc opromieniła życie mi.

Ja jutro umrę – ty zaś w każdą noc lśnij, moja gwiazdo, dla mnie lśnij...

Gitara ucichła. Maria stała ze słuchawką w ręce jak urzeczona.

– Mareszko – odezwał się w końcu Sasza. – Piękny tekst. Piękny. Sam się śpiewa. Dziękuję ci. A nie przełożyłabyś mi jeszcze paru piosenek Wysockiego?

Maria zaczęła się śmiać.

– No i już po romantyzmie! Ale cieszę się, że tekścik ci się podoba. Gdzie dopadłeś Hankę?

– Hanka mnie dopadła – wyjaśnił Sasza. – Wydarła mój telefon w „Kanie”. Wydarła ze mnie wiadomość, gdzie jestem. A ja w domu u przyjaciół siedzę, na urodzinach, wszyscy już mało trzeźwi, a tu nagle zjawia się piękna kobieta i tekst mi daje, śpiewać każe... Zwariowana ta twoja Hanka. Ale dobra z niej dziewczyna, więc ją zaadoptowaliśmy. Pan domu ją usynowił. Mareszko, ja już mam twój telefon, więc zadzwonię do ciebie w sprawie tego Wysockiego, kiedy wytrzeźwieję, a teraz całujemy cię wszyscy i pozdrawiamy...

W istocie, słuchawka brzęczała charakterystycznym bankietowym gwarkiem, z którego wybijały się okrzyki pochwalne na cześć pieśni o gwieździe w nowej wersji.

– Cześć – powiedziała Maria, ale telefon brzęknął po raz ostatni i zamilkł.

Nie pozostało jej nic innego, jak pójść spać. Czekał ją męczący tydzień pracy w rezydencji Pultoków.

Zasypiając, wciąż miała w uszach aksamitny głos Saszy śpiewający pieśń o gwieździe.

O pierwszej w nocy obudził ją dzwonek telefonu. Niezbyt przytomna, usiadła na łóżku.

– Halo...

W odpowiedzi na tę standardową odzywkę usłyszała wielogłosowy chór, śpiewający z dużym uczuciem przy gitarze:

– Tysiące gwiazd na niebie drży...

Ty, moja gwiazdo, dla mnie lśnij...

Roześmiała się i usiłowała coś powiedzieć, ale chór konsekwentnie dośpiewał pieśń do końca i połączenie zostało przerwane.

Rozbawiona, usiłowała zasnąć, ale nie od razu jej się to udało. Kwadrans później telefon zadzwonił znowu.

– Tysiące gwiaaaaaaazd na nieeeeeebie drżyyyyyyy... Mareszka, kochamy cię! Ty, moja gwiazdo, dla mnie lśniiiiiij...

Do godziny trzeciej dwadzieścia chór dzwonił do Marii jeszcze cztery razy. Oprócz coraz bardziej zaangażowanego wykonania pieśni usłyszała sporo wyznań miłości oraz pochwał swego talentu. O trzeciej trzydzieści, rozśmieszona i w znakomitym nastroju, ostatecznie zdołała zasnąć.

Rezydencja Pultoków po weekendzie była dosyć zapuszczona. Maria spodziewała się tego, zaplanowała więc od rana ostre sprzątanie, nie licząc, oczywiście, śniadanka dla madame. Madame była jednak już po śniadanku, ponieważ bolała ją głowa, w związku z czym wstała już o siódmej rano, najadła się proszków i poczuwszy zdrowy głód, sama sobie usmażyła jajecznicę.

– Ale i tak musi pani coś zrobić dla Kseni – powiedziała, na widok Marii bardzo ucieszona, bo już zdążyła się przyzwyczaić i do niej, i do pożytków, jakie z jej obecności płynęły. – Wróciła wczoraj w nocy, biedactwo moje, ja nie rozumiem, jak można dzieci trzymać cały tydzień z weekendem włącznie na obozie naukowym... Ale ona się nie skarży, mówi, że było czadersko. Tylko dzisiaj jest taka zmęczona, że nie kazałam jej iść do szkoły.

– A ten obóz naukowy to z jakiej dziedziny? – spytała Maria, mimo woli zaciekawiona.

– Nawet nie wiem. Nie pytałam Kseni, a ona mi nie mówiła. To ja teraz może pójdę na taras, poopalam się, nie będę pani przeszkadzała.

Roksana Pultok wyłoniła się ze swojej sypialni około trzynastej trzydzieści i odnalazła Marię wprowadzającą ład do wielkiego salonu.

– Strasznie hałasujesz – powiedziała niezadowolonym głosem. – Nie dociera do ciebie, że ktoś w domu jeszcze śpi?

Maria odwróciła się od portretu małżonków Pultokostwa w sznycie szlacheckim (kontusz i szabla pana domu, obfity robron i peruka pani). W drzwiach stała osoba o wyglądzie dwudziestolatki, choć jako uczennica pierwszej klasy liceum musiała być młodsza. Miała na sobie minimalną koszulkę i coś w rodzaju szlafroczka w rozmiarze dla krasnoludków, tak więc wszystkie jej wcale dojrzałe wdzięki były właściwie na wierzchu. Rzucały się w oczy wspaniałe, bujne włosy w kolorze pomarańczowym. Maria odniosła wrażenie, że gdzieś ją już spotkała.

– Dzień dobry – powiedziała uprzejmie. – Nie hałasowałam, czekałam z użyciem odkurzacza, a mop i ścierka pracują raczej cicho. Poza tym nie wiem, czy mama ci wspominała, ale do mnie mówi się „pani Mario”.

– Chyba śnisz, garkotłuku – odparła z wdziękiem panna Ksenia. – Będę ci mówiła, jak będę chciała, a ty masz do mnie mówić „proszę pani”. Zrób mi śniadanie. Jajka w szklance, tosty, co tam chcesz. Dużo. Kawa z mlekiem. Rusz się.

– Odnoszę wrażenie, że nie do końca się zrozumiałyśmy. Po pierwsze, do osób niepełnoletnich nie mówi się przez „pani". Mogę mówić ewentualnie „panienko", chociaż twój brat nie życzył sobie być „paniczem", no ale to twoja sprawa. Ja natomiast przyjmuję polecenia wyłącznie od osób, które zwracają się do mnie w sposób ogólnie przyjęty w kręgach ludzi kulturalnych.

– Masz źle w głowie – warknęła „panienka", nie siląc się już na wdzięk. – Szoruj do kuchni i nie zapominaj, gdzie pracujesz. I że możesz od jutra przestać tu pracować. Powiedziałam!

– Słyszałam. Proponuję, abyś porozmawiała z mamą. Ja już nie mam nic do powiedzenia.

Tu Maria odwróciła się od rozwścieczonej Roksany i najspokojniej wzięła do ręki porzuconą ścierkę. Dziewczyna obróciła się na pięcie i pomaszerowała na taras, żeby zakomunikować matce o niesłychanej bezczelności nowej kuchty, którą natychmiast trzeba wywalić na zbity pysk.

Gdyby Ksenia poszła do matki ze swym ultimatum pięć dni temu, niewykluczone, że Maria rzeczywiście straciłaby zajęcie w rezydencji Pultoków. Dzisiaj jednak matka była bogatsza o doświadczenia całego minionego tygodnia, kiedy to nie musiała stuknąć palcem o palec, a dom był czysty i wysprzątany jak na Wielkanoc (to znaczy również tam, gdzie nie widać), doskonałe śniadanie podane, wyśmienity obiad również, a pyszna kolacja przygotowana do podania po minimalnych przygotowaniach typu odgrzanie na patelni lub w garnku (mikrowelką gosposia nie wiedzieć czemu gardziła).

O nie, takich wygód normalny człowiek nie pozbywa się z byle powodu!

– Wiesz, Kseniu – zaczęła ostrożnie. – Ja rozumiem, że nasza nowa gosposia ma trochę wygórowane mniemanie o sobie, ale generalnie, to ona bardzo dobrze się sprawuje, więc może dobrze byłoby...

– Mama, czy ty chcesz powiedzieć, że ja mam ją traktować jak jakąś cholerną księżnę? Ona tu jest po to, żeby nam gotować i dla nas sprzątać, a nie po to, żeby odbierać hołdy!

– Ale ona sprząta i gotuje, córeczko. I powiem ci w tajemnicy, że robi to bardzo dobrze, i wcale bym nie chciała się jej pozbywać. Mów do niej, jak chce, co ci to przeszkadza...

– Mama!

W tym dramatycznym okrzyku było tyle świętego oburzenia i taka potęga, że Regina Pultok aż zmalała, a terierki, śpiące dotąd na leżaku, sturlały się zeń i zaniosły przeraźliwym szczekaniem.

– Niech one się zamkną! Cicho, kundle!

Kundle ani myślały być cicho. Biegały po tarasie i darły się na wyprzódki, obrzucając się obelgami i już, już, stając naprzeciw siebie w gotowości bojowej.

– Pieski, chodźcie do mnie!

Ta niezbyt głośna komenda padła z okna kuchni. Josia i Jasia jak na komendę zastrzygły kosmatymi uszkami i pocwałowały do domu, powiewając bujnym włosiem. Zdążyły się już nauczyć, że tam, skąd dobiega ten głos, można się zazwyczaj spodziewać czegoś smacznego.

– Jezu – wymamrotała Ksenia, mimo woli zdumiona. – Ktoś je podmienił, jak mnie w domu nie było?

– To pani Maria – szepnęła jej matka z nieukrywanym podziwem. – Nauczyła je. W tydzień! Mówię ci, ona jest rewelacyjna. Bądź dla niej grzeczna.

Latorośl wzruszyła pogardliwie ramionami.

– Mama – powiedziała, przeciągając głoski. – To jest kuchta. Tak? Ja jej płacę, tak? No, ty jej płacisz...

– Ojciec płaci...

– Wszystko jedno. My jej płacimy. Ona ma chodzić jak zegarek. Ona. Nie ja. I nie ty. I nie tata. I nawet nie Korek. Ona. No.

– Kurdę, Ksenia, ależ ty jesteś głupia. – Na tarasie objawił się panicz Kordian i miotnął plecak w kąt, pod doniczkę z hortensją. – Cześć, matka.

– Dlaczego mówisz „kurdę", a nie normalnie, „kurde"? – zainteresowała się matka akademicko.

– Tak fajnie jest. Umieram z głodu. Idę do pani Marii.

Już miał nogę w drzwiach, ale Roksana go zatrzymała.

– Korek, ty mówisz do służącej „pani Maria"?

– Pewnie. Tobie też radzę. Ona jest cool, kurdę, no. Puść mnie.

Roksana padła na rozkładany fotel.

– Chyba oboje macie na głowę, jak Boga kocham...

Kilka minut później do ogrodu doleciał przez któreś okno zapach subtelny, ale dla coraz głodniejszej Roksany doskonale wyczuwalny. Dziewczyna bez słowa wstała i pomaszerowała do kuchni, gdzie zobaczyła wkurzający obrazek: jej własny brat wchłaniał właśnie omlet wielkości koła młyńskiego.

Obrzuciła pogardliwym spojrzeniem brata, jego talerz i służącą, która wstawiała właśnie do piecyka brytfannę z jakimś drobiem, ominęła ich, wzięła z chlebaka suchą bułkę i wycofała się z godnością.

Maria wsunęła kurczęta do piekarnika i nastawiła zegar. Już wiedziała, gdzie spotkała pannę Pultok. Loków o tym odcieniu wściekłego oranżu nie spotyka się co dzień. Panna Ksenia była wtedy ubrana, choć jej sukienka niewiele się różniła od minimalistycznej koszulki nocnej. Siedziała w kącie kawiarni „Biały Pudel" z facetem trzy razy starszym od siebie i dyskretnie trzymała rękę w jego spodniach.

❧

Roksana Pultok nie poznała Marii. Nie zwróciła na nią wtedy najmniejszej uwagi, zajęta znanym w Szczecinie adwokatem, swoim sponsorem, jak przywykła go w myślach nazywać. Mecenas Maurycy Luft był człowiekiem doskonale sytuowanym i należało się go trzymać, jeśli miało się jakieś ambicje i plany na przyszłość. Okazało się to nie takie proste, bowiem był on też człowiekiem wybrednym i życzył sobie odgadywania pragnień przed ich sformułowaniem. Roksana miała do tego wrodzony talent. Oczywiście, mecenas doskonale wiedział, kim są rodzice jego laluni. Prowadził kiedyś tatusiowi kilka spraw i wygrał je. Może gdyby przegrał, nie miałby prawa do dmuchania głupiej córeczki – taką teorię stworzył sobie na doraźny użytek. Zresztą córeczka sama się wpychała, a mecenasowi trudno było się powstrzymać – Roksana miała świeżutkie ciałko i wielką ochotę do nauczenia się i stosowania tych wszystkich sztuczek, które on właśnie lubił, a co do których jego żona od początku przejawiała niezrozumiałe opory. Ksenia preferowała zdecydowanie biznesowe podejście do sprawy: na początku ich zażyłości próbował jej dawać prezenciki w rodzaju srebrnej bransoletki z bursztynami, ale go wyśmiała. Tylko pieniądze, niemałe i w dolarach albo w euro. Inaczej żegnaj, kotku, możemy pozostać przyjaciółmi, ale tylko na dystans. Bieda w tym, że mecenas Luft już nie chciał na dystans. Są ludzie, którzy uzależniają się od alkoholu i staczają na dno, inni stają się hazardzistami i tracą majątki, a on uzależnił się od ślicznej, młodziutkiej gimnazjalistki. Tak, tak. Ich zażyłość zaczęła się, kiedy Ksenia była w ostatniej klasie gimnazjum i miała niecałe czternaście lat. Jako dziecko nieprzeciętnie zdolne, poszła do szkoły w wieku lat pięciu (Pultocza mama opowiedziała o tym Marii, pękając ze słusznej dumy). Teraz, w pierwszej licealnej nie miała jeszcze piętnastu. Oczywiście nie powiedziała „sponsorowi" o tym. Zełgała coś tam o osiemnastu latach, na które zresztą wyglądała, ot tak, żeby ułatwić kontakty. Założyła wtedy pierwsze własne konto bankowe i mecenas niebawem stał się głównym źródłem zasilającym owo konto.

Używając sobie z panienką w najlepsze, był jednocześnie ciekaw, dlaczego ona to robi, dlaczego robi to za pieniądze, choć przecież rodzice są zamożni i nie odmawiają dzieciom niczego.

– Bo widzisz – odpowiedziała, uśmiechając się tym uśmiechem, którym umiała doprowadzić go do szaleństwa – ja po prostu lubię to robić. A pieniądze od ciebie biorę, bo życzę sobie mieć pieniądze. Własne, nie od mamusi i tatusia. Zwłaszcza że oni są skąpi strasznie. Moje koleżanki tyrają na promocjach w supermarketach albo rozprowadzają kosmetyki, a ja lubię się pieprzyć.

– Skoro lubisz, to czemu każesz sobie płacić? – zaśmiał się.

– Ponieważ dla samej przyjemności wolałabym, wybacz, kotku, robić to z facetem, który ma dwadzieścia lat, a nie pięćdziesiąt cztery. Tylko że oni nie mają tyle forsy co ty.

– Skąd wiesz, ile mam lat? – Przyznał jej się do czterdziestu sześciu.

– Zajrzałam kiedyś do twojego dowodu. Wtedy, kiedy zginęło ci z portfela trochę euro... ale chyba nie masz mi tego za złe?

Owszem, miał, ale Roksana grała z nim, jak chciała. Wiedziała, że nie zaryzykuje utraty ulubionej zabaweczki. W gruncie rzeczy nim gardziła.

Zastanawiała się czasem, jak zareagowaliby rodzice na wiadomość, że ona zarabia pieniądze właśnie w ten sposób. I że nauczyła się tego od starszej siostry, Wirginii, która skończywszy osiemnaście lat, wyprowadziła się od rodziców, zamieszkała samodzielnie i obecnie, oprócz tego, że studiowała filologię angielską, miała jeszcze swoją pracę. Pracowała mianowicie jako regularna call girl i żyła obecnie nie z jednego mecenasa, ale z trzech biznesmenów. Zaczęło się od pewnego importera glazury, kolegi łazienkowego tatusia. Dwóch następnych poznała dzięki pierwszemu. Jeden był deweloperem, drugi producentem czegoś elektronicznego, ale co to było, tego Wirginii nie chciało się rozszyfrowywać. Nie było jej to do niczego potrzebne, dopóki producent elektroniki łożył na nią w miarę regularnie.

Siostrzyczki były zdania, że nie ma sensu wtajemniczać rodziców w szczegóły swojego życia prywatnego. Bardzo się też starały, żeby nie dowiedzieli się niczego od osób postronnych. Gdyby więc Ksenia miała świadomość, że nowa kuchta zna jej tajemnice, może by się i zdenerwowała, może próbowałaby ją jakoś urobić albo przekupić. Nie miała jednak tej świadomości i dlatego spała spokojnie w swoim biało-różowym (gust matki!) panieńskim pokoju.

Kuchta zaś po głębokim zastanowieniu doszła do wniosku, że nie będzie się wyrywać z informowaniem starszyzny. Nie jej pies, nie jej pchły, nie ona się będzie drapać.

Może kiedyś zrobi coś w tej sprawie. Na razie nie.

∾

– Marysiu kochana, ile ty czasu chcesz jeszcze pracować u Pultoków? Bo mówiłaś coś, że miesiąc czy półtora, a tu już trzy tygodnie będą za chwilę! Masz kogoś następnego?

Pani Lila wróciła właśnie do domu po jakichś przyjacielskich posiadach, odwieziona taksówką, oczywiście przez niezawodnego Noela, który jednak nie zaszedł i podziękował tym razem za pyszną herbatkę – być może dlatego, że zbliżała się dziesiąta wieczorem.

Maria w wygodnym fotelu kontynuowała znajomość z Charliem Chanem, czytając już trzeci kryminał o tym uroczym detektywie z Hawajów. Na widok zaróżowionej i mocno czymś zaaferowanej Lili odłożyła książkę i uśmiechnęła się. Bardzo polubiła swoją starszą przyjaciółkę (tak ją zaczęła traktować i tak o niej myśleć już po jakimś tygodniu znajomości).

– Nie mam. Rozglądałam się, ale nikogo nie znalazłam. Ale nie wytrzymam z Pultokami dłużej niż półtora miesiąca. Mam nadzieję, że nie będę musiała aż tyle...

– Nie będziesz, kochana. Nie będziesz. Byłam dzisiaj w Stolcu... Matko boska, nigdy się nie przyzwyczaję do tej nazwy... Cała nasza załoga tam się zebrała, wiesz, z Karaibów...

Pani Lila nie zaniedbałaby żadnej okazji do podkreślenia swojej przynależności do załogi katamaranu, którym dwa tygodnie żeglowano po Brytyjskich Wyspach Dziewiczych. Maria wcale jej tego nie miała za złe. Nie każda babcia może sobie pożeglować po Karaibach wypasionym jachtem.

– Wiem.

– No właśnie. I był Grzegorz Wroński, pamiętasz, opowiadałam ci, mąż naszej Michalinki, tej, co urodziła niedawno córeczkę...

– Tej Irlandki. Córki Noela.

– Pół-Irlandki. On jest psychiatrą, Grzegorz, ale ma kolegę kardiologa. Chyba do niego pójdę, do tego kardiologa, muszę się zbadać, to podejrzane, żeby w moim wieku serce nie nawalało ani nic. No więc ten kardiolog... – Tu Lila zawiesiła artystycznie głos.

– Potrzebuje gosposi?

– Nie, on ma. Jeden jego pacjent potrzebuje gosposi. Starszy pan, podobno bardzo elegancki, inżynier, przedwojenny... Nie, jaki przedwojenny! Powojenny. Ale ma już osiemdziesiąt kilka lat i jest na emeryturze.

– Lileczko – wtrąciła ostrożnie Maria. – Czy emeryta będzie stać na gospodynię? Bo, prawdę mówiąc, ja się niespecjalnie piszę na czyny społeczne...

– To jest bardzo zamożny emeryt. Nie dlatego, żeby miał jakąś nadzwyczajną emeryturę, bo w Polsce nie ma nadzwyczajnych emerytur dla inżynierów. Ale on jeszcze do niedawna zarabiał straszne pieniądze jako deweloper. Wiedziałam, co to znaczy „deweloper", ale zapomniałam.

– Taki inwestor, co buduje i sprzedaje. Albo pośrednik w nieruchomościach.

– No właśnie. Inżynier Buszkiewicz. Ten kardiolog zapewnia, że to człowiek dużej kultury. Nie ma pojęcia o prowadzeniu domu.

– Owdowiał?

Pani Liliannie Bronikowskiej, wytrawnej plotkarze, oczka zaświeciły jak gwiazdy dwie.

– Grzegorz jakoś tak mówił, że nie wszystko do końca zrozumiałam. Bo przecież niemożliwe, żeby w tym wieku porzuciła go żona, nie? A z drugiej strony, on ma jakieś dzieci i nie jestem pewna, czy te dzieci nie wpakowały mamusi do domu starców, a on, znaczy ten inżynier, nie chciał, więc cała rodzina jest teraz skłócona. Jakiś okropny miszmasz w każdym razie. Ale z forsy możesz go obedrzeć. Dziadek do ubogich nie należy.

– Mamy jakiś telefon do niego?

– Mamy, jasne, że mamy. Chyba nie dzwoń o tej porze, bo on pewnie śpi, taki starszy pan...

༄

Następnego dnia była sobota i Maria miała wolne. Pospała solidnie, zjadła śniadanie z Lilą, która na nią czekała, pogryzając ciasteczka, i uznała, że teraz jest bardzo dobry moment na telefon do inżyniera Buszkiewicza.

Odebrał po pierwszym sygnale, jakby czekał na telefon. Maria już zdążyła sobie wyobrazić rozsypującego się starca o drżącym głosie, niezbornych ruchach i zapominającego w pół zdania, o czym mowa. W słuchawce zabrzmiał głos dystyngowany, ale jednocześnie pełen energii.

– Buszkiewicz, słucham.

– Dzień dobry panu. Nazywam się Maria Strachocińska, słyszałam, że poszukuje pan gospodyni domowej...

– W istocie, poszukuję. A skąd pani o tym wie?

– Od doktora Wrońskiego, który jest znajomym pańskiego kardiologa, którego z kolei pan upoważnił do poszukiwań...

– Ach, rozumiem. Ale to jest pani kardiolog. Pani doktor Szostek. Czy pani zarówno sprząta, jak i gotuje? Wolałbym rozmawiać bezpośrednio, nie przez telefon, jeśli pani pozwoli...

– Tak, oczywiście. Kiedy i gdzie mam przyjechać?

– Pani jest zmotoryzowana?

– Tak.

– Doskonale. A ma pani teraz czas?

Pół godziny później Maria wjeżdżała windą na ostatnie piętro wieżowca przy ulicy Rugiańskiej. Przyjechała tu, prowadzona GPS-owymi wskazówkami Krzysztofa Hołowczyca, który jej obiecał, że z nim wszędzie trafi, musiała się jednak trochę skupiać, żeby w porę skręcić i nie wjechać w jednokierunkową ulicę pod prąd. Nie zwróciła uwagi, w jakiej dzielnicy się znajduje, więc kiedy wysiadła z windy i zerknęła w wąskie korytarzowe okno, omal nie krzyknęła z zachwytu.

– Piękne to wszystko, prawda? – usłyszała za sobą.

Odwróciła się i zamarła. „Biały Pudel" objawił się po raz kolejny. W drzwiach jednego z mieszkań stał ten sam starszy mężczyzna, którego żona... Aniela chyba... zasięgała u niej, Marii, opinii na temat, kiedy właściwie należy odejść od własnego męża!

– My się znamy? Chyba jednak sobie pani nie przypominam. Proszę, niechże pani wejdzie.

Mieszkanie pana inżyniera najwyraźniej zrobione było z dwóch połączonych narożnych, w których usunięto większość ścian działowych. W wieżowcach z lat siedemdziesiątych nie bywało takich wielkich przestrzeni. Okien gospodarz nie mógł sobie powiększyć, a jednak i one wydawały się większe od przeciętnych – prawdopodobnie dlatego, że nie były obwieszone tradycyjnymi zasłonami i firanami, a przed słońcem miały chronić mieszkańców rolety piaskowej barwy, zwinięte w tej chwili i odsłaniające ów nadzwyczajny widok na dwie strony świata, port, stocznię, a dalej jezioro Dąbie i tor wodny.

– Ma pan tu fantastyczne widoki – powiedziała Maria. – Nie przedstawiłam się. Maria Strachocińska.

– Stefan Buszkiewicz. Zapraszam. Zaparzyłem właśnie herbatę, miło mi będzie wypić ją w towarzystwie. Kupiłem też jakieś herbatniczki. Może dadzą się zjeść.

Maria usiadła we wskazanym fotelu i obserwowała pana domu, krzątającego się po pokoju. Był zdecydowanie przystojny, wzrostu ponad metr osiemdziesiąt, o doskonałej figurze. Trochę w typie Seana Connery'ego w starszym wieku, ale jakiś sympatyczniejszy. I zapewne nie taki czarny, kiedy jeszcze nie był siwy. Jasnoniebieskie, przenikliwe oczy wskazywały raczej na niegdysiejszego blondyna. Poruszał się płynnie, nie miał tej przykrej, starczej niepewności ruchów. A przecież był zdecydowanie starym człowiekiem.

– Zastanawia się pani teraz, ile mam lat? – Usiadł naprzeciw niej i uśmiechnął się nieco szelmowsko. Niewykluczone, że żona miała mu za złe między innymi ten właśnie uśmiech, którym musiał, po prostu musiał czarować kobiety, a one musiały, po prostu musiały lecieć na niego jak muchy na miód.

– Osiemdziesiąt dwa. W grudniu skończę osiemdziesiąt trzy.

– Piękny wiek – powiedziała, bo nie wymyśliła niczego mądrzejszego. Pan Stefan skrzywił się.

– Piękny wiek to pani ma. Ja nie mam nawet pięknego charakteru.

– Ale ma pan piękną postawę – roześmiała się. Starszy pan wyraźnie domagał się komplementów. – Jest pan bardzo przystojny.

Rozpromienił się widocznie.

– Dziękuję, młoda, uprzejma osobo. Dziękuję. To miło, że pani tak mówi. Niemniej razem z moją piękną postawą zostałem ostatnio kompletnie sam i nie radzę sobie z podstawowymi rzeczami. Żywię się suchą strawą albo fast foodami, których nienawidzę. Zarastam kurzem i pyłem. Umiałbym jeszcze zbudować dom albo hutę, albo cokolwiek innego, ale nie radzę sobie z kurzem w domu.

Starał się wyglądać na biednego staruszka, co mu wcale nie wychodziło. Maria chichotała cały czas. Ten facet wyzwalał w kobiecie chęć do chichotów. I najwyraźniej był z tego zadowolony.

– Myślę, że będę w stanie coś na to poradzić. Jeśli, oczywiście, zechce mnie pan zatrudnić.

– Oczywiście, że zechcę panią zatrudnić. Czy powie mi pani, jakie są pani warunki?

– U jednej osoby, a właściwie w jednym gospodarstwie pracuję miesiąc do sześciu tygodni. Potem odchodzę. Może kiedyś wrócę na kolejny miesiąc, a może nie. Weekendy mam wolne. Kosztuję tysiąc dwieście złotych tygodniowo.

Pan Stefan chytrze przechylił głowę.

– „Czwarta pięćdziesiąt z Paddington"? Droga, ale warta swojej ceny?

– Zgadza się. Czyta pan Agatę!

– Dziecko drogie, w moim pokoleniu wszyscy czytali Agatę. Jeśli w ogóle czytali kryminały. Ja czytałem dosyć dużo, zwłaszcza kiedy jeździłem po różnych budowach jako kawaler jeszcze. Byłem ulubionym klientem prowincjonalnych bibliotek.

– Myślałam, że ci, co jeździli po budowach, robili zupełnie co innego...

– Co innego też robiłem. Kiedy ma się tyle lat co pani, czas jest bardziej rozciągliwy. Kiedy może pani do mnie przyjść?

– Za dwa albo trzy tygodnie. Wytrzyma pan?

– Wytrzymam. A potem będę wywierał na panią naciski, żeby pani mnie nie porzucała po miesiącu. Będę stosował terror emocjonalny. Oraz moralny.

– A moralny to jaki?

– To proste. Jest rzeczą niemoralną pozostawiać niedołężnego starca na łasce losu. Pani Mario, co mogę mieć w ramach moich tysiąca dwustu złotych? Tygodniowo... Tygodniowo? Matko święta. Zwariowałem. No więc co?

– Wszystko, co robi normalna gospodyni domowa. Sprzątam, piorę, prasuję, gotuję, robię zakupy, załatwiam wszystkie drobne domowe sprawy. – Maria pomyślała chwilę, po czym dodała. – Mogę zgodzić się na obniżenie płacy do ośmiuset złotych na tydzień. Praca dla jednego człowieka będzie mniej obciążająca niż dla całej rodziny.

Sama nie wiedziała, dlaczego tak zadecydowała. Starszy pan miał w sobie coś interesującego. Chciała u niego pracować.

– Bardzo dobrze. Ale ja mam swój honor. Tysiąc. Jestem dość zamożnym starowinką. Zarobiłem na tłustą starość i nie będę wykorzystywał kobiety pracującej. Jeszcze jedno pytanie, proszę wybaczyć, wygląda pani na osobę wykształconą. Mam rację?

– Ma pan. To chyba nie jest pytanie, które by trzeba wybaczać. Zajmowałam się teorią literatury na uniwersytecie.

– I dlaczego pani już tego nie robi?

– Kiedyś panu opowiem. Albo i nie. Czy mogę uważać, że jesteśmy umówieni?

– Jak najbardziej. Ma pani mój telefon. Proszę zadzwonić z małym wyprzedzeniem. O której pani lubi zaczyna pracę?

– O dowolnej. Jak panu wygodnie.

– Koło dziewiątej? Ja wstaję po ósmej, więc będziemy zaczynać od wspólnego śniadania. Za damę do towarzystwa pani też czasem robi?

– Moja oferta obejmuje w zasadzie wszystko oprócz usług seksualnych – powiedziała, patrząc prosto w przenikliwe, jasne oczy. Starszy pan nie zmieszał się, tylko roześmiał.

– Chwalebna szczerość. Ale ja już nie jestem w wieku do usług seksualnych. Chciałbym za to czasem porozmawiać z osobą inteligentną. Może być o teorii literatury. Nie mam o tym pojęcia, więc może jeszcze się czegoś nauczę. Wiedzy nigdy dość.

– Rozumiem. Z przyjemnością będę rozmawiała o literaturze. I o budowach socjalizmu. Jak rozumiem, budował pan socjalizm?

– Wszyscy wtedy budowaliśmy socjalizm. Chyba że ktoś miał w sobie ducha opozycji. Ale ja nigdy nie byłem dobry w opozycji. Lubiłem raczej tworzyć... w ramach tego, co zostało mi dane... niż rozwalać. Musiał być jakiś podział pracy i ja byłem akurat po tej stronie. Czy jestem dla pani przez to mniej wartościowy?

– Ależ skąd. Ja też nie mam w sobie ducha walki. Raczej uciekam i staram się żyć spokojnie na uboczu.

Starszy pan nie odrywał od niej tych swoich jasnoniebieskich, wciąż bystrych oczu. Kiedy mówiła o swoim braku ducha walki i uciekaniu, jakby drgnął.

– Chyba jednak już się spotkaliśmy – powiedział powoli. – Przypominam sobie. Pani udzieliła mojej żonie zbawiennej rady w kawiarni „Maskotka"... Tfu, „Biały Rottweiler", czy jak jej tam.

Maria zaczerwieniła się.

– Przykro mi, jeśli to miało jakiś wpływ na pańskie życie. Pańska żona zadała mi pytanie, a ja odpowiedziałam odruchowo, prawdę. Przepraszam.

– Niech pani nie przeprasza. Ja to rozumiem, kiedy mnie pytają, też odruchowo mówię prawdę. Parę razy w życiu próbowałem kłamać, ale skończyło się na tym, że zapominałem, co komu powiedziałem, i wychodziłem na idiotę. A moja żona ode mnie odeszła.

– Bardzo mi przykro.

Pan Stefan wzruszył ramionami.

– Niech pani nie będzie przykro. Tak zadecydowała. Zrobiłaby to i bez konsultacji z panią, tylko musiałaby jeszcze ze dwa dni pokombinować. Od dawna miała już wszystko obmyślone.

– Zamieszkała u dzieci? – Pytanie o dom starców wydawało się Marii niedopuszczalne.

Pan Stefan skrzywił się lekko.

– Nasze dzieci za nami nie przepadają. Mamy trzy córki, wszystkie dawno zamężne i zamożne, dwie mają wspólny pensjonat w Zakopanem, trzecia w Krynicy. Syn poszedł na morze, bo się na mnie obraził. A obraził się, idiota, kiedy mu kilka razy zadałem pytanie, kiedy wreszcie założy własną rodzinę. No to zaczął od wyniesienia się z domu, a teraz pływa gdzieś, Bóg jeden wie gdzie i na jakich statkach, bo prawie się z nami nie kontaktuje. Aniela, moja żona, miała mi to za złe. Uważała, że postąpiłem okrutnie. Jakie okrutnie? Ile lat można siedzieć u mamuni na garnuszku? Ale mamunia go uwielbiała i chciała go obsługiwać do końca życia. Swojego, oczywiście. Potem zostałby na lodzie jako stary sierotka, co to nawet jajka na miękko nie ugotuje, bo nie umie. Jego matka nie chciała tego przyjąć do wiadomości. Uwielbiała go, pupilka i wyskrobka. Myśmy już wcale nie byli młodzi, kiedy on się urodził. Córki były już dorosłe. Rozpieszczały go tak samo jak matka. Dla Anieli wciąż był dzieciakiem. Jaki dzieciak, politechnikę skończył, elektronik niezły podobno. To, że poszedł na morze, to już była kropla przepełniająca czarę. Znalazła sobie taki elegancki dom starców na Mazurach i tam zamieszkała. I jeszcze każe mi za niego płacić. Zamierza tam umrzeć, nie patrząc już na mnie, bo nie tylko mnie obwiniała o to, że dziecko poszło na przepadłe, ale praktycznie całe życie ją strasznie denerwowałem.

– Czym ją pan denerwował do tego stopnia? Tylko synem? – Maria była zaciekawiona, a ponieważ gospodarz wyraźnie nie miał oporów co do opowiadania o swoim życiu, nie krępowała się pytać.

– Wszystkim. Ona twierdziła, że ją lekceważę, nie słucham, co do mnie mówi, mam ją za idiotkę. Wcale jej nie miałem za idiotkę. Nie wiem, dlaczego tak sądziła.

– A słuchał pan, co żona do pana mówi?

– Czasami. Wie pani, myśmy od początku się kłócili. Ona chciała mnie uziemić, zatrzymać na jednym miejscu. Ja tego nie potrafiłem, musiałem jeździć. Czy pani wie, że budowałem większość polskich wielkich hut, począwszy od Nowej? Ja naprawdę budowałem socjalizm i byłem z tego dumny. Mimo całego tego kretyństwa, które się wtedy działo. Robiliśmy rzeczy wielkie. Z niczego. Dla mnie to było ważne. A ona chciała mieć domek z ogródkiem, chować dzieci i siać pietruszkę.

– Co jest złego w sianiu pietruszki?

– Nic nie jest. Ale pietruszkę można siać w doniczce. No i w końcu siała w doniczce i nic strasznego się nie stało. Kot jaja nie zniósł, jak mówił mój dziadek. Anielka wychowała wszystkie nasze dzieci, a ja jeździłem po budowach. Każde z nas zrobiło swoje. A kiedy w końcu postanowiłem w nowej rzeczywistości zmienić specjalność i zarobić trochę pieniędzy, żeby mieć na stare lata, też stale miała mi coś za złe.

Wygląda na to, że istotnie, starszy pan niespecjalnie się przejmował potrzebami żony. Jakim cudem wytrzymała to aż tyle lat? À propos...

– Ja przepraszam, ale kto to są Alergen i Makaron?

Gospodarz uśmiechnął się. Miał piękny uśmiech, odsłaniający równe zęby... no, już chyba niemożliwe, żeby jego własne...

– Moi przyjaciele. Proszę, przedstawię ich pani.

Przeszedł przez pokój i otworzył drzwi. Maria zajrzała ciekawie. Za drzwiami była sypialnia, dla odmiany po salonach niezbyt obszerna. Na niezasłanym łóżku spał wielki pręgowany kot, który otworzył leniwie oczy i natychmiast je zamknął. Na dywaniku obok łóżka odpoczywał mocno wiekowy basset. Nie chciało mu się nawet ruszyć ogonem, spojrzał tylko na swego pana wzrokiem pełnym miłości i też przymknął podkrążone oczy.

– Alergen, czyli Gienek, to jest kot. Ma pietnaście lat. Moja żona twierdziła, że całe te piętnaście lat ją uczulał. Dlatego tak się nazywa. Kiedyś nazywał się Fąfel, ale żona mu imię zmieniła i tak już zostało. Makaron ma siedem, ale jest bardzo schorowany. Reumatyzm go rąbie. Serce mu też podobno nawala. Mnie robili koronarografię i wiedzieli, jak mnie leczyć, jego nawet spytać nie można, co go właściwie boli. Aniela uważała, że trzeba go uśpić. Nie potrafiłbym tego zrobić. Wychowałem go od szczeniaka. Był strasznie śmieszny i uwielbiał się ze mną bawić. Teraz czasem noszę go na rękach, żeby mógł się wysikać na dworze. Chociaż przy dobrej pogodzie sam chodzi. One nie są reprezentacyjne. Makaron śmierdzi. Gienek zresztą też. Trochę brudzą w domu. Obydwaj mają tylko mnie. I ja ich nie zawiodę.

Wolałeś zawieść własną żonę – przemknęło Marii przez myśl. Cóż, to nie jej sprawa. Może sprzątać po Alergenie i Makaronie.

– A ten domek... – Nie wytrzymała jednak. – Nie miał pan nigdy ochoty mieszkać u siebie?

– Mieszkam u siebie. Wie pani, ja chyba jestem, jak to się dzisiaj mówi, blokersem. W odróżnieniu od większości ludzi nienawidzę małych domków. Udusiłbym się w takim. Nie wyobrażałem sobie starości zamkniętej w obrębie małego ogródka. Z cholerną pietruszką, a nawet z różami. Z dwoma sąsiadami po bokach, diabli wiedzą jakimi. Ja muszę mieć przestrzeń.

– I trochę przemysłu...

– Nie ukrywam, że widok na te wszystkie dźwigi sprawia mi przyjemność. Ale jest też perspektywa, wodę widać, przyrodę, nie tylko przemysł.

– Nie brał pan pod uwagę potrzeb żony, co?

– No tak, ona chciała mieć ten domek i pietruszkę, i róże. A ja bym tam umarł dwadzieścia lat temu.

Maria skinęła głową. W gruncie rzeczy to nie jej sprawa. Ale starszy pan był zdecydowanie interesujący.

Tak, z przyjemnością zmieni rezydencję Pultoków na to ogromne mieszkanie z widokiem na morze.

Bez mała.

∾

– Wiesz, Marysiu, że ja jestem strasznie wścibska i nic na to nie mogę poradzić, prawda?

Okrągłe oczka pani Lili miały tak rozpaczliwy wyraz, że Maria zaczęła się śmiać. Starszej pani nie dało się nie lubić.

– Wiem. Wcale mi to nie przeszkadza...

– Jak dotąd, moja droga, jak dotąd. Zawsze może się zdarzyć coś, co sprawi, że twoja anielska cierpliwość trzaśnie. Ale skoro do tej pory nie trzasnęła, to powiedz mi, kochana, gdzie się podział Sasza Winokurow?

– Winogradow. Nie wiem, gdzie się podział. Wyjechał na jakieś koncerty. Hanka do mnie dzwoniła i mi powiedziała. Nawet wspominała, dokąd pojechał, tylko zapomniałam. W każdym razie kazał mi przekazać, że będzie wszędzie śpiewał ten romans, co to mu przełożyłam, pamiętasz?

– Twoja noc telefoniczna! Jasne, że pamiętam. Jakby tak do mnie ktoś dzwonił całą noc i mi śpiewał...

– To co?

– To właśnie nie wiem, czy bym go pogoniła, czy przeciwnie, byłabym zachwycona. A jak ty?

– Śmiesznie było. To właściwie nie on dzwonił, tylko jego zalani w pestkę przyjaciele...

– Ale on śpiewał przede wszystkim. On. On ci się podoba?

– W zasadzie tak, tylko widzisz, mam jeden problem. Nie wiem, czy on jest Leńskim, czy Onieginem.

– Dziecko, o czym ty mówisz? Ach, czekaj, już wiem! Leński był fajtłapa, romantyczna fajtłapa, a znowuż Oniegin dandys i cynik. No, ja tam wolę cyników. Mimo wszystko. Na ogół są inteligentniejsi. Mój mąż, świeć Panie nad nim jak możesz najjaśniej, był skończonym romantykiem. Miał misję, rozumiesz. Na niwie oświatowej. Dobrze chociaż, że akademickiej. Bardzo poczciwy był z niego człowiek i bardzo mnie kochał. Zero egoizmu. Wszystko, co Eduś ma z egoizmu, to po mnie. Nieważne. No to co będzie z Saszą?

– Nie wiem, co będzie. Może nic nie będzie. Na pewno to wiem tylko, że będę mu robiła jakieś tłumaczenia. Obiecałam. Ale ja to bardzo lubię, nie poświęcam się.

– No dobrze, moja droga, nie chcesz rozmawiać o Saszy, to nie. Ale ja bym jeszcze chciała, żebyś mi powiedziała, jakie masz plany wobec mojego cioteczno-ciotecznego stryjecznego wnuczko-bratanka, Aleksandra Strachocińskiego... Powiesz mi?

– Powiem ci, Lilu, jak tylko mi się wyklaruje. Bo widzisz, czas mija, a mnie się nic nie wyklarowało, cały czas myślę i myślę, co powinnam zrobić dalej... napisałam mu w liście, że zgłoszę się z gotowym pozwem rozwodowym...

– I co, zastanawiasz się, czy nie zrezygnować z rozwodu?

– Nie, chyba nie. Ale to jest jakieś takie okropne. Widzisz, Lilu, do mnie wciąż takimi etapami dociera, że rozleciało się coś, co budowałam przez kilka lat. Przedtem wiedziałam o tym, oczywiście, a teraz to czuję. Że jestem na lodzie i że będę musiała budować sobie całe życie od początku...

– Moim zdaniem już zaczęłaś budować – zauważyła Lila, patrząc na Marię bystro. – Tęsknisz za nim? Za Aleksem?

– Na rozum nie.

– No tak. Na rozum nie, bo głowę masz nie od parady i zdajesz sobie sprawę z tego, co się stało. A głupie serce pewnie pamięta różne rzeczy. Mam rację?

– Masz. U mnie to jest tak, że serce pamięta co innego, a rozum co innego.

– To się zdarza. Chyba musisz jeszcze poczekać, aż ci się rozjaśni.

– Na razie zależy mi tylko na świętym spokoju. Dzięki tobie mam święty spokój, mogę pracować, a nawet zamienić się w robota, mam dobre warunki do przeczekania.

– To ja posprzątam ze stołu – powiedziała Lila i rzeczywiście, ruszyła do dzieła. – Ty masz tego dość na co dzień, lepiej odpocznij, obejrzyj coś głupiego w telewizji. Tam jest ostatnio większość głupiego, nie będziesz musiała długo szukać. Albo idź do parku. Szczecin o tej porze roku jest najładniejszy. Wszystko jest jeszcze takie nowe i świeże, kochanie ty moje... Marysiu, co ja właściwie cytuję?

– „Takie sobie bajeczki" – roześmiała się Maria. – Kiplinga. „Madame, raz, dwa, trzy i gdzie jest twoje śniadanie?" Zabrałaś mi moją upatrzoną rzodkiewkę, zostawiłam ją sobie na deser. Oddaj. Wszystkie oddaj. Zjem je. Dzięki. A śniadanie było pyszne, dziękuję. I chyba naprawdę gdzieś się ruszę. Może spotkam Żółwca.

❧

Maria rzeczywiście żyła ostatnio życiem automatu do sprzątania i gotowania. Całkiem jej to odpowiadało. Jeśli nie liczyć incydentu z Saszą i tego chwilowego włączenia umysłu, potrzebnego do pracy nad tekstem romansu o gwieździe, mózg jej pracował najwyżej na ćwierć obrotów. Cały czas miała nadzieję, że nagle – jak u Okudżawy – wydarzy się coś i ona dozna olśnienia, co zrobić z dalszym życiem?

Olśnienie nie nadchodziło, nie było też na horyzoncie Saszy, który by przerwał ów marazm, Maria więc wciąż oddawała się tym samym, raczej monotonnym czynnościom.

Tu okazało się, że Agata Christie wiedziała, co pisze. Tak jak jej brytyjskie panie domu uważały Lucy Eyelessbarrow za dar od losu, tak pani Gina Pultokowa nie wiadomo kiedy zaczęła uwielbiać Marię (przestała nazywać ją garkotłukiem nawet prywatnie i pod jej nieobecność) i myślała z przerażeniem, że oto nadchodzi koniec owych czarodziejskich sześciu tygodni... będzie musiała wrócić do znienawidzonej kuchni, cholernego odkurzacza i przeklętego po trzykroć żelazka do prasowania. Albo zatrudnić kolejną gosposię, która będzie śmieci podmiatała pod dywan. Ach, to naprawdę było cudowne – zwłaszcza od dnia, w którym pani Gina uznała, że można „pani Marii" zaufać – i zaczęła z upodobaniem uprawiać życie towarzyskie, latanie na ploty, do kosmetyczki, fryzjera, na tai-chi i kurs malowania witrażowego. Dawno nie robiła tego wszystkiego tak swobodnie. Tylko butiku z biżuterią Vito nie pozwolił jej otworzyć, wytykając idiotyczną umowę, jaką zawarła. Trzeba było umawiać się na stałe, toby miała butik. Oczywiście, pani Gina zrobiła mężowi awanturę z atakiem histerii włącznie, ale on się zaparł. Nie wiedziała o tym, ale pan Pultok też był wściekły na myśl o rychłym odejściu Marii – koszule wyprasowane przez ślubną żonę zawsze miały jakieś kompromitujące zagnioty w widocznych miejscach, a obiady, które gotowała, nie umywały się do tych przyrządzanych przez Marię, poza tym nigdy nie było wiadomo, czy w ogóle będzie co na ząb położyć.

A jakie zrobiła przyjęcie z okazji piętnastolecia założenia firmy! Pan Pultok widział kiedyś niechcący film „Uczta Babette", nudny strasznie, po co w ogóle pieniądze się wydaje i kręci takie filmy; ale na końcu było właśnie przyjątko, które pan, będący smakoszem, obejrzał z większym zaangażowaniem. Ba, zafascynowało go! Spytał Marię, czy ona może widziała tego gniota – owszem, widziała i uważa go za świetne kino. Cóż, nie jest zadaniem pana domu analizowanie przedziwnych gustów służby... kiedyś mówiło się nawet o literaturze dla kucharek, może więc jest i kino dla kucharek, to i tak nie ma znaczenia. Ważne jest, żeby Maria przygotowała taką ucztę Babette. Dokładnie taką samą.

Maria pomyślała chwilę, pewnie przypominając sobie, jakie to dania podała owa Babette, i ku niezadowoleniu chlebodawcy, pokręciła głową. Zupa żółwiowa musiałaby być z puszki, powiedziała, przepiórki dostępne w supermarketach są małe i byle jakie, a poza tym nikt by się tym nie najadł. No i wyszłoby strasznie drogo. Ona, Maria, z tamtej uczty zostawiłaby szampan Veuve Clicquot i generalnie alkohole, a co do menu, to prosi, żeby dać jej wolną rękę i tylko określić limit finansowy oraz liczbę gości. I trzeba doangażować kelnera, bo ona w zasadzie będzie musiała pozostać w kuchni. Państwo na pewno będą zadowoleni.

Po tym przyjęciu pan Pultok nigdy nawet w myślach nie nazywał już Marii kuchtą ani służącą.

Kordian Pultok dawno już, pierwszy w rodzinie zawarł z Marią, nomen omen, „entente cordiale" – na bazie gigantycznych omletów, wielkich ilości podsmażanych kiełbasek i mnóstwa innych smakołyków, dzięki którym miał szanse przeżyć czas między powrotem ze szkoły a rodzinnym obiadem. Tu trzeba powiedzieć, że Maria karmiła go chętnie i nawet z pewną przyjemnością – bawił ją gargantuiczny apetyt młodzieńca, który z błyskiem wdzięczności w oku wchłaniał góry żarcia, po czym szedł pograć z kolesiami w piłkę nożną, siatkówkę lub tenis i spalał wszystko bez najmniejszego śladu.

Maria zastanawiała się trochę, czy łysy łeb i wytatuowany napis „Biała Siła" oznaczają coś konkretnego, czy są tylko elementem dekoracyjnym, jednak nie zaprzątała sobie tym głowy zbyt długo. Nie była to jej sprawa. Rodzicom to nie przeszkadzało, jej tym bardziej.

Jedna Roksana nie zaczęła być miła. Ugruntowana pogarda dla kuchty i garkotłuka nie pozwoliła jej ani razu powiedzieć do Marii „proszę pani". Nie mówiła jej po imieniu, bo wtedy Maria nie reagowała na wydawane przez dziewczynę polecenia. Ksenia więc tworzyła kunsztowne bezosobowe konstrukcje i też uzyskiwała, co chciała.

Na początku szóstego tygodnia, po wtorkowym obiedzie, który jak zwykle był doskonały, Marię poproszono o pozostanie w salonie przy kawie. Oczywiście najpierw musiała ją zrobić i podać wraz z upieczonymi przez siebie rano kruchymi ciasteczkami w dwóch wariantach. Nawiasem mówiąc, opracowała sobie metodę niemal taśmowej produkcji ptifurek z ciasta, które robiła raz w tygodniu i zamrażała. Pani Gina nie była w stanie tego zrozumieć i codzienna porcja świeżych herbatników nieodmiennie robiła na niej wstrząsające wrażenie.

– Bardzo dobry obiad – zagaił pan domu.

– Kiedy pani nadąża robić te ciasteczka? – zaświergotała pani domu.

– Idę na siatkę – zakomunikował syn domu, który zjadł prawie całego nadziewanego kurczaka z kartofelkami i sałatą, nie licząc kremu szparagowego z ptysiami, i właśnie stwierdził, że ciasteczka muszą poczekać, bo on chwilowo nie ma ani milimetra sześciennego wolnego żołądka. – Zostawcie mi trochę tych z orzechami. Nara.

Córka domu nic nie mówiła, bo już jej przy stole nie było. Zjadła zupę, wymamrotała coś i znikła. Mecenas Luft miał dziś wolne popołudnie.

Maria spodziewała się mniej więcej, o czym będą chcieli rozmawiać jej państwo. Nie miała najmniejszego zamiaru ulec. Teraz kolej na pana Stefana, a potem się zobaczy.

– Pozwoli pani, że naleję kawy – zaczął pan domu dwornie. – Pani Mario, ja jestem prosty przedsiębiorca, owijać w bawełnę nienawidzę, a wszyscy dyplomaci to dla mnie podejrzane typki. – Tu chrząknął. – Otóż. Powiem prawdę. Nie wyobrażamy sobie z Giną, że pani od nas odchodzi. To jest po prostu niemożliwe. Musi pani zmienić plany.

– A ja jestem prostą gospodynią domową – uśmiechnęła się Maria. – I też mogę powiedzieć prawdę: nie lubię, jak ktoś do mnie mówi „musisz". Ponieważ nie muszę. Proszę nie brać tego do siebie, ja mam taki system pracy i to wszystko. Za jakiś czas chętnie do państwa wrócę.

– Na miesiąc! – jęknęła pani Gina. – Pani Mario!

– Na miesiąc albo dwa.

– Ale dlaczego?

– Taki system najbardziej mi odpowiada.

– Ale nam nie odpowiada!

– Nic na to nie poradzę. – Maria rozłożyła ręce. – Za jakiś czas się zgłoszę, Jeśli państwo zechcą, to mnie zatrudnią, a jeśli nie, to nie. I to wszystko.

– Do diabła z wolną wolą! – sarknął pan domu, usiłując powiedzieć to żartobliwie, ale bez powodzenia. Widać było, że jest wściekły. – Pani Mario, a może by pani pomyślała nie tylko o sobie! Zostawia nas pani na łasce losu!

– Bez przesady, jakoś państwo żyli, zanim przyszłam.

– Ma pani już kogoś na nasze miejsce? – Pan Pultok pomyślał, że to, co mówi, brzmi jakoś idiotycznie. To państwo miewają kogoś na miejsce gosposi, która odchodzi.

– Tak, jestem już umówiona.

– Kto to taki?

– A taki sympatyczny emeryt.

– Emeryta stać na panią? A poza tym na cholerę emerytowi gosposia na co dzień? Nie mogłaby pani pobyć u niego poniedziałek i środę, u nas wtorek i piątek, i tak dalej?

– Mogłabym, ale bym nie chciała. Proszę państwa, proszę nie nalegać. Od poniedziałku pracuję już gdzie indziej. A teraz chętnie wróciłabym do swoich zadań, jeśli państwo pozwolą. Chciałabym przygotować pani większą ilość pierogów. Zamrożę i będzie pani mogła odgrzewać.

– Pani Mario... – Pan domu podniósł głowę z pewną nadzieją. – Czy pieczeń i gulasz też można zamrozić?...

༄

Kiedy w piątek po południu Maria opuszczała na dobre swoje pierwsze nieuniwersyteckie miejsce pracy, zamrażarka państwa Pultoków pękała w szwach od pierogów z rozmaitymi nadzieniami, różnych farszów luzem, zapakowanych w specjalne woreczki do mrożonek i starannie opisanych, tak aby pani mogła tylko usmażyć naleśniki albo zagnieść ciasto (Maria pokazała jej, jak to się robi mikserem), gulasze i bigosy w plastikowych pudełeczkach oraz pieczenie gotowe do podania po podgrzaniu. Wszystko to Maria wyprodukowała na specjalną prośbę męskiej części pultoczego rodu, zaniedbując przez dwa ostatnie dni wykonywanie pozostałych czynności domowych.

– Kurdę, naprawdę szkoda, że pani od nas odchodzi – westchnął w tym smutnym dniu Kordian Pultok, po raz ostatni zasiadając do omleta z sześciu jajek z zieloną fasolką szparagową i sporą ilością wędzonego łososia. – Po pierwsze, umrę tu z głodu.

– A jak żyłeś, zanim się pojawiłam i zaczęłam ci smażyć omlety? – zaciekawiła się Maria, pakując porcje bigosu do pudełek i starannie je opisując. – Najesz się omletem czy ci zostawić trochę tego tutaj?..

– Zostawić, jasne. Jak żyłem? No a jak ja mogłem żyć? Na hamburgerach, makdonaldzie, kurczaku z Kentaku, całym tym badziewku. Pani widzi, ja muszę jeść. Myśli pani, że jeszcze rosnę? Bo nie jestem gruby.

– Spalasz – wyjaśniła Maria. – Ganiasz za piłką, jeździsz na rowerze.

– A to numer. A ja zawsze myślałem, że to tylko taka gadka.

– Jaka gadka? – nie zrozumiała Maria.

– Z tym ruchem.

– Aaa. Rozumiem. A jest jakieś po drugie?

– To teraz ja nie rozumiem. Jakie drugie?

– Mówiłeś, że po pierwsze, umrzesz z głodu. A po drugie?

Młodzieńcze oblicze okraszone kilkoma pryszczami (trzeba przyznać, że o wiele mniejszymi, od kiedy przeszedł z fast foodu na kuchnię Marii) rozjaśniło się nad półmiskiem, a potem okrył je regularny rumieniec.

– A niech tam – rzekł po małej chwili zastanowienia. – Powiem, co mi szkodzi. Polubiłem panią, chociaż mnie pani ustawiła do pionu na samym początku, a ja w zasadzie nie lubię, jak się mnie ustawia do pionu.

Maria roześmiała się.

– Mało kto lubi, jak się go ustawia do pionu. Tym bardziej mi przyjemnie. A za co mnie właściwie polubiłeś?

– W zasadzie za nic, to znaczy, na pewno za tę wyżerkę. Ale pani w ogóle fajna jest, ładna z pani kobitka i głos ma pani przyjemny. Cicho pani mówi, a i tak wszystko można zrozumieć. Moja matka tak wrzeszczy, że psy się od tego gryzą. Mówiłem pani.

Istotnie mówił, a Maria była kilkakrotnie świadkiem, jak Josia i Jasia stawały do bitwy na śmierć i życie zdenerwowane donośnym i przenikliwym głosem pani Pultokowej. Raz nawet skończyło się szyciem biednej Jasi, która miała osiem symetrycznych dziurek w szyi. Josia nie żartowała. Gryzła, żeby zabić.

– I w ogóle spokojna pani jest – ciągnął psychoanalizę młody Pultok. – Ja też jestem spokojny z natury, ale w rodzinie stanowię chlubny, rzekłbym, wyjątek. Czy pani zauważyła, jak ja to pięknie powiedziałem?

– Przepięknie. A skąd to wziąłeś?

– Sam z siebie. Mieliśmy dziś w szkole dzień pięknej mowy. Poloniści coś takiego wymyślili. Wszyscy tak bredzili. Rzekłbym. Azaliż. Jednakowoż i atoli. Wszak.

– Bardzo ładnie. Jestem za. Tyle starczy?

Półmisek po uprzątniętym omlecie zastąpiła godna miska z bigosem.

– Dzięki. Jak to zjem, to mi na trochę wystarczy. Pójdę lekcje odrabiać, hehe.

Maria skinęła głową i zapakowała resztę bigosu do zamrażarki. Korciło ją, żeby zapytać chłopaka o „Białą Siłę". Skoro już wyznał jej sympatię, to może odpowie. Chociaż... cóż ją to właściwie obchodzi?

A może jednak obchodzi.

– Słuchaj... ta „Biała Siła", ten twój tatuaż... to coś znaczy?

Kordian pokiwał głową nad swoim małym conieco.

– Jestem rasistą – wyjaśnił z dużą prostotą.

Marii wydawało się, że się przesłyszała.

– Powiedziałeś „rasistą"? Uważasz, że jesteś rasistą?

– Ja nie uważam. Ja jestem rasistą.

– I w czym to się objawia?

– Różnie. Kiedyś, jak byłem młodszy i taki bardziej... no, prosty, to mi wystarczyło, jak złapaliśmy brudasa i spuściliśmy mu wpie... tego, no, wpierdziel.

– Jakiego brudasa?!

– Jaki się trafił, czarny, żółty, siniak, jakikolwiek. My generalnie nie lubimy brudasów, kurdę.

– Kto to jest „siniak"? – spytała Maria, lekko wstrząśnięta i mimo woli zaciekawiona wynalazkiem językowym, którego jeszcze nie słyszała.

– Hindus. Ten bigos jest zajebisty. Zajebigos. Chyba się najadłem.

– I wy tak po prostu biliście człowieka za inny kolor skóry?

Kordian rozparł się w krześle, nalał sobie wody mineralnej z bąbelkami, wypił, beknął i pokręcił głową. Bąbelki chwilowo nie pozwalały mu odpowiedzieć.

– Nie biliście?

– Biliśmy – odparł Biała Siła, beknąwszy raz jeszcze. – Ale nie za kolor skóry. Kolor skóry to on sobie może mieć, jaki chce, tylko niech go ma u siebie. Kto mu, kurdę, kazał razem z tym kolorem przyjeżdżać do nas, do naszego kraju? Niechby sobie siedział w Afryce albo w Azji, albo w innym Murzynowie. Jamajczyki, kurdę, Portoryki, badziewie jedno. Skoro ono jest tutaj, gdzie nie jest jego miejsce, to zasłużyło sobie, żeby mu przyłożyć. Polska dla Polaków, nie?

Maria była coraz bardziej wstrząśnięta. Takiego oblicza Kordiana Pultoka jeszcze nie znała. A to, że je właśnie ogląda, jest zapewne karą za nadmierne parcie do wiedzy. Co ją obchodziły głupie tatuaże?

Nie mogła się jednak powstrzymać, żeby nie drążyć w Pultoku dalej.

– A jeśli na przykład ten czarny albo żółty ma żonę Polkę i przyjechał tu, żeby być razem z nią? Jeśli mają dzieci?

– To znaczy, że ta żona nie jest Polka, tylko zwykła kurew – objaśnił ją młody ideowiec. – Polki powinny dbać o czystość białej rasy. Pani uważa, że to w porządeczku jest, że taka Polka albo nawet inna Europejka pozwala się dmuchać kolorowemu?

– Mnie nie przeszkadzają kolorowi – odpowiedziała trochę wymijająco.

– Pani by się pozwoliła dmuchać Murzynowi? – Teraz Kordian nie posiadał się ze zdumienia. – To ja bym pani bynajmniej o to nie posądzał. To pani chyba jednak jest zwykła kuchta.

– Jestem kuchta, oczywiście. Twoim zdaniem kuchta to też coś gorszego?

– Od inteligencji? Raczej tak.

– Rozumiem. A powiedz mi w takim razie jeszcze jedno, bo wspominałeś, że kiedyś ich biliście, a teraz już nie. To co robicie teraz?

– No, właściwie jak się trafi, to zdarza się, że przyłożymy. Ale nie tylko. My się teraz skupiamy trochę na rozwoju osobowości i trochę na zdobywaniu wiedzy.

– Rozumiem, że nie takiej zwykłej, szkolnej?

– No nie, w szkole tego nie ma. To jest wiedza historyczna. O naszych korzeniach. Trzeba znać, skąd ma się korzenie, i szanować to. Ale co ja będę pani opowiadał, kiedy pani tego i tak nie zrozumie.

Coś mu wyraźnie przyszło do łysej głowy, bo spojrzał na Marię z zastanowieniem, a potem skrzywił się, zbrzydzony.

– A może pani jest Żydówka – powiedział z bezbrzeżną pogardą. – Ja nie mogę! Z kim ja w ogóle rozmawiam?

Zakręcił się na pięcie i wyszedł z kuchni, napchany omletem i bigosem, dopełniony bąbelkami z wody mineralnej i ogromem tyleż ugruntowanej, co nieuzasadnionej wyższości.

~

– To dowodzi, że dociekliwość w poszukiwaniu prawdy bywa czasami słusznie ukarana – powiedział filozoficznie Noel Hart. – Cztery piki. Lilu, błagam cię, uważaj.

– Matko boska, cztery piki!

– Lilu, tylko nic nie mów głośno!

– Nie mówię, ale z czym my zrobimy cztery piki!

– Lilu...

– Pas – zawiadomiła Róża z błyskiem w oku. – Teraz się męczcie.

– Pas – miauknęła Lila.

– Pas – dodała Maria.

Fascynująca rozgrywka, która nastąpiła po tej licytacji, zniweczyła na jakiś czas możliwość omówienia problemu młodego rasisty Kordiana Pultoka. Zapewne gdyby Róża i Maria traktowały grę odrobinę bardziej poważnie, Noel z Lilą przerżnęliby robra koncertowo. Róża zażądała jednak krótkiej przerwy w rozgrywce, bo usłyszała w telewizji głos ukochanego ministra obrony narodowej i absolutnie musiała go zobaczyć i posłuchać. Trochę ją to rozkojarzyło, co z kolei dopomogło przeciwnikom wygrać robra, a tym samym i partię. Lila była zachwycona i popędziła żwawo do kuchni robić pyszną kolacyjkę. Zapędziła do pomocy swego partnera, wobec czego Maria z Różą na ochotnika zajęły się herbatą, ziółkami i innymi napojami niewyskokowymi (wyskokowymi już dawno zajmował się Noel).

Kiedy towarzystwo zasiadło do stołu, już bez kart w dłoniach, rasista wrócił na tapetę.

– Ja go nawet zdążyłam polubić – wyznała Maria. – Trochę mi się wydawał może nieokrzesany, ale sympatyczny. Myślałam, że ten łysy łeb on ma, bo lubi taką fryzurę niekłopotliwą, ale nie przyszło mi do głowy, że to u niego ideologiczne. Noelu, ty go uczysz?

– Uczę. Jego i siostrzyczkę, są w pierwszej klasie. Wiesz, Mareszko, te nasze pierwsze klasy to jeszcze taka zbieranina, której nie zdążyliśmy przekazać pewnych naszych zasad. Więc każdy z nich nadaje na swojej fali i czasami ciarki od tego przechodzą po plecach. Mnie w każdym razie.

– Wiedzieliście coś o tych młodych rasistach?

– Że ich mamy? Nie, tego chyba nie wiedzieliśmy. Bo teoretycznie wiemy, że są, szefowa nasza, wiesz, Agnieszka, mówiła nam o tym. Zaczynają właśnie w liceach, potem się rozwijają nawet na niektórych uniwersytetach...

– Jak to, na uniwersytetach?

– Uczą się historii od różnych fanatyków, którzy na uczelniach uwili sobie wygodne gniazdka. Rasiści, nacjonaliści, na historii, na politologii. Młody Pultok też coś mówił o rozwoju?

– Mówił.

– Pewnie już się wybiera z kolegami na stosowny wydział. Będę musiał porozmawiać o tym z Agnieszką, bo to jest problem, do którego musimy podejść raczej poważnie. Ta jego siostrzyczka, Roksana, też rasistka?

– Tego nie wiem. Kordian okazał mi pogardę, dopiero kiedy się zorientował, że nie przeszkadzają mi kolorowi, ale Ksenia nienawidzi mnie od pierwszego dnia, bo nie pozwoliłam sobie mówić po imieniu ani traktować się lekceważąco. Kordian to zniósł, bo chciał być obficie karmiony poza kolejką. Ksenia wolała jeść suche bułki i sałatę z główki, byle tylko nie mówić do mnie „proszę pani".

– Dla nas jest uprzejma, mam na myśli nauczycieli. Pewnie to taka panienka, co gardzi wszystkimi, od których nie jest zależna. I moim zdaniem wyssała to z mlekiem matki. Takie cechy wynosi się z domu. Ale nie jest głupia, nie. Inteligencję ma w normie, powiedziałbym.

Marii coś się przypomniało.

– Noel, proszę, powiedz mi taką rzecz: czy jakieś półtora miesiąca temu wasi uczniowie z pierwszych klas jechali na jakiś obóz naukowy? Tygodniowy.

– Nie, żadnego obozu nie było. A z jakiej on miał być dziedziny? Może ktoś gdzieś zabrał dzieciaki, nie wiem, do Berlina, do muzeum albo gdzieś... Agnieszka była z uczniami w Pergamonie, ale to chyba wcześniej, jeszcze w marcu, no i tylko jeden dzień.

– Nie, to podobno trwało tydzień.

– No to ja chyba wiem, o czym mówisz. Coś mi się mętnie przypomina, że twoja panienka Roksana miała tygodniowe zwolnienie z powodu choroby. Myślisz, że było lewe?

– Na pewno było lewe. W domu wszyscy wiedzieli, że Ksenia jest na obozie naukowym.

– Przypuszczam, że braciszek jednak wiedział, jak jest naprawdę.

– Coś ci powiem. – Maria zawahała się przez moment. – Tylko proszę cię o dyskrecję. Różo, Lilu, kochane, was też. Nie mam całkowitej pewności, ale tak z dziewięćdziesiąt pięć procent. Ja ją kiedyś widziałam z facetem, ewidentnie starszym, który nie był jej wujkiem... no, rozumiecie.

– Ona go obsługiwała? – zapytała ciekawie Róża. – A jak ty to, dziecko, widziałaś?

– Siedzieli w kawiarni, w kąciku i zachowywali się dosyć jednoznacznie.

– Znaczy co? – Lila żądała konkretów. – Obmacywał ją?!

– Raczej ona jego. Więc teraz tak sobie myślę, że pewnie była z tym swoim na jakichś wywczasach. I powiem wam, że mnie to w kawiarni wyglądało jakoś bardzo zarobkowo.

– Maryś, a ty rozmawiałaś z jej rodzicami?

Maria pokręciła głową.

– Trochę mi głupio było. Ja w ogóle nie jestem z tych wtrącalskich ani uspołecznionych, nie wiem, czy mnie rozumiecie. Ludzie żyją po swojemu, a mnie nic do tego. Co nie znaczy, że nie widzę, kiedy coś się dzieje. Ja tylko nigdy nie wiem, czy powinnam reagować, więc na wszelki wypadek nie reaguję.

– Chyba że ktoś ci nastąpi na odcisk – mruknęła Róża, szukająca w telewizorze jakiegoś kanału z powtórką wiadomości, bo chciała jeszcze sobie popatrzeć na ministra obrony. – Ale wtedy twoja reakcja polega na tym, że odwracasz się i uciekasz, zacierając za sobą ślady. Można i tak.

∾

Maria rzeczywiście była „mało uspołeczniona". Prawdopodobnie dlatego zresztą w początkowym okresie małżeństwa z Aleksem nie protestowała przeciwko zakopaniu się w Osiedlu Tkalnia. Kiedy jeszcze studiowała na Uniwersytecie Warszawskim, była jedną z najmniej udzielających się towarzysko osób. Jako asystentkę na polonistyce studenci lubili ją bardzo, bo zajęcia prowadziła inteligentnie, umiała być zabawna i z całą pewnością była twórcza. Doceniali to również profesorowie, a jej doktorat zapowiadał się dość błyskotliwie. I wtedy jednak nie miała zbyt wielu przyjaciół. Nie szukała ich, więc i jej specjalnie nie szukano. Nie spoufalała się ani z kolegami, ani ze studentami. Robiła swoje, robiła to dobrze i z miłym uśmiechem na ustach oddalała się w sobie tylko znanym kierunku. Oczywiście nie odmawiała udziału w rozmaitych sympatycznych imprezkach (na jednej z nich poznała w końcu Aleksa), ale w dużej mierze była samowystarczalna. Cieszyło ją to, co robi, co ma i co umie. Jej ulubioną zabawą było tłumaczenie angielskiej i rosyjskiej, a czasem nawet niemieckiej poezji na język polski. Gotowe tłumaczenia wrzucała do szuflady, nie troszcząc się o to, czy by na przykład nie warto ich gdzieś wydrukować. Satysfakcjonował ją sam proces twórczy, sama praca. Kiedy wyszła za mąż, to właśnie owe zabawy translatorskie wypełniły jej na kilka lat pustkę po uniwersytecie – Maria cieszyła się spełnioną miłością i spokojnie urządzała dom, nie zawierając zbyt wielu znajomości wśród sąsiadów. Gdyby Aleks miał nieco więcej rozumu w głowie, nie sprzeciwiałby się powrotowi żony na uczelnię – jako osoba doskonale zorganizowana i konkretna z pewnością pogodziłaby pracę z domem, ku pożytkowi obu tych instytucji.

Teraz wystarczała jej sama zabawa w dom, i to cudzy. Niechęć do podejmowania pracy w wyuczonym zawodzie tłumaczyła sobie koniecznością uspokojenia nerwów nadszarpniętych traumatycznym przeżyciem z cholernym Aleksem.

Trochę się te nerwy już chyba uspokoiły, bo zaczynała mieć ochotę na coś... nie precyzowała, czym miało być owo coś, ale na pewno powinno zawierać jakieś elementy normalnego życia młodej kobiety. Jakieś spotkania, telefony, ploteczki, nowe kiecki. No, coś.

„Ach, głowę bym dał, że już jutro wydarzy się coś"...

Sasza!

Chciał jakichś tekstów. Poza tym przyjemnie będzie się z nim po prostu zobaczyć. Może będzie coś śpiewał na dniach, jakiś koncercik?

Idąc za głosem impulsu, Maria wyciągnęła z kieszeni komórkę i już trzymała palec nad klawiaturą, kiedy uprzytomniła sobie, że nie ma jego numeru telefonu.

Hanka ma.

– Cześć, Hanka. To ja. Maria, Mareszka.

– Aha. – Głos Hanki był mało entuzjastyczny. – No cześć, cześć. Co u ciebie?

– Nic specjalnego. Ale mam teraz chwilę wolną i pomyślałam sobie, że może bym dopadła Saszę, on miał do mnie jakieś interesy poetyckie, a ja po sześciu tygodniach sprzątania i gotowania non stop może bym coś wykonała w tych klimatach. Nie wiesz, czy on nie ma jakiegoś koncertu? Może byśmy poszły?

– Eee, nie wiem. Nie wiem, czy ma koncerty, czy nie. Nie mam z nim kontaktu. Wizytówkę mogę ci wysłać.

– To fajnie.

Maria chętnie pogadałaby z żywiołową Carmen, ale Carmen była dzisiaj coś mało żywiołowa. Może miała zły dzień. Nie należy się narzucać ludziom, którzy mają zły dzień. Pożegnała się więc i wyłączyła telefon.

Wizytówka jednak nie nadeszła, wobec czego po półgodzinie Maria zadzwoniła znowu. Tym razem Hanka miała wyłączony telefon.

Jakaś burza – pomyślała Maria. A w środek burzy nie należy pchać nosa.

Niemniej Saszę miło byłoby znaleźć. Niech powie, co chce mieć po polsku. Niech coś się wreszcie wydarzy!

Hanka go swojego czasu znalazła. Jak to zrobiła? Przez „Kanę”. No to ona też może go poszukać przez „Kanę”. A jeśli w „Kanie” odmówią jej tego telefonu?

Maria strasznie nie lubiła się wykłócać.

– Marysiu, a może on ma stronę internetową? – podpowiedziała Lila, której Maria zwierzyła się z problemu. – Ja to mam teraz taki odruch, że jak tylko czegoś szukam, to najpierw zaglądam do Internetu.

Rada starszej pani okazała się bezcenna. Sasza Winogradow miał stronę i był tam jego adres mailowy.

„Cześć, Saszeńka – napisała Maria. – Czemu milczysz? Najpierw mi śpiewasz całą noc przez telefon, a potem znikasz bez śladu. A ja bym chętnie Cię posłuchała, może masz w planie jakieś koncerty? Mogę nawet zapłacić za bilet. A jeszcze chętniej zrobiłabym ci te teksty, o których mówiłeś. Coś mnie pcha do wierszyków. Korzystaj z okazji, bo zaraz się znowu wbiję w jakieś gospodarstwo domowe i może mi się odechcieć poetyzowania. Pozdrawiam. Maria”

Po zastanowieniu wykasowała Marię i wstawiła Mareszkę. Marii to on może znać na kopy, ale Mareszka jest tylko jedna.

Telefon zadzwonił po pięciu minutach.

– Mareszka?! – Głos Saszy był jakby zdyszany i brzmiała w nim nuta zdumienia.

– No, cześć – powiedziała ucieszona. – Oczywiście, że ja. Czemu się dziwisz? Przecież do mnie dzwonisz, to kto ma być?

– Mareszko... ty się na mnie nie gniewasz?

– Czemu miałabym się gniewać?

– Kurczę, nieważne. Spotkaj się ze mną, proszę.

– Chętnie. Teksty zabierz.

– Jakie teksty?!

– Te, które chcesz mieć przełożone na nowo. Mówiłeś, że jakieś przekłady Wysockiego ci nie odpowiadają i że chcesz nowe. Moje. Sasza, zapadłeś na sklerozę?

– Tak. Nie. Mareszka, czekam na ciebie, gdzie chcesz. Gdzie chcesz?

– Może być w tej kawiarni na dwudziestym piętrze...

– „Café 22". Czekam. Za ile będziesz?

– Ty chcesz zaraz?

– Zaraz. Ja tam będę za pięć minut, bo jestem blisko, i będę siedział, dopóki nie przyjdziesz.

Zdumiona Mareszka odłożyła telefon.

– Ajajajaj – powiedziała Lila, która oczywiście podsłuchiwała, zresztą Maria rozmawiała w tym samym salonie, gdzie ona właśnie rozwiązywała krzyżówkę. – Ajajaj – dodała ze smakiem.

– Czemu tak mówisz, Lileczko?

– Ajajaj – powtórzyła Lila, przewracając oczami. – Maryś, czy ty się w nim kochasz?

– Mówiłam ci już, nie mogę się kochać w facecie, o którym nie wiem, czy jest Leńskim, czy Onieginem.

– No tak. Ajajaj. Czuję tu jednakowoż aferkę.

Maria spojrzała na starszą panią z niejakim rozczuleniem. Lila była zarumieniona z emocji.

– Jaką aferkę, Lileczko? O czym ty mówisz?

– O fałszywej przyjaciółce – oznajmiła starsza pani, mrugając gwałtownie. – W co drugiej operze mamy fałszywe przyjaciółki i coś w tym jest. Marysiu, gdybyś ty była w nim zakochana, to przysięgam, że wcale bym się nie wtrącała. A tak pozwól, że się trochę powtrącam. Ale na razie nic ci nie powiem. Idź na to spotkanie, a jak wrócisz, to mi wszystko opowiesz. *Il mio saanguee, laa traadiiiita** – zaśpiewała nieco fałszywie. – To „Łucja z Lammermooru" – wyjaśniła. – Nieśmiertelne dzieło. Idź, dziecko, i szybko wracaj, bo pęknę!

Pod wpływem owych smacznych insynuacji doświadczonej w zdradach i tajemnicach (głównie operowych) Lili, Marii w końcu zaświtało w głowie to i owo. Nie chciała jednak wybiegać przed orkiestrę, ostatecznie rozwiązanie czekało za rogiem. No, za kilkoma rogami.

Sasza Winogradow siedział przy stoliku w „Café 22". Wybrał ten najdalszy, koło lunety. Wyglądał raczej jak załamany Leński niż wkurzony Oniegin. Na widok Marii zerwał się, podbiegł do niej i ucałował jej ręce.

– Mareszko, tak się cieszę, że przyszłaś! Słuchaj, jest mi strasznie, ale to strasznie głupio. Nigdy sobie nie wybaczę, ale jeśli ty mi w końcu wybaczysz, to będę szczęśliwy do końca życia.

– Sasza, ja też się cieszę, że cię widzę, natomiast w ogóle nie rozumiem, o czym mówisz. Siądźmy i wszystko mi opowiesz.

– Boże mój, jaka ty jesteś spokojna!

Marii przyszło na myśl, że on za to zachowuje się jak niektórzy histerycy w sztukach Czechowa. Czechowa akurat uwielbiała, podobnie jak Puszkina, ale histeryków niekoniecznie.

---

* „Moja krew, zdradzona" – powiada lord Ashton w rzeczonej operze Donizettiego, w której osobiście zmusza własną siostrę do poślubienia niekochanego przez nią innego lorda.

Usiadła przy stoliku, więc i on usiadł. Wpatrywał się w nią wielkimi oczyma, gotów spijać z jej ust każde słowo.

– Sasza, musimy wszystko wyjaśnić po kolei. Przede wszystkim powiedz mi, co się z tobą dzieje? Wyjazd ci zaszkodził?

– Jaki wyjazd?

– Na koncerty.

– Nie wyjeżdżałem na żadne koncerty. Jest koniec roku szkolnego, mamy różne egzaminy i testy tam, gdzie pracuję. Pamiętasz, mówiłem ci, ja nie żyję ze śpiewania, bo ze śpiewania szybko bym umarł. Uczę rosyjskiego. Skąd ci się wzięło, że wyjeżdżałem?

Fałszywa przyjaciółka – zaśpiewało coś w duszy Marii. Fałszywa przyjaciółka...

– Hanka mówiła.

– Nie mogła ci tego mówić, bo to nieprawda. Pomyliłaś się.

– Mówiła, mówiła. – Maria stała już na twardym gruncie. – A co tobie mówiła o mnie?

Aktualny kolor policzków Saszy, przypominający flagę państwa, w którym onże Sasza się urodził, pozwalał się domyślać, że i do niego coś zaczyna docierać.

– Mareszko – zaczął ostrożnie. – Wtedy, kiedy do ciebie dzwoniliśmy całą noc jak ostatnie buraki...

– To była jedna z bardziej zabawnych nocy w moim życiu.

– Ja dziękuję za taką zabawę. Następnego dnia szłaś do pracy. Byłaś na nas wściekła i miałaś absolutną rację.

– Nie byłam na was wściekła. Byliście cudni z tym chórem aniołów. A ja miałam przyjemność, że tak się wam podobał mój tekścik. Zwłaszcza że pracowałam nad nim niecałą godzinę. Może zresztą półtorej... ale wiesz, ja tego romansu wcale nie czułam. Zrobiłam na rozum. I okazało się, że wyszło.

– Jeszcze jak wyszło! Znaczy: rozum jest najważniejszy. Ale widzisz, mnie Hanka powiedziała, że przez nas nie spałaś całą noc, potem coś ci się nie udało w pracy, bo byłaś niewyspana, miałaś z tego powodu wielkie przykrości, więc teraz nie chcesz nas znać, jej ani mnie.

Fałszywa przyjaciółka, fałszywa przyjaciółka!

Maria nieomal zobaczyła duszy swojej oczyma, jak pani Lila tańczy wokół kawiarnianego stolika, zadowolona, że jej się opinia o Hance sprawdziła. Ale co też z Hanki była za przyjaciółka, znajoma ledwie. Przygodnie poznana. Za to Sasza wygląda podejrzanie, czerwieni się i blednie, czy on przypadkiem nie zacieśnił tej znajomości zawartej w dniu koncertu? Czy Hanka nie przerzuciła się z jak najsłuszniejszego, jednak zawsze tylko z pozycji fanki, uwielbienia dla Rysia Leoszewskiego na bardziej namacalne uwielbienie dla Saszy Winogradowa?

Nie wytrzymała.

– Poderwałeś ją?

Sasza chwycił się za głowę.

– Ja? Ją? Kochana, nie wiesz, co mówisz. Nie znasz jej. To ona mnie poderwała. Ale, Mareszko moja, udało jej się to tylko dlatego, że byłem w otchłannej doprawdy rozpaczy. Tak strasznie chciałem...

Zabrakło mu słów, wobec czego Maria, już całkiem rozśmieszona, dopowiedziała:

– Mnie poderwać.

– Nigdy bym tego tak nie nazwał w odniesieniu do ciebie. Dla ciebie śpiewałbym serenady pod oknami, dopóki by mnie policja nie zamknęła do turmy na samo dno albo ty byś się nie zlitowała.

Tak jakby pozbierał się trochę, a w każdym razie usiadł prosto.

– Jestem idiotą. Uwierzyłem w twoją małostkowość. Zabij mnie. Właściwie dopiero teraz powinnaś mi dać w pysk i odejść z dumnie podniesioną głową. Dasz mi w pysk?

– Nie dam.

– Nie pytam, czy mam u ciebie jeszcze jakieś szanse. Nic nie mów. Najważniejsze, że chcesz ze mną rozmawiać.

– A może byśmy porozmawiali o tych tekstach, które ci się nie podobają? Zresztą nie wiem, dlaczego zakładasz, że ja ci zrobię lepsze.

– Instynkt mi to mówi. Instynkt artysty i człowieka zakochanego. Słuchaj, chciałbym, żebyś mi przetłumaczyła na polski „Konie" Wysockiego. Znasz „Konie". Na pewno.

– Znam, oczywiście. W oryginale, ale i ty je śpiewałeś wtedy, pamiętasz?

– Ja je zawsze śpiewam. Chyba że to jest koncert do kotleta z zapitką i publiczność ma życzenie „Biełyje rozy". Wtedy nie uprawiam świętokradztwa, jak rozumiesz. Przechodzę na „Wołga, Wołga, mać radnaja" i „Ej, uchniom". Czasami posuwam się do „Pust' wsiegda budiet sołnce", ale to już jak sam jestem leciutko urębany.

– Ty śpiewasz do kotleta?

– Nie dosłownie, ale zdarza się w pubach, a tam ludkowie jedzą i piją. To co, zrobisz „Konie"?

– O matko, trochę bym się bała. Ty, Saszka, ale jest przecież sto przekładów...

– No tak. Ale coś mi się w nich nie podoba. Nie pytaj co, bo nie wiem. Ty jesteś teoretyczka literatury, więc ty powinnaś wiedzieć.

– Masz dla mnie oryginał? I te przekłady też?

– W Internecie są. Jak chcesz, to przyślę ci linki, ale szybciej je sama wyguglasz. Mareszko, proszę. Zrobisz?

– Przymierzę się. Nie wiem, co mi z tego wyjdzie. Nie ręczę za rezultat.

Zamilkli oboje. Sasza był ponury i tylko od czasu do czasu ciskał z oczu błyskawice. Maria zaczynała mieć dość tej sytuacji. Głupia Hanka. Przecież ona, Maria, nie miałaby nic przeciwko temu, żeby sobie Carmen z Saszą romansowała.

A to jego oczarowanie Mareszką też było kiepskiej jakości, skoro tak szybko dał się zbałamucić.

Szkoda gadać.

Za to tłumaczenie Wysockiego może być bardzo, ale to bardzo interesujące.

– Będę lecieć, Sasza. Masz już mój telefon, więc gdyby ci jeszcze ktoś coś o mnie mówił, to proszę, zadzwoń i sprawdź. Dzięki za kawę. Miło było cię zobaczyć.

– Odprowadzę cię!

– Nie trzeba. Przejdę się przez park, ja tu bardzo blisko mieszkam. Pomyślę o tym Wysockim.

– No i co ja teraz zrobię?...

– Zapłacisz rachunek, bo już pani na nas patrzy podejrzliwie. Cześć, Saszeńka.

Zostawiła go w charakterze absolutnej sieroty nad dwiema filiżankami po kawie i rachunkiem. Nie chciało jej się z nim już rozmawiać. Może gdyby zamierzała się w nim zakochać, przejęłaby się bardziej całą tą śmieszną sprawą. Ale nie zamierzała.

W nikim na razie nie zamierzała.

O dziewiątej rano znalezienie parkingu na Rugiańskiej nie było specjalnie trudne, widocznie tutejsi właściciele samochodów powyjeżdżali do pracy. Maria wzięła z auta torbę ze śniadaniowymi zakupami, które zrobiła po drodze, i wjechała na ostatnie piętro wysokościowca. Pan Stefan otworzył jej natychmiast, jakby czekał tylko na jej przyjście.

– Pani Maria. Jest pani punktualna, jak miło. Zapraszam.

Widać po nim było, że nie czuje się najswobodniej. Kiedy była u niego na rozmowie wstępnej, powiedział jej, że nigdy w życiu nie miał gosposi. Może mu teraz głupio, że obca kobieta będzie mu robiła śniadanie. Trudno. Rzucimy dziadka na głęboką wodę, niech się wprawia w życiu luksusowym.

Wziął od niej torbę z zakupami i zaniósł do kuchni. Chyba jednak nie powinna nazywać go dziadkiem. W najmniejszym stopniu nie kojarzył się z tym określeniem – wysoki, szczupły, z bystrym spojrzeniem i zręcznymi ruchami. Starszy dżentelmen. Kobiety musiały go uwielbiać – kiedy był czas po temu.

– Panie Stefanie – zaczęła. – Mogę tak mówić do pana?

– Tak mam na imię. Będzie mi miło.

– Proponuję, żeby pan zajął się czymś przyjemnym, a ja zajmę się tym, do czego mnie pan zaangażował. Za piętnaście minut podam panu śniadanie. Woli pan kawę czy herbatę?

– Najpierw herbatę, a potem kawę. I chciałbym, żeby mi pani towarzyszyła. To jeszcze nie jest usługa seksualna, prawda?

Powiedział to w taki sposób, że nie poczuła się dotknięta, tylko się roześmiała. Pan Stefan miał wiele uroku. Niemniej skoro potrzebuje towarzystwa przy śniadaniu, to po co zgadzał się na ten żoniny dom starców, czyli wypasiony pensjonat? Aż szkoda, że nie wypada go o to zapytać.

Lila zapytałaby.

Cóż, nie każdy jest Lilą.

Świeżutkie bułeczki, masło, delikatne parówki, dżem, jajko na miękko, własnoręcznie przyrządzony twarożek, plasterki żółtego sera, pomidor bez skórki posypany szczypiorkiem. Oto, co zobaczył przed sobą pan Stefan i uniósł wysoko brwi.

– A dlaczego właściwie nie dała mi pani czterech jajek na bekonie?

– Coś mi mówiło, że woli pan subtelniejsze śniadania – zaśmiała się Maria.

– Punkt dla pani. Wiele kobiet na pani miejscu powiedziałoby, że to niezdrowe w moim wieku. Szanuje pani uczucia ludzkie. To rzadko spotykane.

– Przesadza pan. A przy okazji, może mi pan powie, co pan jada, a czego nie?

– Droga pani, nie jadam tylko ślimaków, ostryg i innych rzeczy ośliznych. Wyjątek robię dla grzybków w occie. Dwóch sztuk w roku, na Boże Narodzenie. Nie zje pani ze mną?

– Jadłam śniadanie w domu. Ale chętnie napiję się kawy.

– Doskonale. Opowie mi pani trochę o sobie? Proszę wybaczyć ciekawość, ale przypomniało mi się, co odpowiedziała pani mojej żonie wtedy, w „Białym Pitbullu". Ja czasem mam sklerozę, ale czasem nie. I pamiętam, że pani od niego odeszła, dopiero kiedy panią uderzył. Naprawdę jakiś buc podniósł na panią rękę?

Maria spojrzała na swojego chlebodawcę podejrzliwie, ale w jego oczach nie było tej okropnej pazerności na sensację, którą tak często widujemy w oczach naszych bliźnich. Była normalna, ludzka ciekawość, a nawet sporo życzliwości.

– Podniósł. To był mój ślubny mąż.

– O mój Boże, to ja najmocniej przepraszam za tego buca. Ale jeśli ktoś podnosi rękę na niewiastę, to zasłużył. Właściwie nie powinienem przy pani się tak wyrażać, ale poniosło mnie.

– Nic nie szkodzi, a o jakim wyrażaniu pan mówi?

– No, o tym bucu. W Krakowie to jest tyle samo, co krótkie słowo na „ch". Widać pani nie z Krakowa. Bo już na ten przykład w Poznaniu to nie ma aż tak obraźliwego wydźwięku. Dla poznaniaków to taki ktoś, kto się nadyma. I gdzie indziej też. Strasznie się na tym bucu naciąłem; jeszcze jak byłem młodym studentem w Krakowie, użyłem go w szanownym towarzystwie i wywołałem konsternację dam, i dyskretne uśmieszki wśród panów. Dopiero na osobności wyjaśniono mi w czym rzecz.

– Pan jest krakusem?

– Ja? Nie, żona jest krakuską i ona mnie dokształca przez całe życie w języku krakowskim. Nachtkastlik, meszty, ramo rowerowe, tremo, myśmy są, zapomniałem sobie... Czy można zapomnieć komuś? A oni właśnie mówią, że zapomnieli sobie. I to ich „na polu". Może być na ulicy, na podwórku, a oni mówią – na polu.

– A ja myślałam, że pana żona jest szczecinianką...

– Ani ona, ani ja. Jakieś siedemnaście czy osiemnaście lat temu się sprowadziliśmy, jeden mój przyjaciel robił tu interesy i wziął mnie do spółki. Trzeba było wreszcie pozarabiać, żeby sobie emeryturę zabezpieczyć. Taki prywatny trzeci filar albo może i czwarty.

– Ale tu się pan żonie oświadczył, w kawiarni?

– Kawiarnia się zgadza. Moja Anielka miała tu ciocię i przyjeżdżała do cioci na wakacje. A ja przyjeżdżałem za Anielką. I w tej „Maskocie" jej deklarowałem. A ona mnie przyjęła i tak już zostało. Szczecin mi się spodobał i pomyślałem, że kiedyś tu zamieszkam. Byłem wtedy w Krakowie na czwartym roku. Na piątym urodziła mi się pierwsza córka. Anielka przeniosła się do Krakowa. Tylko ślubem nie mogłem służyć, bo byłem wtedy poszukiwany jako groźny wróg ludu pracującego miast i wsi.

– Żartuje pan?

– Nigdy w życiu. Zresztą papiery ślubne mieliśmy, bo moi koleżkowie z Biura Legalizacyjnego ROAK wystawili nam dokumenty ślubne. Służyły nam wiele lat, tylko że to były odpisy rejentalne, a jak musieliśmy wymieniać dowody kilka lat temu, to się okazało, że potrzebne są oryginały, a odpisy są nieważne.

– I co?

– I nic. Doniosłem na siebie do prokuratora, że niby popełniłem przestępstwo. Pan prokurator przyjął ten fakt z rozczuleniem i sympatią, odbył się sąd i umorzono sprawę jako przedawnioną. Prokurator stwierdził, że okres próbny mieliśmy dosyć długi i teraz możemy śmiało pobierać się na poważnie.

– Pobraliście się? Cała rodzina przyjechała?

– Pobraliśmy, ale bez hałasu. No, widzę, że z pani jest niezła spryciara, pani Marysiu. To pani miała opowiedzieć mi o sobie, tymczasem naciąga mnie pani na gadanie.

Maria roześmiała się, a pan Stefan jej zawtórował. Chyba on często się śmieje – przemknęło jej przez myśl. Sympatyczny jest i lubi towarzystwo. Jakim cudem dopuścił do tego, że został całkiem sam?

– Zaraz panu wszystko zeznam jak na spowiedzi, tylko niech pan mi jeszcze powie, dlaczego pan był wróg ludu i co to jest ROAK?

– Wróg ludu to ja byłem jako akowiec. A ROAK to Ruch Oporu Armii Krajowej. Już powojenny, miał opierać się Ruskim. Nie było na to zbyt wielkich szans, więc się w końcu nie oparł. No, teraz pani.

Maria, która początkowo zamierzała stanowczo odmawiać podobnym prośbom, ostatecznie to jej sprawa, jej życie, a w ogóle nie lubi wtrącalskich – teraz ze zdziwieniem stwierdziła, że ma ochotę opowiedzieć wszystko starszemu panu. Miał w sobie coś, co miała również Lila Bronikowska – życzliwość i ciekawość człowieka, cechy wbrew pozorom niemające nic wspólnego z rasowym, plotkarskim wtrącalstwem podszytym złośliwością i starą, dobrą *Schadenfreude*.

Pan Stefan słuchał uważnie. Kiedy doszła do epizodu z kolumienką, zachmurzył się widocznie, a kiedy mówiła o swojej starannie zaplanowanej, przygotowanej i przeprowadzonej ucieczce, rozjaśnił się i aprobująco pokiwał głową.

– Cóż, osobiście powinienem być wdzięczny temu bucowi – powiedział, gdy skończyła. – W znaczeniu jak najbardziej krakowskim – zaznaczył. – Dzięki jego parszywemu charakterowi, któremu dał upust, mam panią tutaj. Coś mi mówi, że się zaprzyjaźnimy. Co pani teraz zamierza robić?

– Posprzątać i ugotować panu obiad – zaśmiała się. – Zapomniał pan, po co tu jestem?

– Również jako dama do towarzystwa. To ja teraz wyjdę z Makaronem, należy mu się. A pani się spokojnie zorientuje, gdzie co jest i dlaczego nie tam, gdzie trzeba.

Po chwili wychodzili obaj na korytarz, do windy: elegancki pan i ledwie trzymający się na nogach pies. Maria zamknęła za nimi drzwi i pomyślała, że może Lila przy swoich rozległych i odwiecznych znajomościach znajdzie jakiegoś genialnego weterynarza, który będzie umiał pomóc nieszczęsnemu bassetowi. Swoją drogą, ładna jest ta lojalność pana wobec schorowanego zwierzaka.

Zdążyła wymienić koci żwirek, co uznała za najpilniejsze, nastawić rosół i była w połowie odkurzania salonu, kiedy pan i pies wrócili. Makaron pomachał uprzejmie ogonem i padł na dywaniku przed kanapą.

– Nie będzie pani przeszkadzał w tym miejscu? – spytał trochę niepewnie pan. – Mam na myśli jego zapach.

– A próbował go pan kiedy wykąpać?

Pan Stefan spojrzał na nią wzrokiem świadczącym dobitnie, że niestety, nie miał takiego pomysłu i że jest mu z tego powodu głupio.

– Może zaryzykujemy?

Poskrobał się w głowę.

– Zawsze wydawało mi się, że jakoś nie wypada męczyć umierającego zwierzęcia...

– E tam, umierającego. Ile lat on tak panu umiera?

– Nooo, trochę już będzie. Jego można umyć moim szamponem?

– Nie bardzo. Nie ma pan psiego?

Rozłożył tylko ręce bezradnie.

– Rozumiem. Kupię. No to dzisiaj mu się upiekło. Niech sobie spokojnie śpi, zmęczył się. Będę go obmiatać. A jak on reaguje na odkurzacz?

– Kiedyś go nienawidził i zwalczał, jak potrafił, ale teraz mu to wisi. Dobrze, to ja już pani nie przeszkadzam. Czy to będzie nietakt, jeśli w pani przytomności położę się z książką na kanapie? Lubię czytać w pozycji horyzontalnej.

– Jest pan u siebie. Proszę nie zwracać na mnie uwagi.

Specjalistka od literatury zastanowiła się błyskawicznie, co też może czytać taki starszy pan, budowniczy socjalizmu, niewątpliwy inteligent, i wyszło jej, że kryminał albo jakąś sensację typu Dan Brown albo John Grisham, albo może Harlan Coben. Rozciągnięty wygodnie na kanapie pan inżynier (emerytowany) trzymał jednak w ręce coś innego. Maria przeszła obok niego ze ścierką i rzuciła okiem na okładkę. Andrzej Szczeklik: „Katharsis. O uzdrowicielskiej mocy natury i sztuki".

Punkt dla pana inżyniera (emerytowanego).

Makaron, leżący obok kanapy, pomachał do niej ogonem. Dwa razy. Więcej mu się nie chciało. Ale wyraz mordy miał życzliwy.

Maria pomyślała sobie, że w tym domu będzie jej dobrze. Z tym inteligentnym i sympatycznym człowiekiem (jakim cudem pokłócił się z całą rodziną?!), z jego śmierdzącym psem (jak się go wykąpie, przestanie śmierdzieć) i starym kotem (zdarza mu się nie trafić do kuwety, ale stara się przecież).

Kiedy przyszła pora obiadu, pan Stefan przypomniał Marii, że najęła się również jako dama do towarzystwa, więc zjadła z nim ten rosół z lanymi kluseczkami i kurczaka w potrawce z jarzynkami gotowanymi na parze.

– Jeśli ma tak być codziennie, odliczę sobie te obiadki od honorariów – obiecała przy deserze, to znaczy przy galaretce z truskawkami, biszkoptach i kawie.

Pan domu oczywiście żachnął się na tę deklarację.

– Mowy nie ma. Zapraszam panią. Jak się okazuje, zaangażowałem doskonałą kucharkę, będą pani smakowały obiady u mnie. Przy okazji pogadamy o różnych różnościach.

– O czym pan sobie życzy?

– Myślałem o tej pani historii. Pani Mario, ja tak tylko na wszelki wypadek pani powiem... Gdyby pani dojrzała do rozwodu ze swoim ślubnym bu... tego... to ja mam znajomego adwokata, bardzo zdolny człowiek, chętnie go pani udostępnię, że się tak wyrażę. On z reguły wygrywa, o ile wiem. Wygra i dla pani.

– Bardzo dziękuję. Jak dojrzeję, to się zgłoszę. Na razie jeszcze nie podjęłam żadnej decyzji.

– Myśli pani, żeby do niego wrócić? – oburzył się pan Stefan.

– Nie, nie, wrócić nie. Ale jakoś nie potrafię jeszcze przeciąć tego węzła gordyjskiego. Żaden ze mnie Aleksander Macedoński. Muszę się przyzwyczaić do mojej nowej sytuacji.

– Zawsze już chce pani gosposiować?

– Nie, kiedyś pewnie wrócę na uniwersytet. Jeszcze nie teraz.

– Mózg pani nie protestuje? Przepraszam za taką sugestię...

– Nic nie szkodzi. Mózg jakoś będę trenować. Mam teraz zlecenie na jeden przekład poetycki. Może nawet dzisiaj się do niego zabiorę.

Pan Stefan wyraźnie się ożywił.

– To niech pani rzuci tę miotłę i zabiera się do poezji! Ja będę pani kibicował. Czemu pani kręci głową? Musi pani mieć spokój do szukania rymów męskich, żeńskich i nijakich?

– Muszę. Ale jak napiszę, to przyniosę panu. Zna pan rosyjski?

– Bez przyjemności, ale znam. A to coś z rosyjskiego ma być?

– „Konie" Wysockiego.

– Nie znam.

– Wysockiego czy „Koni"?

– Jednego i drugiego. Nie, chwila, już mi się przypomniało, kim jest ten pani Wysocki. Jak dla mnie za bardzo on był nerwowy. Już prędzej Okudżawa. Moje piosenki to Sikorowski, Kuba Sienkiewicz, Bratanki, Golce, Karel Gott, Jiži Korn, Vondračkowa. Czeską muzykę lubię, Presleya, stary, dobry rock. W dzisiejszym śpiewaniu dla mnie jest za dużo wrzasku, po godzinie łeb pęka i człowiek łaknie śmiertelnej ciszy. A ja, proszę drogiej pani, od śmiertelnej ciszy chcę być jak najdalej, więc muszę się oszczędzać.

– Wysocki czasem jest bardzo liryczny, proszę drogiego pana. „Konie" akurat nerwowe, jak to pan określił. Ale genialne.

– O czym?

– O śmierci.

– Jednak? To ja nie jestem zainteresowany. Ile pani ma lat?

– Trzydzieści dwa.

– No właśnie. O pięćdziesiąt mniej ode mnie. Za jakieś trzydzieści lat pogadamy, czy jeszcze będzie panią pchało do wierszyków o śmierci. Kto panią wrobił w te „Konie"?

– Nikt mnie nie wrabiał. Poprosił mnie taki jeden, co śpiewa z gitarą, Sasza Winogradow się nazywa...

– Sasza?

– Pan go zna?

– Bywał w tym domu. To kumpel mojego syna i ulubieniec mojej żony. Tylko jej nie śpiewał pioseneczek o śmierci. O kwiatkach śpiewał i ptaszkach, słowiczkach i oczywiście o miłości.

Tu pan Stefan odchylił się z lekka w krześle, nie bacząc na możliwość połamania tegoż i zaśpiewał z charakterystycznym akcentem:

– „Uj, wiosna, maj, ja ją wyczuwam ciuciem, chodzę sobie w słonku lilipuciem, ona mnie napawa dziwnym chuciem i do fajnej flory, i do pań! Uj, wiosna ta! Wygibowuje głowę, wiatry kończą się północnikowe, wchodzę rozmazany w mą alkowę i sam nie wiem, skąd wypuszczam rym"...

Maria zaśmiewała się do łez. Jej chlebodawca miał niewątpliwy wdzięk i vis comica, której trudno by się spodziewać po czcigodnym starszym jegomościu.

– Skąd pan to wytrzasnął? Sasza to śpiewał, naprawdę? Ja jestem niezła w starym kabarecie, ale tego nigdy nie słyszałam!

Pan Stefan był wyraźnie zadowolony z wrażenia.

– Przyjemniejsze niż piosenki o śmierci, nie? Ale Sasza tego nie znał. To dawno, dawno temu śpiewał pan Krukowski. Lopek. Gwiazda przedwojenna, proszę pani.

– Wiem, proszę pana! Zna pan tego więcej?

– „Mówią, że w Paryżu moda dała paniom *nouveaute*; mają być zakryte przody, ale tyły *decolte*. Jam dziś widział pannę Lolcię, co wyciętą była tak, że siedziała na dekolcie... Mało mnie nie trafił szlag"". Dalej nie pamiętam, proszę szanownej pani.

– Cudne.

– Też jestem tego zdania. A teraz chyba się odrobinkę prześpię, bo mnie pani nakarmiła smacznie i godnie, to teraz się należy odrobinka relaksu. Pani też się powinna zrelaksować.

– Ja mam jeszcze trochę pracy. Proszę się przyłożyć, ja będę cicho.

Pan Stefan zamierzał jeszcze posprzątać ze stołu, ale Maria przypomniała mu jego nowy status – pana i władcy, więc całkiem zadowolony wyłożył się ponownie na kanapie, tym razem bez książki, pod głowę podłożył sobie poduszkę, pod

---

* Cały tekst tej uroczej piosenki znalazłam na stronie forum Krystyny Jandy. Powołując się na „Małą antologię kabaretu" Kazimierza Krukowskiego (Lopka), autorka wpisu podaje, że piosenkę napisał Andrzej Włast, a jej wykonawcą był Józef Urstein – Pikuś, ulubieniec dam. No, ja się nie dziwię. Też bym uwielbiała kogoś, kto śpiewa takie rzeczy. Uś.

nogi drugą i po sekundzie już spał. Maria przykryła go lekkim, polarowym kocykiem, który zapewne służył do tego właśnie, bo leżał, lekko skotłowany, na krześle obok kanapy. Gdyby był własnością Makarona – pomyślała logicznie – leżałby na podłodze. Ale chyba pan pożyczał go czasem psu, bo kocyk był pokryty sierścią. Maria uznała, że panu to nie przeszkadza, pogłaskała brązowy łeb basseta, który posapywał w półśnie na dywaniku i udała się w kierunku sypialni, gdzie rzeczą absolutnie niezbędną była wymiana pościeli na świeżą, stara bowiem nosiła wyraźne ślady psich łap. Może więc nie było z Makaronem tak źle, skoro dawał radę skoczyć na łóżko. To, że pan mógł go do tego łóżka podsadzać lub wręcz wnosić, Maria wolała uznać za niemożliwe.

∽

– Weterynarz, powiadasz? Nie znam żadnego. Może Eduś będzie znał. – Pani Lila zastanowiła się głęboko.

Towarzystwo było w połowie partii, ale coś im dzisiaj gra nie bardzo szła. Do brydża trzeba być w dyspozycji intelektualnej, a właśnie z ową dyspozycją było krucho. Lila twierdziła, że to z powodu niskiego ciśnienia, Noel suponował zbliżanie się burzy, a Róża z demonicznym chichotem oświadczyła, że to starczy zanik mózgu u wszystkich. Zmiażdżono ją argumentem, że Maria młoda, a też dziś mało bystra. Róża pozostała jednak przy swoim zdaniu, wyłożyła karty na stół i poleciała oglądać w telewizji ministra obrony narodowej, bo właśnie coś wyjaśniał Monice Olejnik. Lila, która była jej partnerką, z wielkim trudem i mozołem ugrała, co licytowała, i znowu zajęła się sprawą leczenia biednego Makarona.

– Czekajcie, mam pomysł! – zawołała od telewizora Róża. – Tylko ON skończy.

– Zwariowała kobieta – prychnęła Lila, ale zaraz przyznała uczciwie – chociaż ja jej się tak naprawdę nie dziwię. Mnie on się też podoba. Maryś, a jak się tobie podoba twój nowy pan? Mam wrażenie, że całkiem, całkiem?

– Bardzo mi się podoba – odrzekła Maria. – Duża klasa. Inteligentny. Sympatyczny. Nie mam pojęcia, jak to możliwe, że pokłócił się z rodziną. On jest stworzony na takiego wspaniałego, nowoczesnego dziadka, którego wnuki powinny uwielbiać. Ta cała rodzina powinna się kłębić wokół niego. No i żona...

– Żona ma obowiązek kłębić się wokół męża – zauważył niewinnym tonem Noel.

– Noelu, jesteś okropny – ofuknęła go Lila. – Zbijasz Marysię z pantałyku!

– Z niczego jej nie zbijam – zaprotestował. – Mareszko, zbiłem cię z czegoś? Bo jeśli tak, to na przeprosiny dam ci tokaju, chcesz? Dziewczynki, to chyba naprawdę nie jest dzień brydżowy. Dajmy spokój szarym komórkom i zajmijmy się miłym plotkarstwem...

„Dziewczynki" zgodziły się nader chętnie i po chwili miejsce kart na stoliku zajęła butelka złocistego wina i cztery kieliszki. Przerwana dyskusja została podjęta na nowo.

– Może on jest z tych, co to zawsze mają rację – wyraziła przypuszczenie pani Róża. – I nie daj Bóg mieć inne zdanie niż oni, bo cię zgniotą i udowodnią, że jesteś idiota. Od takiego męża sama bym uciekła.

– A może raczej jest indywidualistą – wtrącił Noel, nalewając paniom wino. – Nie podporządkowuje sobie wszystkich, tylko sam jest nie do podporządkowania.

– Robi, co chce, i żyje, jak chce? – Lila przymrużyła oczy. – Ty taki jesteś, Noelu. Ale to ty uciekłeś od rodziny, nie rodzina od ciebie.

– Bo ja nie jestem kłótliwy – westchnął w odpowiedzi Noel.

– A Mareszkowy pan Stefan pewnie wypowiadał swoje zdanie tak głośno i dobitnie, że nikt tego nie mógł wytrzymać i wszyscy pouciekali...

– Jakoś trudno mi w to uwierzyć – roześmiała się Maria. – Taki kulturalny i uroczy człowiek!

– Jedno drugiego nie wyklucza – pouczyła ją Róża. – Mógł się wypowiadać kulturalnie i uroczo, a przy tym dawać zdrowo popalić.

– Poza tym wasze stosunki są prostsze – dodał Noel. – Nie jesteś jego rodziną, a pracownikiem najemnym i masz tylko wykonywać swoje obowiązki, plus ewentualnie jakieś miłe życie towarzyskie. Jemu nie zależy na tym, żebyś była taka, jak on chce.

– Chyba rozumiem. Ale i tak nie wiem, czy macie rację. A co z moim Makaronem? Nic nie wymyślicie?

– Tu nie ma co myśleć, trzeba podzwonić – oświadczyła Lila i zabrała się natychmiast do dzieła.

Trafiła bezbłędnie, bo wzięła na cel owego mitycznego psychiatrę, o którym stale w tym domu wspominano, a który posiadał rozległe znajomości w sferach medialnych. Sfery medialne zaś, jak wiadomo, mają rozległe znajomości wszędzie. Psychiatra natychmiast zadzwonił do swojej telewizyjnej przyjaciółki Wiki Wojtyńskiej, pamiętał bowiem, że ona lub może jej koleżanka robiła kiedyś programy o zwierzętach, z udziałem jakiegoś genialnego lekarza weterynarii. Wika miała telefon do inkryminowanego lekarza, udostępniła go bez wahania i poradziła dzwonić natychmiast, żeby się umówić. Doktor Grabski okazał się telefonicznie przemiłym człowiekiem i polecił przyprowadzić pieska jutro wczesnym popołudniem do gabinetu na Pogodnie.

I już.

– Porządni ludzie lubią zwierzaczki – orzekła autorytatywnie pani Lila. – Grzegorz mówił, że Wika mówiła, że ten weterynarz jest nadzwyczajny. Wszystkie telewizyjne psy i koty już leczył i ratował od śmierci. Na pewno pomoże twojemu Makaronowi. Oni w niego strasznie wierzą, telewizory. W doktora, nie w Makarona.

∽

– Wierzą, mówi pani?
– Podobno ta wiara ma nawet podstawy. Umówiłam pana na pierwszą. Akurat jak wrócicie, będę miała dla was obiad. Pan ma samochód, prawda? Czy może chciałby pan, żebym was zawiozła?

Pan Stefan zawahał się przez moment. Wolałby, żeby Maria go zawiozła i przywiozła, nie czuł się ostatnio bardzo pewny za kierownicą, ale głupio mu się było przyznawać. Strasznie się bał o swojego kłapciatego przyjaciela. Nikomu dotąd się nie przyznał, jak bardzo kocha tego psa i jak bardzo boi się myśli, że Makaron może umrzeć. Był przekonany, że Makaron kocha go dokładnie tak samo i że go rozumie jak nikt na świecie. Niekoniecznie rozumem go rozumie. Instynktem na pewno. Wie, kiedy pan jest naprawdę wesoły, a kiedy tylko rozpaczliwie udaje, starając się zachować pozór beztroski i pewności siebie. A to, niestety, zdarzało się o wiele częściej, niż pan Stefan był skłonny przyznać sam przed sobą.

Postanowił jednak zachować twarz przed Marią i nie mazgaić się w sprawie Makarona. Pojechał sam.

Maria tymczasem robiła swoje, a ponieważ tym razem była gospodynią mieszkania jednego starszego pana, a nie rezydencji czworga wymagających Pultoków, więc nie musiała się spieszyć. Przy okazji odkurzania obejrzała sobie domową bibliotekę, znalazła w niej wiele pięknych wydań, które znała, sporo książek, których nie znała, ale postanowiła pożyczyć (przynajmniej niektóre), i ponownie odczuła przyjemność z pracy w takim właśnie domu. Niemałą część jednego z regałów zajmowały najpiękniejsze książki dla dzieci, które pamiętała doskonale, bo jej ojciec kupował wszystko, co uznał za niezbędne dla rozwoju małej córeczki. Znowu pomyślała, że jednak pan Stefan musiał być dobrym ojcem.

A może to pani Aniela kupowała te wszystkie książki, podczas gdy małżonek budował socjalizm raz tu, raz tam?

Cóż, to nie jej sprawa.

Ale miło byłoby wiedzieć. To znaczy, miło byłoby się dowiedzieć, że to jednak on miał czas zarówno na socjalizm, jak i na własne dzieci.

Kiedy kończyła przygotowanie obiadu (zupa *julienne* z ptysiowym groszkiem, sola z jarzynkami na parze, domowe tiramisu własnego patentu z odrobiną brandy), pan i pies wrócili do domu. Pies słaniał się na nogach i przewracał oczami, za to pan promieniał.

– Mam nadzieję, że pani znajomi wiedzieli, co mówią – oświadczył z błyskiem w oku. – Że on taki genialny, ten lekarz.

– A co, obiecał jakieś cuda?

Makaron z hałasem zwalił się na dywanik przed kanapą, demonstrując totalną utratę sił. Jego pan usiadł obok na krześle.

– On uważa, że przedwcześnie grzebiemy biednego Makarona. Powiedział, że trzeba go wzmocnić, dał mu na miejscu kroplówkę, kazał przyjść jeszcze na dwie kroplówki, przepisał jakieś preparaty i kazał chodzić na niewyczerpujące spacerki. Dał coś na stawy. Podobno Makaron ma jeszcze całkiem spore szanse na kilka lat szczęśliwego życia. Pani Mario, jeśli to nam wyjdzie, do końca życia będę pani wdzięczny. Ten poprzedni konował to był jakiś groszoRób cholerny, a może miał jakąś hodowlę, bo radził uśpić Makarona i wziąć szczeniaczka jamnika. Ja mam w nosie szczeniaczka jamnika, ja chcę Makarona. To nie zabaweczka, to mój przyjaciel. Jutro go upierzemy, kupiłem szampon, ten doktor mówi, żeby dziś już mu dać spokój, następna kroplówka pojutrze, więc jutro akurat kąpiółka. Pomiędzy. Jestem szczęśliwy.

Zakończywszy tak niespodziewanie przemowę, pan Stefan złapał Marię wpół i zmusił ją do odtańczenia polki z przytupem. Nieco się przy tym zadyszał, więc usiadł z powrotem.

– Podać panu wody? – Maria zaniepokoiła się trochę, bo jej chlebodawca przybladł wyraźnie.

– Nie trzeba, dziękuję. A kawy byśmy się napili?

– Teraz czy po obiedzie?

– Teraz. Wypijemy z widokiem, dobrze?

Usiedli z kawą na obszernym balkonie. Maria pomyślała, że musi zaprowadzić tu jakieś rośliny. Stały w kącie jakieś archiwalne doniczki, ale widać było, że tej wiosny nikt ich nie ruszał.

– Polka już nie dla mnie – powiedział z uśmiechem pan Stefan. – Zapominam o tym, a serce mi przypomina. Jakiś walc angielski... Koniec z ludowizną.

– Dlaczego koniec? Może pan tańczyć kujawiaka. Albo „Mareszkę". Zna pan „Mareszkę"?

– To jakieś góralskie coś? Nie, góralskie bym znał. Śląskie też bym znał. Mazowsze? Żyzna Wielkopolska? Pałuki?

– Kaszuby, panie Stefanie. A poza tym Mareszka to ja.

– Takie zdrobnienie? Maria, Mareszka? Naprawdę, bardzo ładnie. Nie wiedziałem, że pani jest Kaszubką. A co z tym tańcem?

– To takie coś pomiędzy kujawiakiem a walcem angielskim. Takie gibane parami.

– Zaśpiewa mi pani?

Maria skinęła głową i zaśpiewała półgłosem:

– „Juch, Mareszka, dawaj peska,
   moja złotó przepióreczko,
   uciuteczko, lep gniózdeczko,
   juże Morcen niedaleczko"*.

Pan Stefan słuchał uważnie.

– Śliczne, naprawdę śliczne. A co to znaczy „Morcen"?

---

* Tekst „Mareszki" dostałam od Pana Włodzimierza Łamgowskiego, szefa zespołu „Kaszuby" z Chojnic. Dzięki serdeczne. M.S.

– Marcin. Pewnie na świętego Marcina, to jest na jedenastego listopada, przepióreczki już powinny mieć gniazdeczka gotowe. Chociaż nie wiem, bo przecież gniazda się wije wiosną?

– Nie jestem przyrodnikiem, jestem budowlańcem i mechanikiem. Umiem zrobić hutę i parowóz, ale o gniazdeczkach nie mam pojęcia.

– Parowóz też pan umie? Naprawdę?

– Umiem. Ale to potem. Teraz „Mareszka”. Co jest dalej? Jakiś refren?

– Jest refren.

„Z tobą, Marychno, chcałbem pracowac,
z tobą, Marychno, chca so radowac,
z tobą pracowac, z tobą radowac,
z tobą cały swiat chca przewandrowac”.

– Pracować chce. To mu się chwali. Dalej, proszę!

– „Juch, Mareszka, pójdz do tóńca,
niechże spiewóm nie mdze kóńca,
szoc, Mareszka, trampnij nóżką,
będźże dla mnie dobrą wróżką”.

– Trampnij nóżką! Przepiękne. Od dzisiaj nie będę tupał, tylko trampał. Nóżką. Potem co?

– Refren.

– I następna zwrotka?

– „Hej, Mareszka, dajże peska,
bądźże w tóńcu prze mnie blesko,
szoc, Mareszka, moja dreszka,
zaspiewóma se, Mareszka”.

Kolejny refren pan Stefan odśpiewał razem ze swoją gosposią.

– Jestem oczarowany – powiedział, kiedy skończyli. – Nie wiedziałem, że Kaszubi mają takie ładne piosenki. I że Marysia to Mareszka. Bardzo mi się to podoba. Będę mówił do pani Mareszka. Mogę?

– Oczywiście.

– W domu tak na panią mówiono?

– Głównie dziadek, czasem tata. Miałam bardzo kochanego dziadka. Umarł, kiedy miałam piętnaście lat. A zaraz potem babcia stwierdziła, że skoro on nie żyje, to ona też nie chce. Moi rodzice próbowali jej tłumaczyć, że jeszcze my jesteśmy, że ją kochamy, ale nie słuchała. Położyła się i rzeczywiście umarła. Nie wiedziałam, że tak można. Powiedzieć sobie: teraz umrę i umrzeć naprawdę.

– Nie lubię myśleć o śmierci – powiedział pan Stefan, spoglądając na stoczniowe dźwigi. – Jest zbyt blisko.

– Przepraszam. – Marii zrobiło się głupio, przecież już raz jej o tym mówił. – Naprawdę, bardzo mi przykro. Powinnam była pamiętać...

– Nic się nie stało. Los trzeba przyjmować po męsku. I tak długo żyję, a jeszcze trochę pożyję, tak mi powiedziała moja pani kardiolog. A jeśli pani myśli, że się boję myśleć o śmierci, to owszem, ma pani rację. Jak mówię, jest dość blisko. Oczywiście w stosunku do tego, co udało mi się już przeżyć. Teraz niewiele mi zostało. Zaczynam całkiem poważnie odczuwać swoją absolutną bezradność wobec przeznaczenia, Boga, natury, czy co tam nas zabija w stosownym momencie. To mnie gryzie. Zaczynam już żałować świata i tego wszystkiego, co zostawię, choć może jeszcze kilka lat dostanę od losu. Pani babcia chciała umrzeć i umarła. Ja nie chcę umrzeć, ale też umrę.

Maria siedziała w milczeniu. Nie wiedziała, co może powiedzieć starszemu panu. Konwencjonalne pocieszanie wydało jej się po prostu porażająco idiotyczne. Na żadną filozofię nie było jej stać w tym momencie.

– Zasmuciłem panią. Teraz ja powiem: nie chciałem. Zazwyczaj bardzo sprawnie uciekam przed takimi tematami. Może byśmy obiad też zjedli na tym tu balkoniku?

Jadąc do domu, do którego miała ze trzy kilometry śród-
mieściem, Maria nagle zawróciła samochód i skręciła w stronę
stoczni – postanowiła jechać robotniczymi dzielnicami wzdłuż
rzeki, na północ, zastanawiając się, czy tą metodą dojedzie
nad morze. Była jednak po niewłaściwej stronie Odry. Minęła
stocznię i jechała teraz jakąś długą ulicą, wciąż widząc statki
po prawej stronie. Po lewej zachwycił ją na wpół zrujnowany
budynek jakiejś fabryki czy może wielopiętrowego magazynu
– piękny przykład architektury przemysłowej, doskonale na-
dający się na lofty. Takie, jak Osiedle Tkalnia, tylko większe.
Trzeba będzie spytać pana Stefana, dlaczego nie dopadł tego
budynku, kiedy był deweloperem. Może po prostu nie miał
dość pieniędzy – jadąc powoli, Maria widziała, jak bardzo
zniszczona jest ta budowla. Wymagałaby potężnych nakładów,
ale jaka byłaby wspaniała! I jakie widoki mieliby mieszkańcy
wyższych pięter! Szkoda jej, naprawdę szkoda.

Budowla zniknęła za zakrętem. Teraz po lewej ręce były
typowo robotnicze budynki, a po prawej niska, stara zabudowa
i zarośla. Wody nie było widać, zasłaniały ją bujne krzewy. Za
nimi spoza jakiegoś większego drzewa wyłaniał się właśnie
dziób sporego statku. Maria nie mogła się zatrzymać, bo ulica
była wąska, a właśnie pojawiło się na niej kilka pojazdów,
w tym tramwaj, ale starała się jechać najwolniej jak mogła.
Statek sunął godnie wśród krzaków, aż w końcu też zniknął
i Maria mogła pojechać dalej. Zjawisko ją oczarowało. Zaczynała rozumieć pana Stefana i jego miłość do tych stoczniowo-
-portowo-przemysłowych krajobrazów. Swoją drogą, musi go
wypytać o te parowozy, o których wspominał.

Minęła teraz stocznię jachtową i przejazd kolejowy. Oddaliła się nieco od rzeki i wszystkich potencjalnych statków
w krzakach, mogła więc zacząć myśleć o tym, co spowodowało,

że nie pojechała od razu do domu, tylko szwendała się teraz po tych malowniczych dzielnicach.

Od rozmowy na balkonie coś po niej chodziło. Chodziło cały czas, a ona nie mogła się zorientować, w czym rzecz. Nie było to nieprzyjemne uczucie, raczej coś jak te puchatkowe chwile przed zjedzeniem miodu. Tak jakby ją coś łaskotało w szare komórki.

O, czyżby huta? No, faktycznie, huta jak żywa. Trzeba będzie spytać pana Stefana, czy ją też budował. Ale tutaj huta jest na pewno poniemiecka i najwyżej trzeba ją było odremontować, jeśli ucierpiała w czasie wojny.

Nie o hucie miała myśleć, nie o hucie...

Wjechała w jakieś rozgałęziające się ulice. Któraś z nich prowadziła do Polic, ale Maria nie wiedziała, czy ta w lewo, w górę, czy ta w prawo, w dół.

Pojechała w górę i niebawem wiedziała już, że się pomyliła. Nie chciało jej się jednak zawracać, uznała więc, że jeśli skręci w pierwsze prawo, to gdzieś dojedzie.

Pierwsze prawo było jakąś polną drogą, początkowo między działkami, potem działki były już tylko z jednej strony, a tam, gdzie Maria odgadywała rzekę, otwierało się puste pole. A za nim nic. Na ogół za takimi polami są albo zabudowania, albo lasy, a za tym nic nie było. Jakby ktoś nożem ciął. Droga wznosiła się wolno i prowadziła na szczyt tego rozciągniętego płaskowyżu. Teraz można było albo się cofnąć, albo zacząć zjeżdżać w dół pomiędzy jakimiś ogrodami. Lub też zapuścić się w polną drogę pełną dołów i wybojów, i zobaczyć, co jest za tym polem.

Źle zrobiła, zostawiając Aleksowi land cruisera!

Ciekawość ją pchała, ale polna droga była pełna dołów i wybojów; podwozie yarisa mogło nie wytrzymać survivalu.

No to zawsze można przejść się na własnych nogach!

Tak też zrobiła i nie pożałowała. Przeszła kilkaset metrów w stronę tego niczego za polem i nagle pole obniżyło się dość zdecydowanym stokiem, a przed jej oczami rozpostarł się krajobraz piękności nadzwyczajnej. Nisko przed sobą zobaczyła rzekę i wyraźnie oznakowany tor wodny ze Szczecina do Świnoujścia, dalej szerokie wody jeziora Dąbie. Cały prawie Szczecin widać było jak na dłoni. Hutę miała niemal w prostej linii pod sobą. Torem wodnym płynął statek, który z tej odległości wydał się jej niewielki – za kilka godzin osiągnie Świnoujście i wypłynie na morze.

Maria poczuła magię tych wszystkich miejsc, będących drogą na morza i oceany. Kiedyś niełatwo było na ten świat się wydostać, teraz nie przedstawiało to najmniejszych trudności, lecz magia okna na świat pozostała.

Statek mijał latarnię na torze wodnym. Maria nie wytrzymała i pomachała ręką. Nie mogła być zauważona z odległości kilku kilometrów dzielących ją od statku, ale sprawiło jej to przyjemność. Pozdrowiła statek. Niech płynie szczęśliwie.

Wróciła do samochodu, uśmiechając się bezwiednie. Przyjemność psuły tylko zwały śmieci wyrzuconych tu nie wiadomo przez kogo. Jej szare komórki przez cały czas pracowały i była bliska rozwiązania zagadki tego czegoś, co po niej chodziło. Kiedy jednak uruchomiła toyotkę i zaczęła nią zjeżdżać w dół, wykombinowawszy, że w ten sposób wróci na dawną drogę do Polic, musiała już tylko myśleć o tym, żeby się nie zabić i nie rozwalić samochodu. Było wąsko i dziurawie, a na dodatek stromo, poza tym jednak prześlicznie. Maria z duszą na ramieniu zjeżdżała bardzo powoli między kwitnącymi jabłoniami wśród ogrodów położonych tarasowo na zboczu. Kiedy już straciła nadzieję, że wyjdzie z tej jazdy cało, pojawiła się przed nią ulica, która po prostu musiała być tą właściwą. I była.

Wtedy, kiedy Maria miała wreszcie wolną głowę, niezajętą widokami ani rajdem Skolwin (tak nazywała się dzielnica, do której dotarła, ale nie była tego świadoma), rozjaśniło jej się w głowie i to, co po niej chodziło – wreszcie doszło.

Otóż „Konie", które obiecała Saszy przetłumaczyć na polski, pasują jak ulał do pana Stefana, do tej jego obawy przed śmiercią... jakby nie patrzeć, w tym wieku raczej uzasadnionej. To on krzyczy bezgłośnie i prosi, żeby konie nie pędziły tak szybko, żeby jeszcze poczekały, żeby mógł stanąć na krawędzi między życiem a śmiercią i trochę tam pobyć. Pobyć, pożyć.

Dojechała do pierwszej przecznicy, zawinęła z wizgiem i zawróciła w stronę domu. Pół godziny później siedziała przed komputerem, gadając do siebie. Wpisywała kilka linijek, zastanawiała się, zostawiała jakieś przerwy między wierszami, potem wracała do nich, uzupełniała, kasowała, a co jakiś czas klęła pod nosem jak stary budowlaniec. Pani Lila wołała ją na kolację, ale Maria przeprosiła, wzięła sobie na talerzyk trochę galaretki z nóżek, którą Lila zrobiła na jej cześć, ponownie przeprosiła i razem z zimnymi nóżkami zniknęła w swoim pokoju. Dokonała kilku poprawek i znowu pojawiła się w kuchni.

– Lilu, te nóżki są boskie. Pomagają mi na talent. Dostanę jeszcze odrobinkę?

– Oczywiście, kochana. A jak ci idzie?

Lila sama była artystką i popierała sztukę oraz kulturę we wszystkich jej przejawach. Mogło to być tłumaczenie poezji, dlaczego nie. Byle wiersz dobrze wyszedł.

– Jako tako – odrzekła Maria. – Mam problemy z jednym dwuwierszem. I z jednym upiornym określeniem. Dziękuję za ocet, wolę cytrynę.

– A może byś sobie chlapnęła? – zaproponowała Lila życzliwie. – Nóżki lubią czystą wódeczkę zamrożoną, a niektórzy poeci to nawet nóżek nie potrzebowali, tylko właśnie wódeczki, mogła być niezamrożona. A ty jak?

– Dziękuję ci, Liluniu. Ja muszę być trzeźwa jak świnka, inaczej nic nie napiszę.

– Masz rację. Ja też tak mam. Jak coś robię na serio, to wyłącznie po trzeźwemu. Potem się mogę napić, jeśli jest z kim.

Maryś, zjedz to tutaj. Chwila przerwy w myśleniu dobrze ci zrobi. Powiedz mi, co to za określenie, z którym masz kłopot.

– *Priwieriedliwyje* – odrzekła Maria i usiadła przy stole. – Masz rację, odetchnę momencik.

– Kto wyje, powiedziałaś?

– Nikt nie wyje. No, może ja. Konie są *priwieriedliwyje*. We wszystkich tłumaczeniach jest jednakowo: narowiste. A *priwieriedliwyje* wcale nie znaczy „narowiste". „Narowisty koń" to dla mnie poza tym pojęcie zootechniczne, a nie poetyckie. Nie ma czaru, jeśli rozumiesz, co mam na myśli.

– Rozumiem. A co to znaczy?

– *Priwieriedliwyj* to po naszemu „grymaśny, kapryśny". „Narowistego" ja odczuwam jak takiego trochę świrusa. Tu kopnie, tu zrzuci z siodła... A te *konie priwieriedliwyje* nie są stuknięte, tylko mają własne zdanie. Nie słuchają woźnicy, są nieposłuszne...

Zamarła przez chwilę z kawałkiem nóżki nabitym na widelec.

– Stanęło ci w gardle? – zaniepokoiła się Lila. – Rąbnąć cię w plecki?

– Nic mi nie stanęło. Nieposłuszne! Po prostu! Oczywiście. One są NIEPOSŁUSZNE, Lilu moja kochana! Jak się jeszcze na czymś zaprę, przyjdę do ciebie coś zjeść.

Złapała talerz i pobiegła do komputera. Kwadrans potem Lila przyniosła jej herbatę.

– Pokażesz, co zrobiłaś?

– Jeszcze nie ma co. Poza tym znowu się zaparłam, ale tu już żadne nóżki nie pomogą. Patrz, jest taki dwuwiersz: *ja kaniéj napaju, ja kupliét dapajú*. Najgorsza jest taka prostota, cholera jasna. To znaczy tak: napoję konie, dośpiewam zwrotkę. I w polskim języku nie ma możliwości, żeby to w tym rytmie przełożyć równie prosto. A rytmu nie wolno zmienić, absolutnie, bo to jest do śpiewania. On tak rąbie, Wysocki znaczy, i Sasza też: *ja – kaniéj napajú* – i brzdęk gitarą, takie

„brrrym!", *ja – kupliét – dapajú*, to samo. Powinnam tu zrobić
taką samą rąbankę, tak samo rozłożyć akcenty, a nie mogę.

– No i co teraz? – Lila była autentycznie zmartwiona.

– Muszę wykombinować jakąś przenośnię albo omówienie,
albo nie wiem co. Och, dzięki za herbatę. Strasznie mi się jej
chciało, a nie mogłam się oderwać. Lilu, jesteś boska.

– Pracuj, pracuj. Jakbyś jeszcze czegoś potrzebowała, to
tylko krzyknij, ja ci przyniosę.

Starsza dama zabrała talerzyk po galaretce i odeszła na
paluszkach. Była bardzo kontenta, że oto w jej domu znowu
pojawiła się Sztuka, tym razem w postaci Literatury.

Maria skończyła o czwartej nad ranem. O tej porze nie
odważyłaby się zadzwonić do Saszy Winogradowa, chociaż
nie dałaby pięciu groszy za to, że on śpi. Napisała do niego
maila: „Sasza, zrobiłam 'Konie' dla Ciebie, ale nie będę Ci ich
przesyłać. Chcę zobaczyć, jakie będziesz robił miny, czytając.
Umów się ze mną jakoś. *Priwietik, moj drug**! Twoja zdolna
koleżanka Maria S.".

ꭢ

– Jakaś pani niewyraźna, Mareszko – zauważył natychmiast
pan Stefan. – Jak w tej reklamie. Co oni na to brali? Aspirynę?
Etopirynę? Nie, to Goździkowa. Rennie? Już w porządku, mój
żołądku. Też nie. To nie wiem.

– Nie jestem pewna, ale chyba rutinoscorbin. Może ja i wyglądam niewyraźnie, bo kładłam się spać o czwartej. Ale
Makaronik za to nie do poznania chwat!

W istocie, Makaron zwijał się wokół nóg obojga, może jeszcze nie z energią szczeniaczka, ale w niczym nie przypominał
psiego zewłoka sprzed dwóch dni.

---

* Pozdrowionko, mój przyjacielu (ros.)

– To ta kroplówka. Muszę go poprosić, lekarza, znaczy weterynarza, żeby mnie taką zaordynował. Zaczniemy od kawy?

– Wolałabym od śniadania. Mówił pan coś o wspólnych śniadankach, a ja w domu spałam do ostatniej chwili przed wyjściem. Ale bułeczki kupiłam świeże, zieleninę też. Kawę mogę panu natychmiast zrobić...

– Nie, nie. Nie trzeba. Z przyjemnością poczekam na panią. Nakryłem już na balkonie!

Rzeczywiście, kiedy Maria wyszła na balkon z zastawioną tacą, okazało się, że pan Stefan wymienił mikroskopijny stolik na większy, a nawet położył na nim serwetę, którą przycisnął masywną cukiernicą, aby nie odfrunęła.

– Makaron teraz chodzi krok w krok za mną – napomknął pan Stefan. – Myślałem, że tu, na świeżym powietrzu będzie mniej... tego... oszałamiający. Nie kąpałem go jeszcze, prawdę mówiąc, miałem nadzieję, że pani mi trochę pomoże.

– Oczywiście, że pomogę. Z przyjemnością. Proszę jeść, te jajka nie powinny wystygnąć.

– Pani pierwsza. Nie żebym się bał, że chce mnie pani otruć... Skąd pani wytrzasnęła takie jajka? Są jakieś inne niż te, które kupuję w sklepie na dole.

– Z rynku. Pani, u której mieszkam, ma zaprzyjaźniony stragan na rynku, na Niebuszewie. Te jajka są nielegalne jak łącka śliwowica, bo niestemplowane. Prosto od gospodarza i to niehurtowego.

– Tak jakby od kury, a nie z fabryki jajek. Mareszko, nie wypada mi pani pytać, ale, na miłość boską, dlaczego pani nie śpi do czwartej rano? Młoda osoba musi spać, bo jej się zmarszczki porobią pod oczami i przestanie być taka śliczna...

– Rozumiem, że jestem śliczna. Dziękuję. Proszę mi to czasami mówić. A nie spałam, bo pracowałam twórczo. Tłumaczyłam wiersz.

– Pokaże mi pani wynik?

– Jeszcze nie. Musi dojrzeć. Muszę go jeszcze obejrzeć parę razy. Mówiłam panu o tym, to „Konie" Wysockiego.

– Tego nerwusa.

– Właśnie. Lepiej niech mi pan powie o tych parowozach. Naprawdę projektował pan parowozy? Przecież mówił pan, że huty budował.

– Bo ja byłem zdolny i pracowity. Robiłem jedno i drugie. Naprawdę. Studiowałem budownictwo i mechanikę.

– Przed wojną?

Starszy pan roześmiał się.

– Po wojnie, po. Przed wojną miałem piętnaście lat i byłem w Korpusie Kadetów we Lwowie.

– To pan jest Orlę? Lwowskie dziecko? W dzień deszczowy i ponury*?

– Miała pani kłopoty z datami w szkole, co? To nie ta wojna. Tatuś mnie oddał do Korpusu dwa lata przed drugą wojną, bo się rozwiódł z mamą i nie miał czasu wychowywać mnie na porządnego człowieka.

– A przedtem?

– W Ciechanowie, Grudziądzu, Osowcu, Toruniu, Radomiu, Warszawie, Zaleszczykach i Stryju. Z tego wynika, że chyba nie mam miasta rodzinnego. Ani wsi. Wieś, i to niejedną, mieli moi przodkowie, tylko podobno mieli pecha i karta im nie szła. To tylko do połowy żart, bo naprawdę nic z tego nie zostało, nawet wioszczyny z kurnymi chatami. Kiedyś pani opowiem historię mojego życia. Zgromadzimy sobie zapasy żywności na tydzień, pani będzie gotowała, a ja będę gadał.

– Jest to jakiś pomysł. Panie Stefanie, umyjemy Makarona?

– Jednak śmierdzi, co? Mimo świeżego powietrza. Cóż, trzeba będzie.

---

* Z piosenki o lwowskich Orlętach: „W dzień deszczowy i ponury z Cytadeli idą, z góry, szeregami lwowskie dzieci idą tułać się po świecie".

Kąpiel Makarona odbyła się nie bez przygód. Początkowo Maria i pan Stefan uznali, że najlepiej i najpraktyczniej będzie wprowadzić zwierzątko do brodzika i polać prysznicem. Makaron do brodzika wszedł, ale prysznic napełnił go straszliwym przerażeniem. Zawył przeraźliwie, spiął się w sobie i wymaszerował z brodzika mimo połączonych wysiłków swojego pana i jego uniwersalnej gosposi. Na powrót do okropnej myjni wepchnąć się nie dał. Stał na środku łazienki, kapał i głośno wyrzekał.

Państwo, którzy narazili go na ten okropny stres, naradzili się chwilę i doszli do wniosku, że trzeba spróbować wykąpać pieska w wannie. Było to o tyle praktyczne, że wysokie brzegi wanny uniemożliwiały bassetowi wyskoczenie na podłogę. Może kiedyś dałby radę, teraz bolały go stawy...

Namydlony, naszamponiony, cały w ohydnej, śliskiej substancji o zapachu diametralnie różnym od tego, co tolerują przyzwoite psy – stał biedny Makaron w wannie, na antypoślizgowym dywaniku i płakał wniebogłosy. Jego pan przemawiał uspokajająco, a ta odrażająca baba szorowała go i polewała z kolejnego prysznica, na szczęście mniej agresywnego niż ten poprzedni. Makaron zastanawiał się poważnie, czy by jej nie ugryźć, jednakowoż jej wyraźna komitywa z panem kazała mu zaniechać akcji odwetowej. Pan nie byłby chyba zadowolony. Trzeba było wytrzymać jakoś ten koszmar.

Potem zrobiło się nawet przyjemnie. Pan przyniósł całe naręcze puchatych ręczników, a baba owinęła go, przemówiła czule, pogłaskała skołatany łeb, a nawet przytuliła. Nie pachniała najlepiej, podobnie jak ręczniki, ale gdzieś w zakamarkach jej bluzki psi nos wyczuł zanikającą woń parówek, które były na śniadanie i na które się załapał.

No, dobrze. Ostatecznie nawet miła z niej kobitka.

No, no, no! Żadnych suszarek! Porządny pies sam się wysuszy na słońcu! Albo lepiej na kanapie, na którą znowu można wskoczyć...

– Mareszko, za tego lekarza kupię pani bukiet róż. Jakie pani lubi?

– Wszystkie – uśmiechnęła się. – Ale nie trzeba róż. Mnie też jest miło, kiedy patrzę na Makaronka, który wraca do formy. Ale że wskoczy na kanapę... nie spodziewałam się.

– Bo to niska jest kanapa – wytłumaczył pan Stefan i troskliwie okrył psa kocykiem. – Nie chciałbym, żeby się przeziębił. Jest jeszcze całkiem mokry. Tylko teraz nie wiem, gdzie ja się położę. Trochę mnie zmęczyła ta nierówna walka. Chociaż to głównie pani walczyła. Komórka pani dzwoni, niechże pani odbierze.

Telefon Marii szalał, a na wyświetlaczu widniało imię: Sasza.

– Mareszka! Mareszka, przeczytałem twój list, a ty jesteś jakaś sadystka, dlaczego nie przysłałaś mi tekstu? Na pewno jest dobry! Jak przetłumaczyłaś *priwieriedliwyje*? Narowiste?

– Nie, inaczej. Słuchaj, ja jestem teraz w pracy i nie bardzo mogę rozmawiać. Umówmy się jakoś gdzieś, nie wiem gdzie...

– Sprzątasz komuś?

– Tak. Kończę koło siedemnastej. Mogę od razu przyjechać do ciebie.

– Bardzo dobrze. Przyjedź do mnie, pogadamy na spokojnie. Poznasz mojego przyjaciela, właśnie przyjechał. Jest inteligentny, można mu pokazać tekst. Wiesz, gdzie mieszkam?

– Napisz mi esemesa.

– W domkach profesorskich na Panieńskiej, wynajmuję pokój. Wiesz, gdzie to jest?

– Mam GPS. Napisz mi esemesa. Cześć, na razie.

Pan Stefan nawet nie udawał, że nie podsłuchuje.

– Czy pani słyszy samą siebie? – spytał w zadumie. – Dżipiesy, esemesy, abeesy, same skróty. Żeby było szybciej. Wam, młodym, stale gdzieś pociągi odchodzą, wszyscy zabiegani, zaaferowani i na normalność nikt nie ma czasu. „A mnie się marzy kurna chata", Mareszko, bryczka w dwa koniki i życie toczące się powolutku, z umiarem. Nikt nigdzie się nie spieszy, a, o dziwo, wszystko jest załatwione, ułożone i bez zaległości. Jak to było, pani Marysiu? Ja to pamiętam, bo trochę żyłem w takich czasach; bez komórki, laptopa, komputera. Nawet bez telewizji... Kwitło życie towarzyskie, herbatki, tańcujące wieczorki, five o'clocki i inne dancingi, a wy dzisiaj wierzycie tylko w dyskotekę i nawet porządnych balów karnawałowych nie ma. Jakiż to był bal Politechniki w Krakowie... palce lizać. Albo jak bywaliśmy z przyjacielem z Korpusu w pensjonacie jego mamy w Zakopanem... używania było co niemiara. W dzień na nartach, a wieczorem na balandze, znaczy coś dla ciała i coś dla ducha. Zawsze miewaliśmy pokój z widokiem na Giewont. Poranne powroty do domu wężykiem... Ech, nigdy przedtem ani potem nie oglądałem tak pięknych wschodów słońca!

– Ja nie jestem aż taka strasznie pospieszna, panie Stefanie.

– Właśnie widzę. Biega pani po mieszkaniu jak przeciąg.

– Za to mi pan płaci.

– Ciężkie pieniądze. Ale jest ich pani warta. Nawet więcej. Tylko niech pani nie wyciąga wniosku, że trzeba mi zaśpiewać dwa tysiące za tydzień, bo tego już bym nie wytrzymał. Dobrze. Żeby nie było, że ze mnie taki archiwalny staruszek. Idę się przespać. Proszę mnie obudzić za godzinkę, pojadę z Makaronem na kroplówkę do pana doktora. Wrócę akurat na obiad. A do sałaty wolę śmietanę niż winegret. Wiem, że mi nie wolno. Mam to w nosie. Posuń się, Makaron. Pan idzie.

෴

O siedemnastej Maria, posprzątawszy po obiedzie, zaczęła się zbierać do wyjścia. Pan Stefan był jakby nieco skruszony.

– Zachowywałem się okropnie. Zupełnie jak Makaron w wannie. Jęczałem i mędziłem, krytykowałem dzisiejsze obyczaje... Pani Mareszko. Proszę, niech pani wymaże z pamięci tego cholernego mazgaja. Kiedy pani jutro przyjdzie, znowu będę pozbieranym, schludnym staruszkiem. I wszystko mi się będzie podobać, i będę tryskał energią. I słowem nie wspomnę o dawnych dobrych czasach.

– Panie Stefanie! Nie ma pan obowiązku być człowiekiem ze stali. Ani idiotą, bo tylko idioci nie poddają się nastrojom. Dołek pana złapał. Z dołka się wychodzi. Ja lecę. Aha, czym pan pachnie?

– Źle pachnę? Jak Makaron?

– Niech pan natychmiast przestanie. Pachnie pan upojnie. Co to jest?

– Paco Rabanne dla mężczyzn. Że niby pani nie widziała butelki w łazience, gdzie pani ze ścierką lata i kurze wyciera. No dobrze, chciała mi pani zrobić przyjemność. Doceniam. Na razie.

Domki profesorskie zaczynały się tuż pod bramą Zamku i biegły łukowatym rządkiem do ulicy Mariackiej. Maria zaparkowała naprzeciwko jazzowej piwnicy zwanej szumnie „Royal Jazz Club" i kiedy tylko wyszła z samochodu, usłyszała swoje imię. To Sasza wychylał się z okna na pięterku dwa domki dalej i nawoływał ją rozgłośnie. Pomachała mu ręką i zadzwoniła do drzwi. Otworzył jej bucowaty (w znaczeniu jednakowoż raczej poznańskim) czterdziestolatek. Maria odgadła w nim owego przyjaciela, którego miała właśnie poznać, ale źle odgadła. Bucowaty był właścicielem mieszkania. Chyba uprzedzono go o jej przyjściu, bo tylko machnięciem ręki wskazał schody. Weszła i natrafiła na kolejne drzwi, które otwierał właśnie kolejny osobnik – tym razem w najmniejszym stopniu nie bucowaty.

Rok temu, jeszcze w Tkalni, Maria szukała w Internecie kawałków „Mesjasza" Haendla i oprócz nieśmiertelnego „Alleluja" znalazła tam swoją ulubioną arię o trąbie, śpiewaną przez jakiegoś barytona z Nowej Zelandii, który nazywał się Teddy Tahu Rhodes. Tak się wtedy zapatrzyła na owego Teddy'ego, że arii o trąbie wysłuchała osiem razy pod rząd, potem znalazła jeszcze jedną arię z „Mesjasza", „Non piu andrai" z „Wesela Figara" i scenę z jakiegoś musicalu o Małym Księciu, gdzie onże boski Teddy zagrał Pilota. Pokochała go odtąd prawdziwą miłością i właściwie nie było dnia, żeby go sobie choć na chwilę nie włączyła. Teddy nie tylko dysponował wspaniałym głosem, ale na dodatek umiał go używać. Używał go wręcz zachwycająco! Z powodu tego „Tahu" i faktu, że pochodził z Nowej Zelandii (wyguglała sobie trochę wiedzy o nim), a także pewnego podobieństwa rysów i postawy do genialnej Kiri Te Kanawa, która wszak jest pół-Maoryską, Maria doszła do wniosku, że i on jest Maorysem. Wprawdzie zawsze wydawało jej się, że Maorysi są mali i czarni, a nie wysocy i blondyni, ale chętnie uznała, że nie miała racji w tej kwestii. Ostatnio rzadziej go słuchała, ale wciąż darzyła ową jak najprawdziwszą miłością.

I oto w profesorskim domku przy ulicy Panieńskiej w Szczecinie, w Polsce – Teddy Tahu Rhodes otwierał jej drzwi na pięterku!

– Dzień dobry – powiedział najczystszą polszczyzną, swoim głębokim głosem. – Saszka czeka. Ty jesteś Mareszka, prawda?

– Tak – potwierdziła, zastanawiając się, dlaczego Sasza sam się nie pofatygował otworzyć. – A ty masz na imię Teddy?

– Nie – odrzekł Teddy. – Mam na imię Paweł.

– Czy ktoś ci już powiedział, że jesteś kropka w kropkę podobny do jednego śpiewaka operowego z Nowej Zelandii?!

– Jeszcze nikt. A jestem?

– Jak nie wiem co. Pokażę ci w Internecie.

– A tam nie mieszkają mali, czarni i kudłaci na głowie?

– Wygląda na to, że nie. Ja też tak myślałam.

Z pokoju dobiegł niecierpliwy głos Saszy.

– Ej, dlaczego nie wchodzicie? Mareszka! Paweł!

Paweł przepuścił Marię przed sobą i wtedy zrozumiała, dlaczego Sasza wysługuje się gościem. Siedział oto w fotelu przy oknie, a lewą nogę miał w gipsie aż do kolana.

– Saszka! Co się stało? Ktoś cię kopnął w nóżkę?

Sasza skrzywił się okropnie.

– Dokładnie tak.

Maria usiadła obok niego na podnóżku, z którego chwilowo nie korzystał. Była wstrząśnięta.

– Sasza, ja żartowałam...

– A ja nie.

– Jak to się stało?

– Nawet dość prosto. Grałem w hotelu Park do kotleta... Nie patrz tak na mnie, to był bardzo wytworny kotlet. Konsumenci śpiewali ze mną Okudżawę. Koło pierwszej w nocy wracałem do domu, przez park, powoli, bo chciałem się odświeżyć. Może nawet trochę na okrągło, koło pomnika Mickiewicza. Wiesz, gdzie jest?

– To tuż koło mnie. Na tyłach Teatru Współczesnego i muzeum?

– Tak. No i szedłem sobie powoli i spokojnie, kiedy nagle stwierdziłem, że nie idę sam, a zaraz potem dostałem w nerki. Od tyłu. Coś tam wrzasnąłem, niewykluczone, że z zaskoczenia po swojemu, a jeden z tych gnojków, bo ich było kilku mówi: „Ooo, to było tylko tak kontrolnie, ale co my tu mamy, ty nie z Rosji czasem, bracie?". To ja mówię, owszem, z Rosji. No to dostałem jeszcze kilka razy, z pouczeniem, że w Rosji mieszka sama swołocz i powinienem natychmiast odjechać w siną dal, najlepiej na Sybir, gdzie jest moje miejsce... tak wytwornie do mnie mówili, a potem stwierdzili, że ja grzecznego języka nie kumam, więc powiedzą mi po mojemu, że mam wypierdalać, jeżeli chcę żyć. I dostałem pożegnalnego kopa glanem w goleń, trzasnęło, zabolało jak jasna cholera, zwaliłem się na ziemię, a oni mnie jeszcze pouczyli, żebym nie leżał na zimnym, bo dostanę wilka. A jak odchodzili, to słyszałem, jak któryś mówi, że przyjemniej by było mordę nabić temu czarnemu, co tu miał grać, ale ostatecznie Ruski to też nie nasz, a Polska ma być dla Polaków, job twoju mać. A ja tam grałem, w tym Parku, na zastępstwo, wiesz? Pianista im zachorował, zaangażowali takiego fajnego kolegę ze Stanów, jazzmana, czarnego jak asfalt. To on miał oberwać.

– Co dalej? – spytała Maria, cokolwiek zachrypniętym głosem.

– Nic dalej. Poleżałem, zadzwoniłem na policję, policja przyjechała, spytała, czy ich rozpoznam? Gdzie ja mam ich rozpoznać, ciemno było, a oni z tyłu. Jednego łysola jakby widziałem i to niedokładnie. No to panowie z patrolu pokiwali głową, stwierdzili, że nie ma szans, i zawołali karetkę. W szpitalu zapakowali mi nogę w gips, bo kość pękła. I wszystko.

– Matko boska, Sasza, tak mi przykro, przepraszam cię za moich rodaków... Czy mogę ci jakoś pomóc? Zakupy zrobić, obiad ugotować albo nie wiem co jeszcze?...

– Nic mi nie trzeba, Paweł w samą porę przyjechał, zamieszkał ze mną i opiekuje się wystarczająco. Pokaż „Konie".

– Już pokazuję.

Maria zajrzała do przepaścistej torby, a wyraz jej twarzy w tym momencie spowodował wybuch śmiechu obu panów. Teddy śmiał się bardziej dyskretnie, a Sasza tubalnie i radośnie.

– Jak powiada Pismo Święte – odezwał się Sasza – na początku był chaos, a potem była damska torebka...

– Bo ci nie dam tekstu – mruknęła Maria, grzebiąc zawzięcie w torbie. – Czekaj, jest.

Sasza wyciągnął rękę niecierpliwie.

– Dawaj, dawaj! Co zrobiłaś z *priwieriedliwymi*? Nieposłuszne... Myślisz, że tak jest najlepiej na świecie?

– Myślałam jeszcze o niepokornych. Nieposłuszne bardziej mi się podobały. Narowiste moim zdaniem w ogóle nie mają sensu.

– Moim też. Czekaj. „W dół urwiskiem, nad otchłanią tuż, nad przepaścią, nad skrajem... ja swe konie gnam i ścigam, i chłoszczę je nahajem...”* Nie najgorzej. „Wciąż powietrza mi brakuje, piję wiatr i we mgle płynę, i w ekstazie zgubnej czuję – oto ginę, właśnie ginę!”... Paweł, dasz mi gitarę? I refrenik. „Trochę wolniej, moje konie, trochę wolniej, konie, niech nie rządzi wami knuta zew! A cóż to za konie, takie dzikie, nieposłuszne konie! Nie nadążam już żyć i nie wybrzmi mój śpiew!”

Wziął gitarę z rąk Teddy'ego i brzęknął w struny.

– „Jeszcze koniom dam pić, jeszcze siły mam żyć, jeszcze chwilę chcę sam na krawędzi tej być”... To było nie do przetłumaczenia, co?

– Niestety. Jak ci się widzi?

– Na razie ładnie. Czekaj, zobaczymy dalej. To moja ulubiona zwrotka. „Zginę tu – jak drobny pyłek mnie huragan zmiecie z dłoni i po białym śniegu rano powiozą mnie białe sanie”... Mareszka, ślicznie!

Powtórzył te dwa wiersze, przygrywając sobie na gitarze i właściwie melorecytując. Teddy Tahu Drugi słuchał uważnie i zerkał na Marię, konstatując, że oto widzi przed sobą bardzo ładną, apetyczną kobietkę ze wspaniałymi włosami i ogniem w oczach. No i zdolna z niej osóbka. Teddy lubił poezję, a to, co słyszał, nie brzydziło go w najmniejszym stopniu. Podobała mu się też wierność tłumaczenia. Widać, że kobietka ma szacunek do autora i nie próbuje wyartykułować jakichś własnych impresji na temat, tylko uczciwie przenosi wiersz z języka na język, nie tracąc przy tym waloru poetyckiego.

Sasza czytał dalej, rytmicznie i pobrzękując na gitarze.

– „Zmieńcie krok na łagodniejszy, nie tak prędko, moje konie, wolniej jedźcie, gdzie schronisko już ostatnie czeka na

---

* Tekst „Koni priwieriedliwych” Włodzimierza Wysockiego w moim przekładzie – M.S.

mnie... Trochę wolniej, moje konie, trochę wolniej, konie! Toż
nie rządzi wami knuta zew! A cóż za konie, takie dzikie, nieposłuszne"... Patrzcie, te nieposłuszne całkiem nieźle pasują...
„Nieposłuszne konie... Nie dożyłem, no cóż, i nie wybrzmiał
mój śpiew"... Dobrze się będzie śpiewać. Mareszko, wiedziałem, że ładnie to zrobisz...

– Nie gadaj, tylko czytaj dalej...

– „Zdążyliśmy, wszak u Boga o spóźnieniach nie ma mowy!
I anielski śpiewa chór – lecz czemu głosy pełne złości? Czy to
mały"... O kurczę, Mareszka, to jest piękne! „Czy to mały nasz
dzwoneczek tak szlochaniem się zanosi, czy to mój do koni
krzyk, by nie pędziły bez litości?" Mój do koni krzyk, Mareszka,
ratunku! „Trochę wolniej, moje konie, trochę wolniej, konie!
Przecież błagam was, po co ten cwał?"... Tam był lot, nie? On
je prosił, żeby biegły, a nie leciały...

– Nie dałam rady. Poza tym po polsku mówi się „lecieć"
w znaczeniu „biec", to by nam mogło zamulić... ale nieważne,
nie dałam rady i już.

– Nie martw się, i tak jest ładnie. „A cóż za konie takie
dzikie, nieposłuszne konie... dożyć nie dano mi, to dośpiewać bym chciał"... O, to jest ładne bardzo. W sumie podoba
mi się. Muszę się tego nauczyć i będę śpiewał. I po rosyjsku,
i po polsku. Tak?

– Tak.

– „Dożyć nie dano mi, to dośpiewać bym chciał" – powtórzył Sasza ze smakiem. – To mi się chyba najbardziej podoba.
Chociaż człowiek pewnie zawsze ma wrażenie, że jeszcze za
krótko żyje i jeszcze ma ho, ho, ile do zaśpiewania. Paweł, co
ty o tym sądzisz?

– Jestem za – odrzekł lakonicznie Paweł.

Siedział spokojnie przy stole i zastanawiał się, czy ta cała
atrakcyjna Mareszka (co to za dziwne imię, swoją drogą)
znajduje upodobanie w wysokich, blondynowatych Maorysach

nawet jeśli nie są tak całkiem Maorysami i nie śpiewają w operze. Co do niego, to nawet bez poezji podobała mu się coraz bardziej. Miała w sobie mnóstwo radości przy generalnie spokojnym usposobieniu. Tak ją oceniał na pierwszy rzut oka. Zadał sobie zasadnicze pytanie: czy miałby ochotę zawrzeć z nią jakąś bliższą znajomość? I odpowiedział na to pytanie twierdząco. Miałby. Istnieje wszakże również pytanie, do jakiego stopnia jest w nią zaangażowany Sasza? Nie byłoby specjalnie ładnie wyrywać dziewczynę przyjacielowi. Chociaż Saszę, jak się zdaje, trzyma aktualnie w małej, ale twardej rączce hiszpańska piękność o słowiańskim imieniu Hanka...

– Wcale nie słuchał – machnęła ręką atrakcyjna Mareszka. – Może nie jest nastawiony poetycko.

Paweł poczuł się w obowiązku zaprotestować.

– Ależ skąd – powiedział. – Jestem nastawiony poetycko i bardzo mi się podobał twój przekład. Właśnie się nad nim zamyśliłem i może trochę wypadłem z kursu. Przepraszam. Mareszko, niczym cię nie poczęstowaliśmy. Może piwo? Czy jesteś samochodem?

– Niestety, jestem. Macie jakąś kawę?

– Tylko rozpuszczalną. Pijesz mocną?

– Średnio. Ale raczej bardziej niż mniej. I dziś nie słodzę.

Paweł zakrzątnął się koło kawy dość nawet sprawnie. Wyciągnął też z jakichś zakamarków kraciastą puszkę szkockich herbatników z zamkiem Balmoral na wieczku. Dla Marii było to miłą odmianą w stosunku do zawodowej codzienności – oto ją obsługiwano i podstawiano jej kawusię z ciasteczkami pod nos. Obaj panowie nalali sobie piwa, jakiegoś nietypowego. Maria nie znała tej nalepki.

– Szkockie ale – wyjaśnił lakonicznie Paweł. – Spróbujesz?

– Łyczka, dobrze?

Paweł podał jej własną szklankę.

– Jeszcze nie piłem.

Skinęła głową i wypiła dwa łyki. Było średnio mocne i miało przyjemną goryczkę. Maria nie lubiła słodkawych piw, a już lanie do piwa soczku uważała za czyn karalny.

– Będę znał twoje myśli – uśmiechnął się Paweł.

Ten uśmiech kogoś Marii przypominał, oprócz Teddy'ego, oczywiście, ale nie wiedziała kogo. Rozbawiło ją, że ten chudy i żylasty facet miał w policzkach regularne dołeczki. Prawidłowo, Teddy Tahu też ma. A co ich różni? Paweł ma wyżej brwi. Teddy ma mocniejszą szczękę. Obaj sprawiają równie sympatyczne wrażenie.

Kontemplowanie sympatycznego wrażenia wytwarzanego przez jasnookiego Pawła przerwało niespodziewane trzaśnięcie drzwiami.

– Dzień dobry!

Głos był damski i dźwięczała w nim hamowana wściekłość.

Maria odstawiła szklankę z piwem. W drzwiach stała Hanka w pozie szarżującej Walkirii (niestety, bez rumaka, na którym mogłaby cwałować dokoła pokoju) i ciskała błyskawice z czarnych oczu.

– Mogłam się tego spodziewać! – warknęła. – Takie to skromne, kulturalne, eleganckie, ale prawdziwy charakter w końcu zawsze wyjdzie na światło dzienne, co? Chyba dostatecznie wyraźnie dano ci do zrozumienia, że jesteś tu niemile widziana, prawda? Że Sasza nie ma przyjemności się z tobą spotykać! Co za nachalna bździągwa!

Wbrew wszelkiej logice „nachalna bździągwa" rozbawiła Marię niesłychanie. Jej śmiech stanowił rażący kontrast z przerażoną miną Saszy, zaskoczeniem jego przyjaciela i kipiącą furią wdzięcznej Hanusi.

– No i co cię tak rozśmieszyło? – zaatakowała znowu Walkiria. – Sasza jest chory i należy mu się odrobina spokoju! Nie wiem, skąd wytrzasnęłaś jego adres, i nie wiem, po jaką cholerę go nachodzisz.

– Haneczko – podjął próbę walki Sasza, który nagle jakoś zmalał i przywiądł, ale Walkiria tylko machnęła w jego stronę ręką w sposób dość lekceważący. Rozłożył bezradnie ręce na znak, że nie ma tu najmniejszej szansy zainterweniować, zważywszy w dodatku opłakany stan jego lewej goleni.

Maria spojrzała na niego pytająco. Wyglądał jak kupka nieszczęścia. Najwidoczniej targały nim sprzeczne uczucia – nie chciał tracić dobrej tłumaczki, z którą na dodatek można było porozmawiać i która, co więcej, podobała mu się od pierwszego wejrzenia – a jednocześnie wcale nie zamierzał pogonić temperamentnej wulkanicznie i zapewne nader fascynującej erotycznie Hanki. Taka walka dwóch niewiast o jego względy musiała mu przy tym nieźle pochlebić.

Tylko że Maria nie zamierzała walczyć. Jak wiemy, jej wypróbowaną metodą była w podobnych przypadkach ucieczka.

Spokojnie pozbierała ze stołu swoje karteczki i podczas kiedy Hanka nadal się pruła na temat bezczelności fałszywych koleżanek, które bez skrupułów rzucają się na cudzych facetów, skierowała się do wyjścia.

– Maryś! – wrzasnął za nią Sasza. – A „Konie"?!

– Czego ty od niej jeszcze chcesz? – rzuciła się Hanka.

– Cicho bądź, Hania! Mareszka, „Konie"? Nie zabieraj mi!

– Saszka, masz mój telefon – powiedziała Maria już od drzwi. – Zadzwoń, jak Hania da ci trochę luzu. Ja ci w międzyczasie podrzucę tekścik.

– A zrobisz mi jeszcze coś?

– Jasne, z przyjemnością. Do widzenia, Paweł...

– Odprowadzę cię – zaktywizował się sobowtór maoryskiego blondasa.

Sasza już się nie odezwał, mając jednakowoż poczucie wstydu z powodu kompletnie bezsensownej awantury. Najchętniej nawrzeszczałby teraz na durną Hankę, ale ona właśnie rzuciła się na niego z uściskami, gorącymi pocałunkami i tak dalej. Jakoś głupio mu było powiedzieć jej „paszła won", zwłaszcza że wcale go te pocałunki nie brzydziły, a nawet spodziewał się w miarę szybkiego ciągu dalszego. Który też nastąpił, zaledwie osoby postronne zniknęły z pola widzenia.

Maria i Paweł stanęli na oświetlonej popołudniowym słońcem ulicy Panieńskiej i odetchnęli z ulgą.

– Przepraszam cię, Mareszko – powiedział Paweł z zakłopotaną miną.

Maria wzruszyła ramionami.

– Ty? Już prędzej Saszka powinien, ale on nie miał specjalnego pola manewru. Miło, że zszedłeś. Ja już będę lecieć...

– Poczekaj, może jeszcze nie musisz lecieć? Zapraszam cię na tę kawę, której nie zdążyłaś wypić. Tu są jakieś knajpki niedaleko, albo ten „Royal", jakbyś chciała...

– „Royal" nie dzisiaj. Nie mam nastroju na piwnicę. Ale generalnie nawet bym coś małego zjadła. Tu na Tkackiej są jakieś knajpeczki, o ile się nie mylę. Możemy sprawdzić.

– Dwie zdokumentowałem – potwierdził Paweł. – Mają zupełnie przyjemne patia. Idziemy czy jedziemy?

– Przecież to dwa kroki – roześmiała się Maria i poszli na Tkacką, szukać knajpeczek. Pierwsza, na jaką trafili, nazywała się „Vincent", zapewne na cześć van Gogha. Było tu patio, owszem. Usiedli i zamówili jakieś sałatki.

– Szkoda by była, gdybyś zabrała Saszy ten tekst o koniach – zaczął konwersację Paweł, mając na uwadze (bądźmy uczciwi) nie tyle dobro swego przyjaciela, ile obawę, że już więcej tej całej Mareszki nie zobaczy. A chyba chciałby ją zobaczyć, niekoniecznie tylko raz. Coś w niej było takiego, że chciałoby się na nią patrzeć i z nią rozmawiać. Kiedy ją coś interesowało, w kącikach jej ust pojawiał się taki malutki, ale bardzo uroczy uśmiech. I oczy jej lśniły zielenią jak Morze Północne w dzień pogodny – a on widywał już Morze Północne przy pięknej pogodzie...

Była bardzo inteligentna, to się rzucało w oczy. Paweł sam pochodził z rodziny zdecydowanie inteligenckiej, czytającej książki i cytującej poezję w momentach stosownych, więc ucieszył się, że trafił na swego. No, podobała mu się ta dziewczyna, podobała, co tu szklić. Mareszka. Czemu Mareszka, a nie na przykład Maruszka, Marusia?

– Nie zabiorę mu tekstu, skąd ci to przyszło do głowy? – roześmiała się tym swoim ślicznym śmiechem. – Przeciwnie, obiecałam mu jeszcze kilka przełożyć. Tylko musimy się umawiać w jakimś neutralnym miejscu, bo Hanka nie da nam żyć. A mogłaby mnie po prostu zapytać, toby się dowiedziała, że ja na Saszkę nie lecę.

Ale on na ciebie leci – pomyślał Paweł, który umiał wyciągać wnioski z tego, co mu Saszka bąkał mimochodem. Nie powiedział tego jednak.

– Ona jest chyba trochę niezrównoważona – mruknął. – Wpada do niego i prawie robi rewizję, czy nie ma jakiej kobitki schowanej w szafie. Mnie też podejrzewała, musiałem jej przysięgać, że nie jestem chłopcolubny.

Maria pomyślała sobie, że już wie, czemu zawdzięcza bilet do „Kany” na koncert „Sklepu” i przy okazji Saszy. Jeśli wybuchowa Hanusia robiła takie sztuki swemu poprzedniemu facetowi, to trudno się dziwić, że ją w końcu zostawił. Ciekawe, co zrobi Sasza... i jak długo wytrzyma.

– Ty z nim stale mieszkasz? – spytała, mieszając słomką kolorowy napój w wysokiej szklance.

– Czasami. Teraz przyjechałem do niego, bo potrzebował trochę pomocy przy tej nodze w gipsie, a Hanka pracuje i nie mogła wziąć takiego długiego zwolnienia. Zazwyczaj mieszkam gdzie indziej. A tak w ogóle, pływam.

– A jak się nazywa twój statek?

– „Daisy”. Stokrotka.

– To jakiś wycieczkowiec?

Paweł roześmiał się. Teraz ona patrzyła na niego z przyjemnością. Ładnie się śmiał, jakoś tak od samego środka. Te śmieszne dołeczki mu się robiły. Zęby miał ładne, chociaż jakby odrobinę nierówne. Lewa górna jedynka o ułamek milimetra nachodziła na prawą. Był starannie ogolony. Co jeszcze? Ach, oczy, jasnoniebieskie, pod jasnymi brwiami, jak to u blondyna. Włosy ostrzyżone bardzo krótko, zdradzające tendencję do zawijania się w loczki. Razem z tymi loczkami i dołeczkami miał wygląd bardzo męski.

– Czemu się śmiejesz?

– Mój statek tylko nazwę ma wycieczkową. Chyba ktoś w kompanii, odpowiedzialny za nazewnictwo, ma poczucie humoru...

– To na czym ty pływasz, na U-Boocie?

– Czasami jesteśmy pod wodą, jak na przykład wieje dwunastka... wiesz coś o skali Beauforta?

– Wiem. Urodziłam się w Słupsku, a mój ojciec chrzestny był rybakiem.

– No właśnie. Jak na Morzu Północnym wieje dwunastka, to prawie jesteśmy okrętem podwodnym. Zimą mamy zwykle piątkę do siódemki, jedenastkę i dwunastkę często i to jest główny powód, dla którego jedna trzecia nas odchodzi z floty offshorowej na duże jednostki handlowe. Słyszałaś kiedy o statkach serwisowych offshore?

– *Shore* to brzeg. *Offshore* to daleko od brzegu?

– Mniej więcej. W uproszczeniu. Statki offshorowe mogą być „standby", czyli ERRV, czyli „emergency responsibility and rescue vessel", czyli, ogólnie biorąc, ratownicze, i moja „Stokrotka" do nich należy. Poza tym dźwigi pływające, AHTS, czyli wielkie windy, suppliery dostawcze, kablowce, holowniki pełnomorskie. I jeszcze inne różne. „Daisy" ma ponad trzydzieści lat, zbudowano ją jako „standby" na Amazonkę, w związku z czym jest płaskodenką i jak nas buja, no to buja zdrowo. Poza tym jest raczej skłonna do awarii, tak samo jak jej koleżanki, inne polne kwiatki. Brasilianos dobrze kopią piłkę, a statki budują średnio, niestety.

– Jak to, skłonna do awarii?

– Normalnie. One się lubią psuć, te wszystkie „Stokrotki", „Bratki" i „Róże". A Brytole mają na to jeden generalny sposób, to znaczy zatrudniają polskich mechaników. Mało który kraj marnuje wyższe wykształcenie na zwyczajnego mechanika. A nasz owszem, czemu nie.

– Kończyłeś Akademię Morską?

– Nie, politechnikę. Ale te nasze stateczki są coraz bardziej nowoczesne i naładowane elektroniką, a ja jestem elektronikiem właśnie, więc armator na rękach mnie nosi. No, może niedosłownie, ale nas tam lubią.

– Tam, to znaczy w Szkocji? Dlatego miałeś szkockie piwo i szkockie herbatniczki w kratkę?

– Tak. Te wszystkie offshorowe kompanie mają siedziby albo przedstawicielstwa w Aberdeen. Chyba niedługo będę zmieniał statek.

– Czekaj. A co właściwie robisz na tym? Kogo wy ratujecie?

– Kogo popadnie. – Paweł błysnął zębami i dołeczki (coraz bardziej absurdalne, odkąd Maria dowiedziała się, co robi ich właściciel) pokazały się na chwilę. – A tak naprawdę to naszym głównym zadaniem jest ratowanie ludzi z wież wydobywczych, platform poszukiwawczych, dużych statków przeróbki ropy naftowej; jeśli, ma się rozumieć, jacyś marineros wypadną za burtę. Albo jak jest większa awaria. Na szczęście takie większe są rzadko. Ostatni porządny wybuch z setką ofiar był jakoś tak pod koniec lat siedemdziesiątych, kiedy chodziłem do przedszkola.

– To się nudzicie?

– Niezupełnie, kotku. Jeżeli fala nie przekracza trzech metrów, a to wcale niemało, zauważ, to codziennie mamy ćwiczenia z użyciem różnego sprzętu. Nasze łodzie, czyli „fast rescue craft", takie małe, szybkie ratownicze, albo „daughter craft", to już większe, kryte patrolowe. Często też latają helikoptery Coast Guard. Każdy z nas jest przeszkolonym ratownikiem medycznym, poza tym mamy na statku kwalifikowanego ratownika medycznego morskiego. Mamy też regularny szpital, całkiem nieźle wyposażony, aptekę i salę z łóżkami i krzesełkami dla rozbitków, w sumie do stu osób.

Maria słuchała z autentycznym zainteresowaniem, dzieląc je wszakże sprawiedliwie pomiędzy temat rozmowy i samego rozmówcę. Ten podrabiany Maorys mówił z takim zaangażowaniem, że wybaczyła mu nawet zwrot „kotku", za którym nie przepadała. Poza tym mówił jej o świecie, o którym nie miała pojęcia, mimo że spory kawałek życia spędziła blisko morza. O wieżach wiertniczych się słyszało, bo się je czasem widuje w telewizji albo w kinie. Ale statki offshore! Kto o nich wie? Na pewno nie Aleks ani to całe towarzystwo zamieszkujące wytworny loft pod Żyrardowem. Oni są trochę jak te dzieci, dla których jajko i mleko są z supermarketu, a krowy i kury występują tylko w kreskówkach. Albo w reklamie czekolady, w związku z czym krowy są, jak wiadomo, fioletowe. Dla sąsiadów z loftu ropę do samochodu daje stacja benzynowa, a wieżę wiertniczą widzieli przelotem w telewizji jako przebitkę do newsa o kryzysie paliwowym, który też ich średnio obchodzi. Kogo z nich zainteresowałyby statki offshorowe – gdyby nawet przyjęli do wiadomości, że takowe istnieją? Może Jacka Brudzyńskiego?

Dawno nie myślała o Jacku. Ciekawe, co u niego. Trzeba będzie zadzwonić.

Paweł opowiadał teraz o swojej załodze, stanowiącej małą wieżę Babel: grecki kapitan, first mate, czyli pierwszy oficer Pakistańczyk, second mate Łotysz, chief engineer, czyli pierwszy mechanik Polak (ale nie Paweł, on dopiero aspiruje), drugi mechanik właśnie Paweł, trzeci – Sikh angielski (Paweł twierdził, że podrabiany, bo bez turbanu i brody), szkocki bosman, coixwain, czyli gość od łodzi ratowniczej, Portugalczyk, dwaj marynarze: Łotysz i kolejny Portugalczyk, medyk Łotysz rosyjsko-polsko-litewski i na ostatek polski kucharz z Kaszub.

– Ja też jestem do połowy Kaszubką – mruknęła Maria.

– Mareszka jest kaszubska? A to nie jest taniec? Chyba w przedszkolu coś takiego słyszałem...

– Jest. Niedawno nawet tańczyłam „Mareszkę" z moim pracodawcą.

– Opowiedz teraz ty o swojej pracy. Sasza mówił, że sprzątasz po domach, ale nie chce mi się w to wierzyć.

– Dlaczego? To nie jest takie fascynujące jak twoje zajęcie i nie ratuję ludzi od śmierci w odmętach, ale po pierwsze, żadna praca i tak dalej, a po drugie, nie masz pojęcia, jakie pole do obserwacji mi się otwiera. Aż czasami żałuję, że nie jestem psychologiem. Zrobiłabym doktorat, kurdę.

Paweł nagle zbystrzał.

– Mareszko, dlaczego powiedziałaś „kurdę"?

– Syn moich poprzednich pracodawców miał takie porzekadło. Młody, obiecujący rasista, taki, co to bić Murzyna i Polska dla Polaków... – Przerwała i sama nagle zbystrzała. – Matko jedyna, Paweł, czemu pytasz?

Paweł z kolei sposępniał, z czym mu było bardzo do twarzy. Zacisnął szczęki i teraz wyglądał na takiego, co to bez wrażenia pływa po Morzu Północnym przy wiejącej dwunastce.

– Jeden z tych, którzy dali wycisk Saszy, też tak mówił. Sasza mi to opowiadał na świeżo. Tobie już skracał. On ich mało widział, ale słyszał. To „kurdę" się powtarzało, ale tylko jeden tak mówił. Myślisz, że to mógłby być twój młody przyjaciel?

– Nie wiem. Młody przyjaciel chwalił się, że czasem dawali z koleżkami wycisk kolorowym. Ja nie zareagowałam, rozumiesz, bo nie bardzo miałam jak...

– Tylko się nie tłumacz. Nic nie mogłaś zrobić. Obawiam się, że teraz też nic nam nie pozostaje, tylko zachować tę wiedzę dla siebie. Policja już to olała. Cholera jasna.

– No właśnie. Cholera jasna.

– Och, jak ja bym mu chętnie wytłumaczył, że brzydko postąpił! Ale, kochana Mareszko, nawet nie mamy pewności, czy to akurat on. Może jeszcze jakiś jego koleżka z organizacji tak gada. Albo ktoś z zupełnie innej bajki.

Autor z ambicjami napisałby teraz, że uczynek mniemanego Kordiana Pultoka położył się złowieszczym cieniem na beztroskiej atmosferze tej rozmowy i tej kiełkującej przyjaźni – nam wystarczy stwierdzenie, że Maria i Paweł kompletnie stracili humor. Biała Siła, jak się okazało, działała również na odległość.

– O czym tak rozmyślasz? – Paweł pierwszy przerwał ciszę.

– O niczym – zełgała Maria, której właśnie zaczął kiełkować w głowie pewien pomysł. Nie była jednak pewna, czy jest on najlepszy na świecie. – Wiesz co, zmęczona jestem. Tak nam się fajnie gadało, że o tym zapomniałam. Ale teraz chyba już bym wróciła do domu. Nie gniewasz się?

– A skąd, sam powinienem o tym pomyśleć, że cała ta moja gadanina mogła cię zmęczyć. Przepraszam cię najmocniej. Daleko mieszkasz?

– Bliziutko. Jestem samochodem, bo do Saszy jechałam prosto z pracy. Ty też nie przepraszaj, bo bardzo ciekawe rzeczy opowiadałeś. Kiedy wracasz na to swoje Morze Północne?

– Za tydzień. Ja pracuję w takim cyklu cztery na cztery. Już trzy siedzę na lądzie. Spotkamy się jeszcze, zanim wyjadę? Bardzo bym chciał.

Maria dochodziła właśnie do wniosku, że ona też by chciała. Kiwnęła głową i nie bez przyjemności zobaczyła te niemęskie dołeczki w jakże męskich policzkach. Oczy też mu zapłonęły... Sympatyczny, zdecydowanie sympatyczny.

Ciekawe, czy jak się zdenerwuje, to rzuca kobietą o podłogę albo w kolumienkę z donicą?

Nie wygląda na to. Aleks też nie wygląda. I też potrafi być bardzo sympatyczny.

Maria westchnęła. Chyba dała się zwariować.

∽

Życie płata nam czasami głupie figle, jak powiedział sentencjonalnie pan Stefan tego dnia, kiedy Makaron, odzyskawszy sporo radosnego wigoru i niemal młodzieńczych sił, wytarzał się w jakimś łajnie celem odzyskania dawnego, przepięknego zapachu i trzeba go było znowu kąpać w wannie, co z kolei wywołało w psisku znane już Marii ataki niepohamowanej rozpaczy.

Niewątpliwie głupim figlem losu było polecenie, jakie od swego pracodawcy otrzymał Paweł następnego dnia po pierwszym spotkaniu z Marią. Zaklął w duchu dość szpetnie, zadzwonił do niej, by odwołać umówiony spacer nad Odrą, spakował manatki i pojechał do Bilbao w Hiszpanii. Tam w stoczni czekał na przedstawicieli armatora statek o wdzięcznej, romantycznej i botanicznej nazwie „Lily of the Valley", czyli „Konwalia", świeżutko zbudowany i pełen usterek, które należało odszukać i usunąć. Miał się tym zająć zupełnie ktoś inny, jednak podczas gdy załoga Pawła urlopowała sobie spokojnie, ich „Stokrotka" padła na posterunku pracy z powodu uszkodzenia wału śrubowego i wylądowała w suchym doku. Armator podjął tyleż męską, co nieoczekiwaną decyzję o przeniesieniu załogi w całości na nowo zbudowaną jednostkę. Paweł i jego szef udali się do Bilbao. Spacer z Mareszką odsunął się na odległość przynajmniej kilku tygodni.

Trochę jej było żal, ale w sumie nie przejęła się tym specjalnie. Dopóki nikt nią nie rzucał o kolumienkę, była, jak wiemy, bardzo cierpliwą osobą.

Sasza zadzwonił raz, upewnił się, że Maria ma jego adres elektroniczny, więc może mu wysłać tłumaczenie „Koni", i pogrążył się w niebycie. Być może temperamentna Hanka mogłaby o tym coś powiedzieć. A może po prostu leczył strzaskaną goleń i cierpiał w milczeniu.

Maria pracowała spokojnie u pana Stefana, bardzo sobie chwaląc tę pracę, nader często przerywaną balkonowymi kawkami i posiedzeniami przy poobiednich deserach. Pan Stefan lubił rozmawiać ze swoją gosposią (nigdy, nawet w myślach, nie nazwał jej służącą, że już nie wspomnimy o kuchcie, garkotłuku czy miotle wyścigowej, którym to wdzięcznym mianem obdarzyła ją kiedyś panna Ksenia Pultokówna). Z wielką przyjemnością, twierdząc, że wiedzy nigdy dość, zgłębiał tajemnice sztuki translatorskiej – nie tylko na przykładzie owych „Koni", które poruszyły go do głębi, ale i innych wierszy, które mu Maria przyniosła i które szczegółowo omówili. Miał o niej coraz lepsze zdanie i z przyjemnością stwierdzał, że sam cieszy się coraz większą jej sympatią.

Któregoś dnia zastała go przy pisaniu listu.

– A co pana tak wcześnie zerwało? – spytała, kiedy odbierał od niej zakupy i stawiał na stole w kuchni. – Robótki przed śniadaniem? To niezdrowo.

– A tak mnie jakoś dzisiaj wcześnie wyrwało z łóżka, wczoraj dostałem pocztę i nie przeczytałem, bośmy się zagadali, to dzisiaj rano się do tego wziąłem. I okazało się, że przysłali mi wiadomość ze Stowarzyszenia „Karta", że jestem u nich zarejestrowany jako jeniec wojenny z obozu w Szepietówce. Podali adres archiwum wojennego w Moskwie, gdzie też powinienem być na liście jeńców. No to napisałem do Moskwy i teraz jestem ciekaw, czy odpiszą. U nich jeszcze wciąż mentalność bolszewicka podobno, chociaż ustrój im się zmienił; tak mi napisał konsul generalny nasz, ze Lwowa. Dla pani pewnie te wszystkie historie to bajki o czarnym ludzie, co?

– Nie da się ukryć – roześmiała się Maria. – Kompletna abstrakcja. Nigdy nie miałam zacięcia historycznego, ku rozpaczy mojego taty. Tata jest historykiem. Ja grzebię w tej mojej literaturze, ale od strony teoretycznej, a historia to jak cię mogę... Ale teraz, skoro już znam kogoś, kto w tym wszystkim uczestniczył na żywca, to może mi się jakaś klapka w mózgu otworzy. Zrobię śniadanie i opowie mi pan, gdzie pana przyłapali i za co.

– Przyłapali mnie na obronie Lwowa w trzydziestym dziewiątym roku, droga pani. Opowiadałem, jak byłem w Korpusie Kadetów?

– Tak, tylko wtedy opowiadał pan raczej o balangach do rana...

– Balangi to już na studiach. Jako kadet byłem za młody na balangi. Kobiety wcale nie były jeszcze na rozkładzie i nie bardzo wiedziałem, po co one właściwie są... poza obowiązkami domowymi. Coś niecoś się słyszało, ale nic pewnego. Ale kiedy się zaczęła wojna, wziąłem udział w wojnie. Właśnie w obronie Lwowa, była taka kompania kadecka z bronią, jest o tym wzmianka w książce „Lwów 1939". Czytała pani? Nie, bo pani niehistoryczna. Dobrze. Liczyłem sobie wtedy piętnaście lat, ale to nie miało znaczenia dla oswobodzicieli. Grunt, że mieliśmy mundury na sobie, znaczy: żołnierze. Oczywiście, staraliśmy się uciec i dotarliśmy koleją do Zdołbunowa, i tam nas zgarnęli, kilku kadetów. Pani Mareszko, ja bym chętnie ten twarożek ze śmietaną... i kawę dzisiaj też ze śmietanką.

Maria postawiła na tacy talerzyki z różnymi smakołykami i zaniosła na balkon, który stał się już normalnym miejscem śniadaniowym, o ile tylko nie padało lub nie wiało zbyt mocno. Myślała o młodym kadecie, który walczył z bronią w ręku, i porównywała go w myśli z młodym Pultokiem, Białą Siłą, który w ciemnym parku skopał nieznajomego człowieka właściwie dla zabawy. O ile to był młody Pultok – skarciła siebie samą.

Może Kordian jest w tej sprawie niewinny jak dziecko. Tak czy inaczej, i on, i kadet Buszkiewicz są w tym samym wieku. Tylko zainteresowania inne... Oczywiście w czasach kadeta Buszkiewicza byli i tacy jak Kordian, zawsze są. Ciekawe, jak zachowałby się Biała Siła, gdyby okoliczności postawiły go w takiej sytuacji jak kadeta B.?

– Zgarnęli was i co?

– Zgarnęli i obiecali, że wszyscy pojadą do domów, czekamy tylko na podstawienie pociągu. Tam na dworcu koczowało kilkuset żołnierzy pilnowanych przez sowieckich bojców. Wieczorem skład rzeczywiście podstawiono, Ruscy wszystkich nas wpakowali do wagonów, cały czas zapewniając, że będą rozwozić do domów. Jednym pociągiem ludzi z całej Polski... Pojechaliśmy na stojąco, bo było strasznie ciasno, całą noc, a rano otworzono wagony, a na budynku stacyjnym stoi napis: Szepietówka.

– Bał się pan?

– Tak sobie. Myśmy wtedy jeszcze wierzyli w konwencje genewskie i przyzwoite traktowanie jeńców wojennych. Ale nam się rzeczywiście nic złego nie stało. Zagnali nas do koszar, świeżutko opuszczonych przez sowieckich żołnierzy, którzy poszli wyzwalać spod knuta kapitalistów bratnie narody ukraiński i polski. Takich koszar to ja w życiu nie widziałem: prymityw i nędza. Spaliśmy na słomie, a słoma była rozścielona wprost na podłodze betonowej, w towarzystwie sowieckich wypasionych wszy, które zostały po ostatnich lokatorach. Jako umywalnia służyła nam studnia na placu apelowym i koryto drewniane. Jedna kuchnia, jeden kocioł, jedna chochla, którą wydawano zupkę dla tysiąca dwustu żołnierzy jeńców. Nawet smaczna była, chociaż licha. Okazałym budynkiem w tym całym bałaganie był sraczyk, za przeproszeniem pani, zbiorowy, wieloosobowy, bez żadnych przedziałków. Służył nam jako miejsce spotkań i forum dyskusyjne. To właściwie średni temat śniadaniowy...

– Ja nie jestem obrzydliwa – oświadczyła Maria. – Długo tam byliście?

– Uciekliśmy po miesiącu, przy pomocy naszych lekarzy oficerów, a oni wszyscy zostali wymordowani w Katyniu.

– Mój Boże...

– No właśnie, mój Boże. Ale z drugiej strony to było, przeszło, człowiek pamięta tylko wesołe strony tej przygody.

– Nienawidzę wojny – powiedziała Maria w zamyśleniu. – Gdybym miała syna i miałabym go na przykład posłać do powstania, czyli na pewną śmierć, bo nasze powstania były raczej beznadziejne... zrobiłabym wszystko, żeby nie poszedł. Te obrazki Grottgera, te wszystkie matki Polki i żony Polki, i narzeczone Polki, co to zakładają facetowi ryngraf z Matką Boską i żegnają bez protestu kandydata na nieżywego bohatera... dla mnie to wbrew naturze. Może dlatego, że my, kobiety, na ogół chronimy życie, chociaż teraz i to się zmienia. Wie pan, dla mnie świat się przewrócił, jak w tej szkole, w Biesłanie, kobiety zabijały dzieci. Kobiety! One powinny być matkami, dawać życie, a nie zabijać dzieci! Mam wrażenie, że od tamtego dnia już nic na świecie nie jest takie, jak było. Kurczę, przecież życie jest tylko jedno i jakie mamy prawo odbierać je innym?

Były kadet lwowski i akowiec słuchał uważnie, powoli kiwając krótko ostrzyżoną siwą głową. Uśmiechnął się do swojej rozmówczyni i uśmiechnęły się też jego oczy.

– Myśmy wtedy tak nie myśleli. Byliśmy młodzi. Tak się ułożyło i już. Proszę mnie zrozumieć: ja nie mogę całe życie opłakiwać tych moich kolegów, którzy zginęli, bobym nie miał energii na własne życie.

– A co pan później robił, jak pan zwiał z tej Szepietówki?

– Jeszcze do czterdziestego pierwszego roku siedziałem w sowieckim raju, to tu, to tam, ale z tego okresu pamiętam głównie to, że byłem stale głodny i to uczucie jakoś przesłaniało wszystkie zdarzenia. A potem przedostałem się do Polski i oczywiście wylądowałem w AK.

Tu starszy pan przymrużył oczy i zaczął chichotać. Maria spojrzała na niego pytająco.

– Wie pani, że po wojnie wybierałem się studiować w szkole morskiej w Gdyni, bo mi się strasznie podobał „Dar Pomorza" i koniecznie chciałem na nim pływać. Ale mnie pogonili, właśnie za groźną dla kraju służbę w AK, no i pochodzenie miałem fatalne.

– Bezet?*

– Bezet jak cholera. A z tego AK, to muszę pani powiedzieć, że najbardziej wbiły mi się w pamięć nie walki i te rzeczy, bohaterstwo, tralalala, tylko parę takich drobiazgów, na przykład jedno śniadanko... to á propos naszego pysznego śniadanka... w Puszczy Kozienickiej na kwaterze we wsi. Dostaliśmy z kolegami michę jajecznicy, do tego kilka butelek bimbru, siedemdziesiąt procent... miód i śmietanę do popicia. Co ja pani będę mówił, wszyscy siedzieliśmy za stodołą, zamiast maszerować na akcje. Chyba zjem jeszcze jedną bułeczkę z tym twarożkiem.

– Smacznego – zaśmiała się Maria. – A w ogóle walczyliście?

– Jasne. Mieliśmy broń, amunicję, granaty i jak się trafiała okazja, tośmy tego wszystkiego używali. A może zresztą wezmę chlebek. Ten twarożek jest po prostu niebywały. Co do chlebka... Tam, w tej Puszczy Kozienickiej, jak przychodziliśmy na odpoczynek do wsi, to dla bezpieczeństwa broń i amunicję chowaliśmy w stodole. Kiedyś uznaliśmy, że lepszym schowkiem będzie nieczynny piec chlebowy, jako poręczniejszy. No i zostawiliśmy tam na noc trochę amunicji, na szczęście bez granatów.

---

* Były ziemianin, dla rządu komunistycznego jedna z najgorszych możliwych rekomendacji. Informuję, bo może młodzi Czytelnicy (czki) nie wiedzą?...

– Wiem, co było dalej...

– Właśnie. Gospodyni się wzruszyła, że obrońcy ojczyzny przyszli, i postanowiła napiec dla nas chleba; napaliła w piecu i wzięła się do zarabiania ciasta. Obudziła nas cholerna strzelanina... przerażeni, że to Niemcy, powyskakiwaliśmy przez okna, ale nikogo nie było, tylko babina darła się wniebogłosy, że piec się rozleciał i cosik strasznie w piecu strzylało. Musieliśmy zapłacić za odbudowę pieca, bo naprawiać nie było co. A i tak odchodząc, dziękowaliśmy Bogu, że granaty zostawiliśmy przy sobie, bo inaczej chałupy też by nie było. Nie je pani już twarożku? To ja zjem resztę na deser.

– Na zdrowie. A ja wypiję jeszcze kawę.

Starszy pan szarmancko podał jej cukiernicę, zanim z uśmiechem dobrał się do twarożku. „Śniadanie na trawie" dobiegało końca.

Odkurzając salon, kiedy pan Stefan wspólnie z Makaronem rozłożyli się na kanapie przed telewizorem celem odbycia małego relaksiku, Maria myślała o czymś, co nie dawało jej spokoju.

– Panie Stefanie, śpi pan? – spytała cichutko, ale starszy pan miał oczy otwarte. – Mogę o coś spytać?

– Oczywiście. A ja mogę odpowiadać na leżąco? Niech pani tylko spojrzy na Makarona. Nie mogę teraz wstać, bardzo panią przepraszam. Nie zrobię mu tego.

Istotnie, pies leżał w dużej mierze na ukochanych pańskich nogach, z całą ufnością oparłszy pysk na jednym z ukochanych pańskich kolan. Nie można mu było TEGO zrobić. Usłyszał, że mówi się o nim, otworzył jedno oko i stęknął przerażająco, po czym na powrót zapadł w błogi sen. Koniuszek ogona poruszał mu się leciutko.

– Panie Stefanie, zabił pan kogoś?

– Prawdopodobnie tak – brzmiała spokojna odpowiedź. – Na pewno tak. Ale to nie są dla mnie piękne wspomnienia. Była wojna, a ja byłem żołnierzem. A kiedy wojna się skończyła, postarałem się o tym jak najszybciej zapomnieć. Mówiła pani o tym Biesłanie i o matkach Polkach, ale ja jestem mężczyzną. W pewnych sytuacjach działam tak, jak działają mężczyźni. Co nie znaczy, że wszystko mi się podoba.

Usiadł jednak, co spowodowało wzmożone pojękiwanie niezadowolonego Makarona, delikatnie usuniętego z kolan.

– Niech pani spróbuje na to spojrzeć inaczej – zaproponował. – Niech pani sobie wyobrazi, że ma pani dwóch znajomych, oni są w pani zakochani i pani też serduszko puka, tylko pani nie wie jeszcze, dla którego. I jest wojna, i jeden pani znajomy skutecznie miga się od walki, a drugi mówi „trudno", po czym idzie się bić i narażać życie w tak zwanej słusznej sprawie, znaczy za ojczyznę. A żaden nie jest pani synem, zaznaczmy to, Mareszko, więc zrozumiałe uczucia matczyne nie wchodzą w grę. I teraz, zakładając, że przed wojną do obu pani czuła taką samą miętę, to teraz którego pani wybierze?

– Panie Stefanie, to nie fair. Wykorzystuje pan, że wychowani jesteśmy na „Trylogii"! „Trudno", czyli „nic to"! Kto nie kocha pana Wołodyjowskiego?

– Niech pani zostawi „Trylogię". Niech pani wejrzy w siebie – śmiał się już otwarcie, bo wiedział, że jest górą w tej dyskusji. – No i co pani tam widzi?

– Że ma pan słuszność, oczywiście. Ale to jest okropne.

– Życie czasami jest okropne. A poza tym nie można żyć do tyłu ani zatrzymać się w jednym miejscu i tak zamrzeć na zawsze, umysłowo przynajmniej. Dlatego ja nie lubię wspominać wojny, w sumie wolę moje budowy socjalizmu, a najbardziej lubię dzień dzisiejszy. Dzisiaj jest zawsze. Zawsze jest dzisiaj. Mareszko, śliczna dziewczyno, gdybyśmy stale myśleli o przeszłości i o brudach tego świata, to nie moglibyśmy na nim żyć. A ja lubię życie. Pani przecież też, bo inaczej nie uciekałaby pani od faceta, który nie chciał, żeby pani żyła po swojemu. Mam rację?

– Pewnie tak...

W ostatniej chwili Maria powstrzymała się przed zapytaniem go, czy pozwolił własnej żonie żyć po swojemu. Byłaby to chyba zbyt wielka poufałość.

Powróciła do odkurzania, lecz pan Stefan nie położył się z powrotem. Makaron, wzdychając strasznie, przysunął się i oparł łeb na jego kolanach, a on siedział, wyprostowany, rozmyślając. W telewizorze ktoś się pruł na tematy państwowotwórcze, jednak został niecierpliwym gestem wyciszony.

Już nigdy nie nazwę cię starszym panem – pomyślała Maria, machając ścierką gdzie trzeba. Wychodziło jej z tej całej rozmowy, że tam, gdzie przeszłość nie ma znaczenia, nie ma też znaczenia upływ czasu.

Na kanapie, z pilotem w dłoni i psią mordą na kolanach, siedział młody mężczyzna, zawsze gotów, aby coś przeżyć. Mężczyzna, którego wybrałaby, gdyby naprawdę miała wybierać spośród tych hipotetycznych dwóch.

～

Tego samego wieczoru, przeglądając pocztę, w której były zazwyczaj głównie reklamy banków, funduszy i anglojęzyczny spam, bardzo podejrzany, Maria znalazła dwa maile, które ją ucieszyły.

„Cześć, uciekająca Przyjaciółko – pisał Jacek Brudzyński. – To ja, Twój wierny pomocnik i były sąsiad. Ciekaw jestem, co u Ciebie i jaki masz widok z okna? Bo ja ostatnio mam przed sobą górę. Rozwód formalnie mi się wciąż ślimaczy, ale faktycznie już nastąpił i wyprowadziłem się do Jeleniej Góry. Dostałem pracę w tutejszym szpitalu. Właściwie powinienem napisać, że mam przed sobą góry, bo z mojego okna na Zabobrzu (taki tutejszy Ursynów, zachowując wszelkie proporcje), widzę całe Karkonosze. Całe. Od początku do końca. To bardzo ładny widok. Zamierzam wszystkie wolne chwile spędzać właśnie na ich łonie. Czy góry mają łono? Przyroda ma, a one są wszak częścią przyrody. Może byś zmieniła pole działania na karkonosko-jeleniogórskie? Tu też ludzie mają bałagan i trzeba im posprzątać. Co do Twojego Aleksa, to nie wiem, czy dzwoniłaś do niego, czy utrzymujecie kontakty? Bo on utrzymuje kontakty z niejaką Pati Niewiemjaksięnazywa, która mieszka u niego i jest piękna jak panienka z rozkładówki „Playboya". To znaczy całkowicie zrobiona za pomocą przemysłu kosmetycznego. Jesteś od niej o wiele piękniejsza, o ile pamiętam. Maryś, napisz do mnie długi list, bo jestem tu samotnym misiem, to znaczy, nie udało mi się jeszcze poderwać żadnej pielęgniarki. Nie wierz mi, napisałem tak, bo się samo narzucało. Nie podrywam pielęgniarek. Ale chętnie postawiłbym obiad sprzątaczce, czy co Ty tam robisz za te marne pieniądze. Wpadnij do mnie, pójdziemy sobie w góry, podobno w środku są jeszcze ładniejsze niż z wierzchu, ale nie miałem czasu sprawdzić. Jak przyjedziesz, wystawię sobie L4 na czas nieokreślony. Ściskam Cię i ogólnie życzę szczęścia oraz (jako lekarz) zdrowia. Jacek".

Pati Niewiadomojaka. No tak, ona się tam już gdzieś pętała po imprezie. Może już nadeszła pora, żeby zająć się własnym rozwodem na poważnie. Pati Śmati. Nie żałujemy Aleksowi, niech sobie ma nawet całą drużynę Pati. Po tych kilku miesiącach Maria była już w stanie myśleć przytomnie o tych sprawach. Ciekawe, czy Pati już oberwała, czy ona nie z tych, co mają własne zdanie.

Noo, bądźmy sprawiedliwi. Maria zaczęła mieć własne zdanie w czwartym roku małżeństwa. I to pod koniec. Może biedna, niemądra Pati tak samo kocha uroczego, czułego, namiętnego Aleksa, bla, bla, bla.

O, jeszcze jeden list niespamowy.

„Droga Mareszko. Wybacz, że zniknąłem tak nagle. To dlatego, że trzeba było odbierać ten statek, może pamiętasz, wspominałem Ci przez telefon. „Lily of the Valley", konwalia. Słodko. Będę się czuł bardzo romantycznie na pokładzie, pod warunkiem że stocznia Zamakona pod Bilbao usunie wszystkie usterki, które wykonała, a ja wtedy spokojnie będę co wieczór patrzył w niebo i liczył gwiazdy. Na razie z kolegą c/e (chief engineer, po naszemu pierwszy mechanik) liczymy im babole. Za kilka dni będę miał wolne i albo wtedy przyjadę do Szczecina, albo pojadę do granitowego miasta. Trochę to zależy od Ciebie. Jeśli dasz się zaprosić na kolejną sałatkę do tej świątyni impresjonizmu kulinarnego, to biorę kurs na Szczecin, jak to piszą w książkach dla młodzieży o życiu wilków morskich. Co to ja miałem być? Aborygen Teofil? Nieważne, i tak nie umiem śpiewać".

Jacek zasługuje na długi, porządny list ze sprawozdaniem – pomyślała sobie Maria i szybko odpisała Pawłowi:

„Nie Aborygen Teofil, tylko Maorys Teodor. Teddy Tahu. Bardzo się ucieszę, jeśli zaprosisz mnie na drugą sałatkę. Daj znać, kiedy będziesz. Co to jest granitowe miasto?".

Wysłała list i w tym samym momencie usłyszała głośne trzaśnięcie drzwiami. Zupełnie jakby uruchomiła je kliknięciem myszki. Lila miała temperament, owszem, ale nigdy nie waliła drzwiami tak potężnie.

Może to nie ona?

W przedpokoju przed wysokim lustrem stała osoba jakby do pewnego stopnia znajoma. Elegancka starsza dama, z artystycznie ostrzyżoną czupryną w pięknym odcieniu srebrnogołębiej siwizny. Podobna do Lili, może jakaś siostra cioteczna przyjechała z wizytą?

Zanim Maria zdążyła wystąpić z uprzejmym zapytaniem, osoba przemówiła głosem jak najbardziej Lilianny Bronikowskiej:

– Ja chyba oszalałam!

Dramatycznym gestem rzuciła torebkę na kanapę i padła obok niej.

– Maryś, jak ja wyglądam? Proszę, tylko bez ogródek!

– Bardzo elegancko – powiedziała dyplomatycznie Maria, która zaczynała się domyślać, o co chodzi. – Naprawdę elegancko. Pięknie cię ostrzygli...

– MARYŚ! Przestań! Doskonale wiesz, o co mi chodzi! NA ILE LAT?

– Co, na ile?

– Na ile lat wyglądam?

Zmieniona Lila poderwała się i znowu stanęła przed lustrem.

– Cholera jasna!

W tej chwili zabrzmiał dzwonek do drzwi. Maria poszła otworzyć, podczas kiedy Lila, tyleż wściekła, co zrozpaczona, zamarła przed zwierciadłem, jak ta królowa, która za wszelką cenę chce od niego uzyskać jedynie słuszną odpowiedź.

Róża Chrzanowska i Noel Hart wkroczyli do mieszkania niby dwa promyczki, zadowoleni z życia i rozkosznie uchachani. Róża niosła paczuszkę ciastek misternie zapakowaną i zawiązaną czerwonym sznureczkiem, Noel w jednej ręce trzymał flaszkę tokaju Aszú, bardzo dobrego, w drugiej zaś – wspaniały bukiet piwonii w odcieniu kardynalskiej purpury.

Weszli i zamarli.

– Czy coś się stało, Lilu? – spytała pani Róża z niepokojem.

– Byłam u najlepszego fryzjera w tym mieście – odparła dramatycznie pani Lila.

– Matko święta! – wystraszyła się Róża. – I co?

– I dałam się przekonać, żeby mnie zrobił na siwo! – wrzasnęła jej przyjaciółka z nutą rozpaczy w głosie. – Powiedział, że będę pięknie się prezentować, że wszystkie starsze panie są zachwycone tym odcieniem, a ja mam takie gęste włosy...

– I prezentujesz się pięknie, Lilu – powiedział Noel trochę niepewnie.

– Nie denerwuj mnie, Noelu Hart! – ryknęła w zniecierpliwieniu. – Te jego starsze panie powinny mi były dać do myślenia! Twoim zdaniem na ile lat ja wyglądam z tym siwym łbem?

Noel podniósł oczy ku niebu i zmilczał. Nie zmilczała natomiast Róża. Prychnęła w garść, a potem roześmiała się jawnie.

– Na swoje wyglądasz, kochana, na swoje...

W Lilę jakby piorun strzelił.

– Ale z ciebie żmija! – zawołała, złapała torebkę i wyszła, trzaskając drzwiami.

– Przepraszam – westchnęła Róża, trochę bez sensu, łapiąc oddech. – Nie mogłam się powstrzymać. Ja tam zawsze wyglądam na swoje, tylko że mnie to nie przeszkadza. Gdzie ona poszła waszym zdaniem?

Maria rozłożyła ręce, ale Noel miał pewne podejrzenia.

– Moim zdaniem poleciała do teatru, do swoich koleżanek. Zobaczycie, za dwie godziny wróci i znowu będzie wyglądała na sześćdziesiąt. Albo na pięćdziesiąt pięć. Dajcie tego tokaju, muszę jakoś odreagować wstrząsy. Albo nie, z tokajem poczekamy na Lilusię. Maryś, masz jakieś wino w domu?

Dwie i pół godziny później, kiedy Róża i Noel bez mała szykowali się do wyjścia (pozwolili się przedtem Marii ograć w remika), drzwi po raz kolejny otwarły się z hukiem. Lila tym razem promieniała. Doskonale przez poprzedniego mistrza ostrzyżona głowa płonęła teraz soczystą miedzią, przetykaną tu i ówdzie starym złotem. Lila poszła na całość. Znowu miała dopuszczalne pięćdziesiąt pięć. No, pięćdziesiąt sześć. Można było otworzyć tokaj.

~

Pan Stefan siedział o poranku na balkonie, z wiernym Makaronem u stóp, z kawą, którą sam sobie zrobił, czekał na przyjście Marii i martwił się. Mijał miesiąc, odkąd do jego domu weszła nietypowa gosposia do wszystkiego, a zapowiadała przecież, że dłużej niż sześć tygodni nie zamierza u nikogo pracować, więc pewnie niebawem odejdzie.

I co on wtedy zrobi?

Martwił się też Gienkiem, który wyraźnie czuł się coraz gorzej. Nawet genialny doktor Grabski rozkładał ręce i mówił, że umie leczyć tylko choroby, starości leczyć się nie da. Wyglądało na to, że trzeba się będzie żegnać z przyjacielem. Alergen odchodził godnie, nie skarżąc się i nie narzekając na los. One tak mają – pomyślał pan Stefan. Koty. Bardzo dużo godności osobistej.

– Chciałbym kiedyś odejść jak kot – powiedział dość ponuro przy śniadaniu, kiedy Maria stawiała przed nim talerzyk optymistycznej jajecznicy z drobno posiekanym szczypiorkiem. – Ale nie wiem, czy mi się to uda. W każdym razie będę się starał.

– Dlaczego pan mówi o odchodzeniu, kiedy mamy taki śliczny dzień?

– Myślałem o Gienku. Dzisiaj już się prawie nie ruszał. Nienawidzę tego.

Nie wyjaśnił, czego właściwie nienawidzi, i zabrał się do jajecznicy i szczypiorku. Maria nie nalegała na dodatkowe wyjaśnienia. Ale rozmowa jakoś im się nie kleiła tego poranka.

W południe, kiedy pan Stefan był na spacerze z figlującym radośnie Makaronem (wielka pociecha w obliczu stanu biednego Alergenka), zatelefonował ojciec Marii.

– Tak dzwonię, Mareszko, kontrolnie. Trochę się o ciebie martwimy z mamą...

– Rodzice po to są, żeby się martwili – roześmiała się córka.
– U mnie wszystko w porządku, tato. Nic się nie bój. Zapuszczam korzenie w Szczecinie. Da się tu żyć.

– Wiesz, tak naprawdę to mama chciała z tobą porozmawiać, oddaję słuchawkę.

– Halo, halo – odezwał się natychmiast głos matki.
– Marysia?

– Jestem, mamusiu. U mnie wszystko gra i bucy, nie musicie się martwić...

– Chciałam cię spytać, czy uregulowałaś jakoś swoje sprawy domowe. Przecież tak nie można traktować człowieka... dzwonił do mnie, wiesz? I skarżył się na ciebie.

– Kto się skarżył? Aleks?

– No tak. Zostawiłaś go bez słowa pożegnania, on został taki zawieszony w powietrzu, nie wie, co dalej robić, na co może liczyć z twojej strony...

– A to biedaczek. Spokojnie, mamo, ja już dojrzewam do złożenia pozwu rozwodowego. Aluś będzie miał wszystko załatwione.

– Maryś... a nie myślałaś o tym, żeby się z nim pogodzić? Mówił mi, że czuje się bardzo samotnie w tym wielkim mieszkaniu; jak przychodzi z pracy wieczorem, nie ma do kogo ust otworzyć... Może źle go oceniłaś. Na pewno źle go oceniłaś, córko. To dobry człowiek, tylko zagubiony.

– Mamo, następnym razem jak do ciebie zadzwoni, spytaj go, czy na pewno nie wystarcza mu towarzystwo panny Patrycji, nie wiem, jak się nazywa. I błagam, nie namawiaj mnie, żebym do niego wróciła, przecież już nawet tata się poddał!

W telefonie na moment zapadła cisza, a potem matka wybuchnęła:

– Ja bym się może i nie czepiała, Marysiu, ale przecież ty nawet pracy porządnej nie masz! Ty sobie nie radzisz bez niego, ot co. Taka jest prawda i nie masz co się oszukiwać.

– On ci to powiedział? Że sobie nie radzę? Przecież radzę jak najbardziej. Pracuję i zarabiam na siebie, i od nikogo nie jestem zależna. To całkiem przyjemny stan...

– Ale co to za praca? Ludziom po domach sprzątać? Obiady gotować? To już byś lepiej za granicę wyjechała...

– Żeby tam sprzątać i gotować? Oj, mamuś, a jak Dorota wyjeżdżała, to ją prawie wyklęłaś!

– Ona nie jechała pracować, tylko zrobiła mi na złość z tym swoim mężem! Ale tak, wolałabym, żebyś sprzątała za granicą, to przynajmniej nie jest wstyd!

– Za granicą nie wstyd, a tu tak? Tutaj też nie wstyd, mamuś. Praca to praca. Słuchaj, ja właśnie jestem w pracy i nie mogę tyle gadać...

– Zabraniają ci? Traktują jak pomiotło?!

– Nie pozwoliłabym na to, mamuś. Ale nic z tych rzeczy. Mnie po prostu nie wypada w pracy tak długo rozmawiać. Zadzwonię wieczorem, chcesz? Pogadamy spokojnie.

– Nie chcę – powiedziała z goryczą matka. – Czemu mnie Bóg pokarał takimi córkami, to nie wiem.

– Pa, mamuś. Ucałuj tatę. Na razie.

No proszę. Biedny Aluś. Sierotka. Maria przysiadła na balkonowym foteliku i zapatrzyła się na port. Facet, którego kiedyś bardzo porządnie kochała. Facet, który jest już bezapelacyjnie przeszłością. Mario Strachocińska, czy naprawdę nie kochasz już swojego męża?

Ano nie.

A zatem chyba rzeczywiście najwyższy czas zacząć porządkować życiorys.

Podniosła się i poszła sprzątać sypialnię pana domu. Czas na zmianę pościeli, zważywszy, że oba ulubione zwierzaczki mają zwyczaj towarzyszenia panu w odpoczynku. Teraz też na samym środku kołdry leżał zwinięty w kłębek Alergen i spał w najlepsze. Trzeba będzie mu przerwać ten słodki sen.

Maria stanęła przy łóżku i przyjrzała się kotu. Dotknęła ostrożnie pasiastego futerka.

Serce jej się ścisnęło.

Tego snu nie da się przerwać.

Z przyczyn niezrozumiałych dla siebie samej – bo kto tak płacze po cudzym kocie? – Maria nie mogła powstrzymać się od łez. Stała nad Alergenem, a one same leciały jej po policzkach. Zakryła twarz rękami i rozszlochała się na dobre.

– Niech pani już tak nie płacze. Nie trzeba.

Chlebodawca, który wrócił właśnie ze spaceru, ujął ją za ramiona, odwrócił od łóżka i przytulił. Jeszcze przez jakiś czas nie mogła się uspokoić, a on nic nie mówił, stał wyprostowany, wdychając zapach jej włosów i pozwalając, aby czarne łzy spływały na jego jasnobrązową zamszową kurtkę. Uspokoiła się wreszcie i zobaczyła rozmiar ruiny, którą spowodowała.

– Boże, zniszczyłam panu kurtkę, przepraszam najmocniej. Proszę mi ją dać, spróbuję szybko odczyścić...

Wypuścił ją z objęć jakby z pewnym żalem.

– Niech się pani nie przejmuje kurtką.

– Może się uda...

Zdjął kurtkę, a ona pobiegła z nią do łazienki. Efekty jej starań okazały się raczej marne.

Wróciła do sypialni i zastała pana Stefana siedzącego na łóżku. Na jej widok podniósł się i uśmiechnął niewesoło.

– Przepraszam pana za ten atak histerii i za kurtkę. Wymaga, niestety, pralni chemicznej. Wezmę, jak będę wracać do domu. A co zrobimy z Gienkiem?

– Zawiozę go gdzieś do lasu i pochowam. Wiem, że to nielegalne, ale mam to w nosie. Według przepisów powinienem go oddać do utylizacji. Wyobraża to pani sobie? Oddać przyjaciela do utylizacji!

– Widziałam w szafie taki karton od butów, duży, powinien się nadać.

– Poszukam mu jakiegoś kocyka na drogę.

Po kilku minutach Gienek był owinięty w ciepłą chustę pozostawioną na dnie szafy przez panią domu i ułożony w pudle od damskich kozaczków. Pan Stefan wyciągnął ze schowka saperkę, którą woził każdej zimy w bagażniku, mruknął coś niewyraźnie, wziął pudło i wyszedł.

Nie było go do osiemnastej, ale Maria nie pojechała do domu. Czekała na niego z obiadem, a kiedy wrócił, znękany i smutny, zmusiła go do zjedzenia talerza gorącej zupy.

– Nie powinniśmy przesadzać z tym żalem – powiedział ponuro, chyba nie bardzo wierząc we własne słowa. – Obiektywnie biorąc, Gienio miał dobre życie i jak na kota żył długo...

– Gdzie go pan pochował?

– Pod płotem u jednego zaprzyjaźnionego leśniczego w Puszczy Wkrzańskiej. Czasem tam bywam, więc będę go odwiedzał. Nienawidzę tego.

– Odwiedzania? – nie zrozumiała do końca.

– Śmierci. Wie pani, co jest największą zmorą starości? Śmierć. Ale nie własna, nie. Śmierć bliskich i przyjaciół. Kiedyś próbowałem policzyć tych moich wszystkich, których kochałem i którzy mi poumierali... wyszło koło trzydziestu osób. Wyciągnąłem wnioski i ostatnio zaprzyjaźniam się tylko z dużo młodszymi od siebie, żeby mieć gwarancję, że mnie nie odumrą. Jak to dobrze, że pani jest taka młoda.

❧

– Maryś, Maryś! Mam dla ciebie dwie oferty!

Pani Lila wpadła do domu jak burza i z impetem cisnęła torebką o kanapę.

– Chyba ci się przydadzą, bo coś mi się wydaje, że nie miałaś żadnych nowych, w każdym razie nie mówiłaś. Spotkałam całkiem przypadkiem kolegę mojego nieboszczyka tatusia, to bardzo wybitny lekarz ginekolog i rodzinę ma całą w zawodzie, synowie dwaj i córka, mają taką ogromną willę dwurodzinną na Pogodnie, a właściwie trzyrodzinną, bo mieszkają tam dwaj synowie z żonami i dziećmi, a rodzice też, w takiej przybudówce, dosyć wypasionej. Spotkaliśmy się po prostu na ulicy, oglądałam wystawę w księgarni i ktoś przy mnie stanął, i też oglądał, podnieśliśmy głowy i okazało się, że to on. On był właśnie umówiony z żoną w „Castellari" na lodach, zaprosił mnie też, no i pogadaliśmy sobie. Powiedziałam im, że mam taką znajomą gospodynię idealną, hehe. I ta jego żona, jak zwykle przytomniejsza od męża, przypomniała sobie, że obie synowe ostatnio narzekały, że już sobie nie radzą z domem, i mówiły, że muszą jakąś panią zatrudnić, tylko przecież nie wezmą kobiety z ulicy, muszą mieć kogoś zaufanego. Rozmawiała z nimi przez telefon, przy mnie, i one są zainteresowane. Twojej ceny się nie boją, tylko mają nadzieję, że będziesz pracowała u nich jednocześnie, to znaczy jeden dzień u jednej, drugi u drugiej, bo to są w gruncie rzeczy dwa mieszkania. No. Reszta należy do ciebie.

Wygłosiwszy to przemówienie, pani Lila padła na kanapę obok torebki.

– Bardzo ci dziękuję, Lilu – powiedziała Maria trochę niepewnie. – Rzeczywiście, nie miałam planów, a zostały mi jeszcze dwa tygodnie u pana Stefana... Jakoś nie myślałam, co dalej.

Trudno jej było się przyznać, nawet samej przed sobą, że wcale nie ma ochoty na żadną zmianę pracy. W końcu jednak, jako osoba generalnie prawdomówna, skapitulowała.

– Wiesz, Lilu, tak się zastanawiałam, że właściwie to tylko krowy nie zmieniają poglądów, a teraz jest mi bardzo dobrze. I mam o wiele mniej roboty. Bo sama rozumiesz, co innego cały dom na głowie, a co innego jeden samotny pan.

Nie powiedziała „starszy pan". Nie myślała już tak o swoim chlebodawcy.

Nie mogłaby go teraz zostawić, tak zaraz po śmierci biednego Alergena.

Lila spojrzała na nią bystrym oczkiem. Maria powiedziała ostatnie zdanie podejrzanie miękko. Gdyby ten jej cały chlebodawca nie był takim starym grzybem... ile on ma? W każdym razie jest po osiemdziesiątce! No więc gdyby nie to, podejrzewałaby swoją młodą przyjaciółkę, że się w nim podkochuje!

∿

– Czemu pani taka zamyślona, Mareszko? Że zapytam oryginalnie?

Pan Stefan siedział w głębokim fotelu z książką w ręce i Makaronem oplatającym mu nogi. Basset spał i chrapał wniebogłosy, a od czasu do czasu wzdychał przeraźliwie, budził się na moment i znowu zasypiał. Jego pan raczej trzymał książkę w dłoni, niż ją czytał. Obserwował Marię krzątającą się w milczeniu po obszernym salonie.

– Pan czyta. Ja pracuję. Poza tym myślę o czymś intensywnie.

– No właśnie, o to pytałem. Ale jeśli nie chce pani mówić, to nie. Niech pani dalej lata z tą miotłą, a ja zrobię kawy. Albo herbaty. Na co pani ma ochotę? Powinna pani sobie zaordynować małą przerwę, behape tego wymaga.

Maria bez słowa skinęła głową. Niezadowolone mamrotanie Makarona świadczyło o tym, że pan bezceremonialnie pozbawił go podpórki pod rozespanym pyskiem.

– Bardzo dziękuję, dobra kawka. Nawet miałam ochotę, ale byłam w szale pracy. Przepraszam, że dzisiaj tak burczę. Doszłam do wniosku, że najwyższy czas wszcząć kroki rozwodowe. Tak to się chyba nazywa, nie?

– Tak mi się zdaje, chociaż ja się nie rozwodziłem. A mojej żonie już chyba nie będzie się chciało z tym wygłupiać. No to potrzebuje pani adwokata, Mareszko.

– Właśnie. Nie zna pan jakiegoś?

– Znam nawet kilku, ale po namyśle żadnemu z nich bym pani nie powierzył. Może ta przyjaciółka, u której pani mieszka? Albo jej przyjaciele? Na pewno mają kogoś godnego zaufania. Opowiadała mi pani o tej dyrektorce szkoły. Ona nie ma przypadkiem męża notariusza? Notariusz musi mieć koleżków adwokatów, cudów nie ma.

– Chyba są – mruknęła Maria. – Jakim cudem sama tego nie skojarzyłam?

– Zbyt intensywnie pani o tym myślała. To co, problem z głowy? Bo mnie też dręczy jedno pytanie, które chciałbym pani zadać...

Maria podniosła głowę znad filiżanki. Pan Stefan wpatrywał się w nią intensywnie jasnymi oczami w otoczce zmarszczek.

Takie zmarszczki ma się nie tylko od starości – pomyślała. Od śmiechu też. On ma przede wszystkim od śmiechu.

– Niech pan pyta.

– Czy naprawdę chce mnie pani rzucić za dwa tygodnie?

– Takie przyjęłam zasady...

– Ma pani już kandydatów na szczęśliwych chlebodawców?

– Mam.

Jej obecny chlebodawca zacisnął usta i nie powiedział już nic. W tej chwili – zupełnie jak pani Lila, kiedy oddała się w ręce nieodpowiedniego fryzjera – wyglądał na swoje lata. Marii wydało się to trudne do zniesienia. Do diabła z medyczną familią, na pewno znajdą sobie inną świetną gospodynię. Może nie tak świetną jak ona... tralala, sprawdziła się już i wie, że jest świetna... ale prawie.

– Panie Stefanie, czy pańskie pytania oznaczają, że chciałby mnie pan zatrzymać na dłużej?

Lata jakby zaczęły się cofać.

– A co niby, do diabła, miałyby oznaczać?

– Prawdę mówiąc, myślałam, czy by nie zmienić chwilami zasad. Podobno tylko krowy nie zmieniają poglądów...

Lata poszły sobie precz.

– No to chyba już pani wie, jaką metodą przyprawić mnie o zawał. Mareszko, nie wyobrażam sobie, że mogłaby pani zostawić mnie na pastwę losu z mopem i żelazkiem do prasowania na pociechę! Jestem tylko starym, egoistycznym piernikiem, ale chyba się w pani zakochałem. Niech się pani nie boi, platonicznie. Ja już tylko platonicznie...

– Podobno dzisiaj medycyna czyni cuda. Przepraszam, nie mogłam się powstrzymać...

Pan Stefan śmiał się serdecznie i ku oburzeniu Makarona znowu wstał z miejsca, a już się psisko zdążyło zainstalować na jego stopach.

– Rozumiem. Ja też nie wytrzymuję, kiedy ktoś się podkłada. Mareszko, czy ja mogę już spać spokojnie? Czy ja mogę panią uściskać?

Uściskał ją, w rzeczy samej, omal nie wylewając jej kawy przy tej okazji. Nie protestowała. Przeciwnie, sprawiło jej to przyjemność. Pachniał tym swoim *Paco Rabanne pour Homme* i chyba był naprawdę wzruszony, bo lekko drżał.

To jakieś wariactwo – myślała o tej sytuacji, jadąc po pracy do domu. Facet skończył osiemdziesiąt dwa lata. Ona się do niego przytula z własnej, nieprzymuszonej woli i to wcale nie jak do tatusia albo, kurczę, dziadka – i ma z tego przyjemność! Przytula się do mężczyzny, nie do żadnego dziadka!

Zadzwoniła jej komórka.

– Tak?

– To ja, Mareszko, Paweł, marinero. Jestem w Szczecinie, u Saszy. Możesz rozmawiać?

– Średnio, bo jadę.

– Zadzwonić później czy może się spotkamy?

– Teraz? Dobrze, jadę do „Vincenta". Cześć.

Podrabiany Maorys czekał w patio restauracji. Miał dla niej czerwoną różę. Widziała dziewczynkę z koszem takich, kiedy szukała miejsca do zaparkowania. Trwało to długo chwilę, bo Tkacka była zapchana do granic możliwości. Udało jej się jakoś i teraz siedzieli w kącie, naprzeciw siebie, przyglądając się sobie z uwagą.

– Jesteś jeszcze ładniejsza, niż cię zapamiętałem – strzelił okropnym banałem Paweł Marinero, prezentując uśmiech z udziałem dołeczków w męskich policzkach. Wciąż rozśmieszały one Marię jako element dziwnie wyglądający w jego pociągłej twarzy.

– A ty nadal wyglądasz jak Teddy Tahu. Szkoda, że nie śpiewasz tak jak on.

– Nie szkoda, bo siedziałbym teraz w La Scali, a wolę tutaj. Co u ciebie słychać?

– Nic, pracuję. A jak twój statek?

– Konwalijka? Poprawiają ją bracia Hiszpanie. Mają co robić, bo nastrzelali całkiem sporo baboli. Ale generalnie w porządku. Większy niż „Daisy" i bardziej nowoczesny. Moi szefowie będą mnie jeszcze bardziej lubić, bo cały wypchany elektroniką. Ogólnie mam się czym bawić.

– A szczególnie?

– Chcesz parę szczegółów? Proszę bardzo. – Paweł śmiał się, a Maria pomyślała, że sympatyczny jest facet, który śmieje się całą twarzą. – Posłuchaj uważnie: mamy na statku napęd zwany w skrócie diesel-elektrykiem. Polega to na tym, że cztery elektrownie produkują około trzech megawatów prądu zmiennego, przy maksymalnym poborze. Prąd kablami transportowany jest do konwertera, gdzie ma zmienną charakterystykę napięcia i częstości, co daje z kolei możliwość regulacji prędkością obrotową i mocą elektrycznego motoru asynchronicznego klatkowego. Ten silnik napędza zespół śrub okrętowych na obrotowej i kątowej przekładni zwanej od firmy niemieckiej schottelem. Taki obracający się zespół jest jednocześnie sterem i napędem. Sama rozumiesz, że to wszystko wymaga dużej ilości automatyki i elektroniki.

– Rozumiem. – Teraz ona śmiała się serdecznie; oczywiście nie rozumiała prawie nic, poszczególne słowa, a i to nie wszystkie. – Już mi nie musisz opowiadać o szczegółach, tylko powiedz, czy to też ratownicza jednostka, jak „Daisy"?

– Nawet więcej. Nasza „Lily of the Valley" jest multirollem, czyli łączy suppliera...

– Dostawczy?

– Tak. Z ERRV, pamiętasz, emergency, ratunkowy. Mamy daughter crafta, czyli dużą krytą łódź patrolową, i możemy obsługiwać dwie wieże jednocześnie.

– A duże toto?

– Sześćdziesiąt metrów. Kawał statku, moja droga.

– Jestem z ciebie dumna. Nie śmiej się. Naprawdę Nigdy nie znałam nikogo takiego jak ty. W ogóle nie wiedziałam, że istnieją takie statki, chociaż na logikę coś powinno te wieże wiertnicze obsługiwać. W filmach na ogół latają helikoptery.

– Też się przydają. A co u ciebie? Przetłumaczyłaś ostatnio jakieś piękne teksty do zaśpiewania?

– Sasza nie zgłaszał zapotrzebowania. Czemu się śmiejesz?

– Biedny Sasza jest w rozpaczy i w dodatku nie wie, gdzie oczy podziać. Nie oglądałaś jego strony ostatnio?

– Jakoś nie ruszałam Internetu. Nie miałam nastroju do komputera.

– To może nie oglądaj...

– No coś ty, pierwsze, co zrobię w domu, to zajrzę. A co tam jest? Czemu się śmiejesz, pytam grzecznie?

– Bo widzisz, on lubi mieć uporządkowane życie, a w tym życiu najbardziej mu bałaganiła Hanka. Sasza jest w gruncie rzeczy normalnym facetem, ale Hania umyśliła sobie, że on jest szalony artysta i że te wszystkie twórcze niepokoje nie mają nic lepszego do roboty, tylko go szarpią i szarpią. Jego nic nie szarpało; kiedyś mi mówił, że na scenie duszę i serce może z siebie wydrzeć, a w domu życzy sobie mieć spokój i ciszę. Ty mu się podobasz, bo masz taką łagodną urodę i na tej podstawie on uważa, że charakter też możesz mieć łagodny. Tak mówił. I wzdychał...

– Nie śmiej się, tylko opowiadaj! Hanka słyszała te brednie o mnie?

– Nie wykluczam. Ale to było jeszcze, zanim się do niego dobrała na serio, bo jak już się sprowadziła na Panieńską, to pewnie nie ryzykował takich tekstów...

– Sprowadziła się do niego? I mieszka?

– Już nie mieszka. Cały w tym ambaras. Saszka wytrzymał z nią tydzień i poprosił, żeby wróciła do mamusi. To było akurat pod moją nieobecność, ale wszystko mi ładnie zeznał. Zrobiła mu z domu cyrk i rewię na lodzie. Życzyła sobie nie-ustannych dowodów adoracji oraz permanentnych wzlotów twórczych, a jak Saszy się nie chciało ich dostarczać, wpadała w czarną rozpacz i wykrzykiwała przekleństwa z okna na ulicę...

– Przestań!

– Naprawdę.

– To faktycznie, mógł się zniecierpliwić. I co, wymówił jej chatę z opierunkiem?

– Grzecznie i łagodnie, tak przynajmniej twierdzi, starał się ją przekonać, że nie są dla siebie stworzeni, ale ona miała inne zdanie. Wyrzuciła mu gitarę przez to okno na Panieńską, jego samego chciała zepchnąć ze schodów, ale się przytrzymał poręczy...

– O mamusiu...

– A potem, już u siebie w domu, siadła do komputera, weszła na jego stronę i w księdze gości opisała z detalami swoje współżycie z tym impotentem twórczym i seksualnym... włącznie z rozmiarami jego instrumentu osobistego, jak rozumiem drastycznie zaniżonymi. Napisała też, że ją wykorzystał, poniżył i porzucił.

– Boże... A on to prędko zauważył?

– Dopiero po kilku dniach. On nie ogląda codziennie swojej strony, więc jak już zajrzał, to przeczytał całą dyskusję wielbicielek.

– Skasował to wszystko, oczywiście?

– Tak, ale teraz co chwila dostaje jakieś listy z zapytaniami, jak mógł to zrobić kochającej osobie. Oraz ile centymetrów ma jego fiut.

– No to wpadł strasznie. Żal mi go. Musi przeczekać. Ależ on ma pecha ostatnio!

– Ano ma. A wiesz, że to on prosił, żebym ci to wszystko opowiedział? Uznał, że sam nie może, bo spaliłby się ze wstydu, ale uważa, że powinnaś wiedzieć, co to za ziółko Hanka, żeby w razie czego się pilnować.

– Będę cyniczna, ale tak mi się coś wydaje, że ona nie ciągnie za sobą przeszłości. Raczej znajdzie sobie nową ofiarę. To ty masz powody do obaw, nie ja.

Paweł skrzywił się i odpukał w blat drewnianego stolika. Nie mówił tego Marii, ale przed swoim wyjazdem do Bilbao przeprowadził z Saszą rozmowę zasadniczą, w której wyłuszczył mu delikatnie, co sądzi o jego ognistej flamie. Sasza zbagatelizował sprawę – a trzeba było wierzyć w intuicję przyjaciela!

Maria zażądała teraz opowieści z mórz północnych i z życia statków offshorowych, jej rozmówca więc z błyskiem w oku zagłębił się w falach wielkich jak domy, sztormach przekraczających skalę Beauforta, wypadnięciach za burtę, statkach ratowniczych, supplierach, łodziach FRC i DRC, ich napędach, międzynarodowych załogach offshorów, kompaniach Vroon Offshore, North Star Offshore, Ocean Main Port i innych jeszcze sprawach, których same nazwy przenosiły zasłuchaną kobietę w świat zupełnie jej nieznany, a przez to egzotyczny i pociągający. Maria, która cztery lata spędziła przy mężu jako wzorowa żona i gospodyni wijąca luksusowe gniazdko dla dwojga – poczuła niespodziewanie zew przygody, ryzyka, zimnego północnego wiatru, mórz i oceanów jednym słowem.

Zapewne odezwały się geny po kaszubskim dziadku rybaku.

– Wiesz co – powiedziała impulsywnie – kiedy tak mi o tym wszystkim opowiadasz, czuję się, jakbym z powrotem miała trzynaście lat i czytała Londona, Curwooda, Conrada, Centkiewiczów i całą resztę...

– Czytałaś Conrada jako trzynastolatka? – zdziwił się.

– Nie wszystko rozumiałam, ale czytałam. Odkąd się nauczyłam czytać, moimi książętami z bajki byli Nansen, Amundsen, Scott, Peary. A dziadek mi jeszcze podrzucał jakieś rosyjskie książki, nie pamiętam czyje, o polarnikach, Czeluskinie, dzielnych lotnikach polarnych. Potem dopiero jakoś się przeorientowałam na poezję i moją komparatystykę. A teraz dzięki tobie tamto wraca.

– To dobrze czy źle?

– Myślę, że bardzo dobrze. Trzeba za czymś tęsknić w życiu.

– Rzucisz odkurzacz i pojedziesz na Daleką Północ?

– Raczej nie. Ja nie jestem wyczynowa specjalnie. Może kiedyś pojadę do Norwegii, z wycieczką na fiordy...

Paweł był jakby trochę zakłopotany.

– Słuchaj, Mareszko, à propos odkurzacza. Jest taka jedna dziewczyna, której się nie powiodło w życiu, znaczy jest chora i jeździ na wózku. Mieszka z rodzicami, ale ojciec stale w rozjazdach, a mama niedawno miała jakieś kłopoty z kręgosłupem i jest raczej słaba. Chciałem cię zapytać... czy ty mogłabyś wykroić raz w tygodniu kilka godzin, żeby im pomóc w domu? Ja pokryję twoje honorarium.

No i mleko się wylało. Lipny Maorys ma dziewczynę. Trudno by zresztą przypuszczać, że mógłby nie mieć. Bo i dlaczego? Chce jej pomóc, to ładnie z jego strony. Tylko że ona, Maria, przecież pracuje cały tydzień...

– Nie wiem, Paweł. Ja mam cały tydzień zajęty, musiałabym po godzinach albo w soboty...

Oczywiście wykręcała się, ale nie chciała przyjmować tej pracy.

– Twoi pracodawcy nie odpuściliby ci jednego dnia? Słuchaj, strasznie mi na tym zależy.

Widzę – pomyślała raczej kwaśno, ale zmilczała.

– One sobie jakoś radziły, ale teraz, kiedy jej mama ma ten kręgosłup walnięty i lekarz kazał jej bezwzględnie się oszczędzać, mają problem. A ja nie wiem, skąd się bierze pomoc domową, poza tym nie miałbym zaufania do obcych. Bardzo cię proszę.

– Porozmawiam z chlebodawcą – obiecała wreszcie Maria, ale humor jej się trochę zepsuł. – Wiesz, że ja jestem raczej droga?

– Mówiłaś. Zdaje się, że dwie stówy za dzień? Dam radę.

– To się nazywa praktyczny prezent dla dziewczyny – nie wytrzymała Maria, ale Paweł tylko się uśmiechnął.

– Lucy nie jest moją dziewczyną – powiedział, patrząc bystro w oczy swojej rozmówczyni, jakby chciał wyczytać, czy to był naprawdę jakiś cień zazdrości, czy mu się tylko wydawało. – Chodziliśmy w liceum do jednej klasy, ona już wtedy chorowała, ale dopiero potem jej się wyraźnie pogorszyło. To jest jakiś parszywy zanik mięśni czy coś w tym rodzaju. Lubisz psy?

– Każdy lubi. A co to ma do rzeczy?

– Bo ona ma psa. Takiego pracującego, golden retrievera. Fajne zwierzątko. Bardzo jej pomaga, ale nawet on, chociaż wszechstronnie uzdolniony, nie posprząta i nie ugotuje. Za to kłaków zostawia sporo tu i ówdzie. Zgódź się, proszę.

– Czemu ci na tym tak zależy?

– Bo ja ją lubię. Szkoda mi jej. Chciałbym zrobić dla niej coś pożytecznego. I dla jej mamy też, to bardzo sensowna kobitka. Jak jeszcze chodziliśmy do szkoły, Lucy często chorowała i opuszczała lekcje. Myśmy się wtedy całą paczką zwalali do niej do domu, a jej mama, pani Agata, robiła po prostu wagony jedzenia i takie rewelacyjne kakao, że sobie nie wyobrażasz. Zakładaliśmy tam regularne biwaki. Potem się rozeszliśmy po uczelniach, oboje z Lucy byliśmy na elektronice, a ona potem jeszcze dołożyła sobie informatykę. Jest dobra w komputerach, pracuje w tym, robi strony internetowe.

– Ona ma na imię Lucy? Nie jest Polką?

– Jest, jest. Lucyna. W szkole miała taką ksywę, Zanikająca Lucy, od zaniku mięśni, i tak jakoś zostało. Porozmawiasz tam, gdzie pracujesz?

– Aleś się zaparł. Porozmawiam.

⁓

– Tylko gra w piki daje wyniki!

Pani Róża wydała radosny okrzyk – troszkę bezsensowny, bo razem z Lilą zalicytowały szlemika treflowego – pozostawiła przyjaciółkę na placu boju i popędziła do telewizora posłuchać, jak minister obrony narodowej swoim kojącym głosem z nieskazitelną wymową odpiera jakieś ataki ze strony dwóch polityków opozycji. Lila, zgrzytając zębami, przystąpiła do rozgrywki i mierzwiąc ogniste włosy na głowie, ostatecznie ugrała swoje. Ponieważ zanosiło się na to, że i tak przerżną partię, ogłosiła przerwę na posiłek regeneracyjny i poszła do kuchni doprawiać sałatkę.

– Mam dla ciebie adwokata, Mareszko – oznajmił Noel, rozpierając się w krześle.

– O, bardzo ci dziękuję, mój drogi. – Maria zastanawiała się, jak najuprzejmiej wyrazić to, co musiała powiedzieć. Ach, co tu owijać w bawełnę... – Tylko widzisz, strasznie cię przepraszam, ale ja niespecjalnie lubię...

– Adwokata? – Noel wyglądał na zdziwionego.

– No tak, bo on jest dla mnie za słodki i tak się ciągnie...

Zatrzęsło nią lekko na wspomnienie znienawidzonej „pociągłej" konsystencji i tego jajecznego zapachu, którego nienawidziła. Noelem też zatrzęsło, ale jakby co innego.

– Nie przyniosłem ci likieru, młoda przyjaciółko. Sam tego świństwa nie biorę do ust. Przepraszam was, dziewczynki, jeśli lubicie, a ja ranię wasze uczucia. Mareszko, podobno chcesz się rozwieść i do tego potrzebujesz adwokata. Mecenasa. Prawnika. Papugi... tak to się w Polsce mówi?

– Tylko w niektórych kręgach – roześmiała się z kolei Maria.

– Wasz notariusz ci kogoś znalazł?

– Młodszego kolegę własnego ojca, który dla odmiany jest sędzią. Masz tu, kochana, wszystko zapisane, znaczy telefon, zadzwoń i powołaj się na pana sędziego Brańskiego. I rozwódź się na zdrowie. Ja ci życzę szczęścia, jak wiesz, niezależnie od okoliczności.

– Ty chyba wszystkim życzysz szczęścia. – Róża oderwała się od telewizora, bo z ekranu znikł jej ukochany minister, mogła więc wrócić do grona przytomnych. – Nowoczesne wcielenie świętego Mikołaja. A może świętego Franciszka z Asyżu. On też lubił wszystkie stworzonka.

– Ja mam swojego świętego Patryka – oświadczył Noel. – Ale to, że lubię wszystkie stworzonka, z ludzkimi włącznie, to taka moja taktyka życiowa. Lepiej się z tym czuję. Pomyślcie same, moje piękne kobiety: w ten sposób otaczają mnie wyłącznie ludzie, których lubię...

– Nie wiem, jak się takie rozumowanie nazywa w filozofii – zaczęła Maria, ale nie dane jej było skończyć.

– Ja je nazywam chachmęceniem – orzekła Lila. – Macie tu sałatkę śmietnikową, Marysia mi poradziła, nawrzucałam do kuskusu co popadnie. Groszek, papryka, stary kurczak, ogórek kiszony, pietruszka zielona, cebulka, nie pamiętam co jeszcze. Może nie umrzecie.

❧

– Uczę Makarona podawać łapę – oznajmił pan Stefan, kiedy następnego dnia Maria z dwiema torbami zakupów pojawiła się na Rugiańskiej. – Chcę, żeby panią witał godnie, a nie tylko za pomocą kręcenia tyłkiem.

– I jak wam idzie? – Maria rzuciła zakupy na kuchenny stół i spojrzała na Makarona, zawzięcie kręcącego tyłkiem u jej stóp.

– Nie najlepiej. On nawet pojmuje, o co mi chodzi, i próbuje to wykonać, ale chyba jest za długi i się przewraca. Może symuluje niemożność. Z lenistwa.

– A jakby tak na siedząco?

– Rozjeżdża się.

Maria zaczęła wypakowywać świeże bułeczki i całe mnóstwo innych apetycznych produktów, po które specjalnie zbaczała na niebuszewski rynek. Chlebodawca porzucił nieskuteczną edukację Makarona i przyglądał jej się z przyjemnością.

– Mam sprawę – rzuciła, wstawiając mleko do lodówki. – Panie Stefanie, odpuściłby mi pan jeden dzień w tygodniu?

– Nie – odrzekł natychmiast tonem rozkapryszonego dziecka, ale w oczach miał autentyczny niepokój. – Mareszko, dlaczego? Wydawało mi się, że zaniechała pani obrzydliwej myśli o porzucaniu mnie, więc o co chodzi?

– O dobry uczynek.

– Jestem za stary na dobre uczynki.

– Ale to nie pan ma go wykonać.

– A kto?

– Fizycznie ja, ale za pieniądze jednego mojego znajomego. Co pan woli dzisiaj? Mogą być jajka różne, parówki, owsianka, kanapki...

– Jajka na bekonie, smażone śledzie, fasola i cynaderki – burknął. – Angielski model. Myślałem ostatnio o popełnieniu samobójstwa.

– No, jakby pan to wszystko zjadł na jeden raz, to mogłoby panu wyjść. Zrobię jajka na boczku, a resztę delikatnie. Bułeczka, serek, masło świeże mam. Wie pan, znalazłam na Prawobrzeżu taki sklep z wiejskim żarciem. To masło pachnie jak masło.

– Niech pani robi – westchnął niedoszły samobójca. – Ja nakryję.

Tak się ostatnio między nimi utarło: kiedy Maria szykowała śniadanie, pan i pies zajmowali się stolikiem na balkonie. Maria wstawiła tam trochę doniczek z kwitnącymi pelargoniami cieszącymi tradycyjnym wdziękiem, wielką donicę z małym klonem palmowym o czerwonych liściach, trochę bluszczy i traw, i zamieniła miejski balkon w kwietną oazę. Jeśli tylko słońce nie prażyło zbyt mocno albo nie lał deszcz, pan Stefan przesiadywał tam z upodobaniem, czytając książki lub przyglądając się swojej gosposi krzątającej się po domu.

Usiedli teraz przy zastawionym stoliku i dobrali się do owych jajek od prawdziwej kury i bułek z masłem pachnącym jak masło. Dopiero przy deserowej kawie pan Stefan zażądał szczegółów wiadomej sprawy. Tak to właśnie określił, z lekkim obrzydzeniem: wiadoma sprawa.

– Pewnie i tak pani zrobi, co będzie chciała, ale nich mi się chociaż wydaje, że mam jakiś wpływ na bieg zdarzeń.

– Kiedy to naprawdę taka sytuacja, że warto pomóc. Mam takiego znajomego, marinero, on sam tak mówi o sobie, z Morza Północnego, a on z kolei ma koleżankę szkolną z zanikiem mięśni. Przyjaźnią się od liceum. Tam w domu się nie przelewa, matce tej dziewczyny ostatnio nawalił kręgosłup, przydałabym im się chociaż raz w tygodniu. Ten mój znajomy chce mi normalnie płacić, moją zwykłą stawkę. Mówi, że to nie moja przyjaciółka, tylko jego, a jego stać na taki prezent. Ona ma psa asystenta, ma pan pojęcie? Golden retrievera, na pewno pan zna, śliczne zwierzaki to są. Umówiłam się, że jeśli pan się zgodzi, to w sobotę pójdziemy tam na rekonesans.

Pan Stefan miał dziwną minę.

– Nie smakowały panu jajka?

– Jajka? Smakowały. Mareszko, a jak nazywa się pani znajomy?

– Paweł. Ale nie wiem, jak na nazwisko. Poznałam go u Saszy Winogradowa.

– A jak nazywa się dziewczyna?

– Zanikająca Lucy. To znaczy ma taką ksywkę. Zna ich pan?

Pan Stefan wstał bez słowa i poszedł do pokoju pełniącego funkcję biblioteki i umeblowanego niemal wyłącznie regałami na książki. Pogrzebał wśród znajdujących się tam albumów ze zdjęciami, wyciągnął jedno i przyniósł je Marii na balkon. Twarz podrabianego Teddy'ego Tahu widniała na fotce w całej krasie, razem z uśmiechem i dołeczkami, na tle jakiejś nieostrej zieleni.

– On się nazywa Buszkiewicz, Mareszko. Pamiętam tę jego koleżankę. Biegali do niej całą paczką i uczyli się razem. Całkiem słusznie chce teraz spłacić choć część tego, czym ich wtedy karmiła jej mama. Ta kobieta musiała wydawać fortunę na młodych trutniów.

– Eee, nie byli to tacy znowu trutnie, skoro pracowali tam razem naukowo...

– Chyba nie byli, tak mi się powiedziało. Mareszko, kawa nam wystygła i obecnie jest trująca. Zróbmy sobie świeżą i opowie mi pani, co porabia mój syn.

∾

Z adwokatem, którego polecił notariusz Jerzy Brański ustami swego przyjaciel Noela Harta, Maria umówiła się na siedemnastą trzydzieści. Odnalazła jego nazwisko wśród wielu na starej kamienicy przy Wojska Polskiego i punktualnie o wpół do szóstej, zaanonsowana przez leciwą, siekierowatą i bardzo elegancką sekretarkę, wchodziła do gabinetu mecenasa Maurycego Lufta.

Mecenas podniósł się na jej widok i ukłonił z tą staroświecką gracją, istniejącą jeszcze wciąż wśród przedstawicieli niektórych zawodów. On sam, mężczyzna koło pięćdziesiątki (z tolerancją do pięciu lat w obie strony), miał wygląd profesjonalnie godny i budzący zaufanie. Maria odniosła wrażenie, że już go gdzieś, kiedyś widziała.

– Dzień dobry, panie mecenasie. Nazywam się Maria Strachocińska...

– Kłaniam się pani, wiem, pamiętam, mój szanowny kolega, pan sędzia Brański, dzwonił do mnie. Proszę usiąść, może ma pani ochotę na kawę?

– Z przyjemnością.

Skąd ona zna tego faceta?

Facet giął się w ukłonach, ale nie obrzydliwie przesadnych. W sumie wydał jej się sympatycznym człowiekiem. Bardzo dobrze. O wiele przyjemniej jest opowiadać o swoich traumatycznych przeżyciach komuś miłemu, nawet jeśli to tylko zawodowa poza. Ale przyjaciel sędziego, który jest ojcem notariusza, który jest przyjacielem Noela Harta – wcale niekoniecznie musi być sztuczny w tym względzie! A jednak Maria w pewnym momencie poczuła się nieswojo.

– Nie wiem, czy pan sędzia mówił, o co chodzi?...

– Wspominał o rozwodzie.

– Tak, chciałabym się rozwieść.

– Trochę się pani denerwuje, widzę to. Naprawdę nie trzeba. Może zanim zacznę rzucać w panią różnymi przerażającymi prawniczymi terminami, pani mi po prostu opowie co i jak. Skąd taka poważna decyzja, z pewnością niełatwa, i czy na pewno nieodwołalna?

Maria sprężyła się w sobie i opowiedziała prawnikowi swoją niedługą, ale niewątpliwie dramatyczną historię. Słuchał uważnie, od czasu do czasu wpisując do notesu jakiś nieczytelny bazgroł. Nie okazał tego, ale spodobała mu się ta klientka – rzeczowa, inteligentna, w najmniejszym stopniu nie histeryczka. Jeśli to, co mówi, jest prawdą (założenie, że mogłoby nie być, uczynił wyłącznie z nawyku niedowierzania nawet najsympatyczniejszym klientom), to z pomocą kwitów ze szpitala w Żyrardowie i zeznań tego lekarza da się ją rozwieść w miarę bezboleśnie.

– No a teraz od kilku miesięcy jestem tutaj, pracowałam jako gosposia u jednych państwa, a teraz u samotnego starszego pana...

Tu ugryzła się w język, bo przecież u jednych i drugich pracowała na czarno, ale adwokat nawet okiem nie mrugnął.

– Rozumiem – powiedział. – Dla porządku spytam, czy pani zdaniem wchodzi w grę pogodzenie z małżonkiem?

– Nie – brzmiała krótka odpowiedź.

– W końcu uderzył panią tylko raz... – Tu adwokat poskrobał się piórem w koniec nosa. Minę miał niewinną, ale spoglądał na Marię spod oka.

Zrozumiała i uśmiechnęła się.

– O jeden raz za dużo. Straciłam do niego zaufanie. Skoro jest w ogóle zdolny do uderzenia kobiety... Panie mecenasie, to może jakoś egzaltowanie zabrzmieć, ale ja już go nie kocham i nie mogłabym pokochać. I nie wyobrażam sobie, że moglibyśmy razem żyć. To nie jest człowiek, za którego wychodziłam za mąż. Być może tamtego w ogóle nigdy nie było, a mój Aleks od początku grał kochającego męża, a potem mu się znudziło. Powiem panu coś: nie chcę tego nawet sprawdzać. Nienawidzę przemocy. Nienawidzę presji. Nienawidzę hipokryzji. Jedynym rozsądnym wyjściem jest rozwód.

– A co z majątkiem? Ten loft pod Żyrardowem należał do was obojga, więc w zasadzie powinno się go wycenić, sprzedać i podzielić. Ewentualnie mąż winien panią spłacić. To będą prawdopodobnie wcale przyzwoite pieniądze.

– Wspominałam panu, że wypłaciłam sobie honorarium za pracę domową. Mam w nosie loft i wspólnotę małżeńską. Gdybym wzięła od niego jakieś pieniądze, toby się całe życie za mną wlokło pomylone małżeństwo. A tak, będę je traktowała jako wyjątkowo nieudaną pracę u gościa pod tytułem Aleks Strachociński. Było, minęło, nie ma o czym mówić.

– Rozumiem – rzekł ponownie mecenas Luft. – Rozumiem i szanuję pani decyzję. Pani Mario, nie chcę być hura-optymistą, ale mam wrażenie, że nie będziemy mieli kłopotów z tym rozwodem.

– Bardzo się cieszę. A czy możemy tak się umówić, że jeśli to nie będzie absolutnie konieczne, to ja się z nim w ogóle nie będę kontaktować?

– Tak, możemy tak zrobić.

❧

Jadąc na Panieńską, do Saszy i Pawła, Maria czuła się, jakby była o połowę lżejsza. Mecenas Luft wyglądał na szalenie kompetentnego, był łagodny i uprzejmy, ale podejrzewała, że w razie potrzeby stawał się twardy i nieprzejednany. Jednym słowem taki mały czołg oblany różowym lukrem. Albo inaczej: z wierzchu ptyś, a w środku wóz pancerny Rosomak, czy jak mu tam. Róża może wiedzieć, jej ukochany minister czasem występuje w towarzystwie różnego rodzaju pojazdów wojskowych.

Ptyś. Kurczę, ptyś. Zjadłoby się ptysia. Albo coś innego, ale koniecznie z tej poetyki – dużo kremu, lukier, cukier puder i w ogóle delikates.

Właśnie przejeżdżała obok posągu kondotiera na wielkim koniu – Lila mówiła, jak on się nazywał, niewykluczone że Canelloni... nie, canelloni to jakiś makaron, jadła kiedyś canelloni ze szpinakiem, były obrzydliwe, może raczej Colleoni. Chyba tak. Za moment powinna być jakaś cukiernia... wjechała w prawą odnogę alejki przedzielonej chodnikiem i dwoma rzędami zabawnie obciętych drzew... jest! Maria ostrożnie wprowadziła yarisa na chodnik, gdzie cudem jakimś było miejsce, i zaparkowała tuż przed drzwiami cukierni „Lwowskiej".

Ptysie. Eklerki. Tartoletki z galaretką. Staroświeckie ciastka tortowe! Co się z nią dzieje? Normalnie nie miewa aż tak intensywnego parcia na ciasteczka! Ostatnio tak ją napadło, kiedy okropna baba wlepiła jej niesłusznie mandat za brak kwitu parkingowego, a ona potem musiała natychmiast posilić się gorącą czekoladą i trafiła do „Białego Pudla"...

No tak.

Mecenas Luft – o rany! – to był ten gość, z którym siedziała młoda Pultokówna w kawiarni „Biały Pudel"!...

I drugie „o rany!" – on wie, że Ksenia ma niecałe piętnaście lat??? Jest nieletnia i on może za to zdrowo, za przeproszeniem, beknąć!

Czy ona, Maria, może jakoś mu o tym powiedzieć? Chętnie by to zrobiła. Ale jak?

– Czym mogę służyć? – spytało dziewczę za ladą. Maria z nagłym obłędem w oczach wyglądała jak jakaś szalona miłośniczka marcepanów i bitej śmietany.

– Tak? O, przepraszam, coś mi się nagle przypomniało. Już mówię...

W rezultacie kiedy ucieszony jej widokiem Sasza odpakował kolorowe bibułki, obaj przyjaciele ryknęli zdrowym śmiechem.

– Mareszka, kto to zje?

Misternie ułożone przez panienkę z cukierni stosy ciastek piętrzyły się na stole.

– Miałam ochotę na ptysia – wyjaśniła Maria, powodując nowy atak radości.

– Słyszałem kiedyś taki dowcip – powiedział Paweł, kiedy się wyśmiał. – Sędzia pyta faceta: dlaczego ukradł pan milion dolarów? A facet: wysoki sądzie, byłem głodny...

– No i o to chodzi. Mogę trochę zabrać do domu, moja Lila też lubi słodkie.

– To sobie dzisiaj poje – zauważył Sasza. – Ale tak w ogóle, to bardzo się cieszę, że cię widzę, Mareszko. Jakoś mi ciebie brakowało.

– Mnie ci brakowało, ale słyszałam, że ogólnie nie byłeś pozbawiony towarzystwa, Saszeńka?

Sasza westchnął rozdzierająco.

– Błagam, nie mów do mnie na ten temat. Ja teraz żyję w ciągłym stresie, bo się boję, że ona wróci. Patrz, Mareszko, a takie sympatyczne wrażenie robiła! Nie mówmy o niej, bo znowu Paweł mnie opieprzy, że krzyczę przez sen. Zaśpiewam ci coś, przyjaciółko.

– A cappella?

Sasza obrzucił ją spojrzeniem pełnym wyrzutu.

– Przepraszam, wypsnęło mi się. Ale Paweł mówił, że wyrzuciła ci gitarę przez okno?

– Wyrzuciła, ale po pierwsze, mam dwie, a po drugie, tam akurat się zbierał jakiś zespół, chłopcy mieli wieczorem grać w „Royalu", no i jak zobaczyli fruwającą gitarę, to wykazali się refleksem i złapali. Nic jej się nie stało, tylko ja o mało zawału nie dostałem albo wylewu, bo to była moja koncertowa.

– Uściskałeś wszystkich?

– Postawiłem im piwo. Nie ściskam chłopców, których nie znam, hehe. Teraz już ich znam, ale nie wiem, czy oni by na pewno chcieli, żebym ich ściskał. Bardzo ładne panienki za nimi szły. Zeżarliście już wszystkie ptysie? Mogę śpiewać?

– A nie możesz śpiewać, jak jemy? – zdziwił się niewinnie Paweł.

– Odgłosy twojego żucia mnie rozpraszają. Ciamkasz kremem.

– Nieprawda, nie ciamkam.

– Ciamkasz. Ja poczekam.

Rzeczywiście, poczekał jeszcze chwilę, pożywiając się przy okazji tartoletką z truskawkami, a kiedy Maria i Paweł już wyraźnie mieli dosyć, przyniósł sobie ową słynną latającą gitarę, zagrał i zaśpiewał „Konie" w obu językach.

Wielka sztuka i wielka ekspresja zawsze czynią wrażenie na ludziach subtelnych i inteligentnych. Maria i Paweł siedzieli zasłuchani, a tak zwane kolokwialnie ciary przebiegały im po plecach. Sasza naprawdę był dobry.

Skończył, a oni milczeli jeszcze chwilę. Pierwszy odezwał się Paweł.

– Dla mnie bomba.

– Naprawdę? A ty, Mareszko?...

– Ja tak samo. Rewelacja.

– Pierwszy raz śpiewałem to po polsku. Znaczy dla kogoś, bo ćwiczyłem wiele razy. To naprawdę wam się podobało?

Otrzymał dwa solenne zapewnienia, że jak najbardziej, i odetchnął z ulgą. Jak wszyscy prawdziwi artyści Sasza bardzo się przejmował zdaniem swoich odbiorców. Z nerwów zjadł jeden po drugim trzy staroświeckie ciastka tortowe, a potem runął do rozłożystego biurka, które stało tu już, kiedy się wprowadził, rozgrzebał kilka stosów nut, tekstów i notatek, wyciągnął cztery i podał Marii.

– Przymierzysz się?

– Z przyjemnością. Ja to znam?

– Powinnaś znać. Zaśpiewam ci po kawałku i będziesz wiedziała.

Dwie pieśni Wysockiego i jedną Okudżawy znała, rzeczywiście. Trzecia była pieśnią uciekiniera z kopalni w nadbajkalskich górach i tę słyszała po raz pierwszy.

– Ale to prosta melodia – powiedział Sasza. – I nie ma żadnych zagwozdek w akcentach. We wszystkich zwrotkach jednakowe. Jak sobie zrobisz pierwszą zwrotkę, to polecisz jak burza.

– Chyba masz rację. No dobra, chłopaki, idę do domu, bo jutro dzień pracy, a ja już jestem zmęczona. Pomyślę o tekstach, jak tylko będę miała czas.

– I natchnienie – dorzucił Paweł.

Machnęła ręką.

– Przy tłumaczeniach chyba jednak ciężka praca jest ważniejsza od natchnienia. Natchnienie to miał ten gostek, co napisał oryginał, a tłumacz to mrówka pracowitka. Saszeńka, trzymaj się i uważaj na kobiety...

– Chwila, Mareszko, weź te ciastka, błagam cię, chyba że Paweł chce jeszcze... Paweł, chcesz?

– Niech mnie ręka boska broni przed ciastkami. Mówiłaś o przyjaciółce... Zaraz ci to ładnie zapakuję. Słuchaj, ile ty ich kupiłaś, skoro myśmy się opchali i tyle jeszcze zostało?

– Chyba ze dwadzieścia. Miałam straszne ssanie i po prostu nie mogłam ich zostawić w tej gablocie, boby mi serce pękło. Teraz na jakiś czas mam spokój. Paweł, odprowadzisz mnie do samochodu?

– Ja też cię mogę odprowadzić!

– Gdzie, z tą nogą? Kiedy zdejmują ci gips?

– Za tydzień. Daj buziaka, Mareszko, moja dobra i łagodna przyjaciółko. I nie pozwól się poderwać temu typkowi. Jest podejrzany.

Maria ze śmiechem nadstawiła Saszy policzek, a on ją demonstracyjnie cmoknął. Przypomniało jej się gdzieś wyczytane francuskie przysłowie o tym, że zawsze ktoś całuje, a ktoś inny nadstawia policzek. W jej prawie byłym małżeństwie to mężczyzna nadstawiał policzek i łaskawie przyjmował adorację żony. Przynajmniej od połowy tego związku.

Paweł wyszedł z nią na schody i na ulicę. Słońce zachodziło pomału i miasto przybrało charakterystyczną kolorystykę pełną czerwieni i oranżów. Trzeba przyznać, że oświetlona w ten sposób Maria wyglądała hożo i dorodnie.

Nie wiemy, czego spodziewał się Paweł po tym odprowadzaniu pięknej kobiety, ale na pewno nie tego, co usłyszał, kiedy już podeszli do pomidorowego yarisa.

– Prosiłam, żebyś ze mną wyszedł, bo chciałam ci przekazać pozdrowienia od twojego ojca.

Paweł, który już zaczynał się pochylać, żeby zainkasować swojego buziaczka, wyprostował się natychmiast.

– Skąd znasz mojego ojca?

– Pracuję u niego.

– Ach, ten starszy pan, o którym mówiłaś! Ale przecież ojciec nie jest samotny. Maryś – zaniepokoił się wyraźnie. – Czy coś się stało mamie? Cholera, nie miałem kontaktu z domem od pół roku, idiota...

– Spokojnie, mamie nic się nie stało, tylko zostawiła twojego ojca i zamieszkała na Mazurach w takim pensjonacie dla zamożnych starszych państwa. Dwa dni temu dzwoniła do pana Stefana z półminutowym sprawozdaniem. Powiedziała, że się świetnie bawi, i zachęcała, żeby do niej dojechał. A potem rzuciła słuchawkę, bo była zła, że obca baba odebrała. Znaczy ja. Chyba posądziła twojego tatę o brzydkie rzeczy. I wyłączyła telefon.

– A jak starszy pan?

– Trzyma się dzielnie. Kot nam umarł, twój ojciec to bardzo przeżył. Ale za to wyleczyliśmy psa...

– Starego Makarona? Nie do wiary.

– Nie poznałbyś go. Figluje jak szczeniak. Pewnie szczęśliwy po tych dwóch latach degrengolady, kiedy tylko leżał i wiernie patrzył w oczy. Może byś odwiedził ojca?

Paweł spochmurniał i kopnął nieistniejący kamyczek.

– A powiedział ci tatulek, że uważa syna za idiotę?

– Za idiotę nie – rzekła prawdomównie. – Może za zbyt uzależnionego od matki...

– Rozumiem. Za maminsynka. Ją tym truł i mnie też. Uważał, że trzydziestoletni facet powinien już mieć własny dom, żonę, troje dzieci, psa, kota, posadzone drzewo i najlepiej żeby już był na jakiejś wojnie za ojczyznę. Ja jestem jego jedynym synem, nie wiem, czy wiesz, ale mam trzy mocno starsze siostry. Urodziłem się niespodziewanie, rodzice już byli niemłodzi, ojciec miał pięćdziesiątkę na karku i wreszcie mu wyszło, rozumiesz, z tym synem. Mama była po czterdziestce i też oszalała, jak się urodziłem. Odkąd pamiętam, stale się o mnie kłócili. To w ogóle nie było życie. Tyle miałem swojego, co w szkole albo na uczelni. Chciałem iść do Akademii, wtedy to jeszcze była Wyższa Szkoła Morska, ale mama nie wyobrażała sobie, że się narażam gdzieś na dalekich morzach i oceanach. No więc skończyłem politechnikę, jakiś czas pracowałem w telekomunikacji, no i omal nie umarłem tam z nudów. A ojciec i matka dalej się o mnie kłócili, oboje usiłowali żyć za mnie, każde na swoją modłę. No i ostatecznie nie wytrzymałem, poszedłem do agencji, znalazłem sobie tę pracę na offshorach i prysnąłem z domu.

– Nie chciałbyś się z nimi pogodzić?

– Ależ ja się z nimi nie pokłóciłem. Zrozum, Mareszko, ja ich oboje bardzo kocham. Ja tylko nie wytrzymuję długo z nimi, bo oboje chcą mnie od siebie uzależnić. Mama się o mnie trzęsie; jak usłyszała, że jednak płynę, to omal nie dostała zawału. Ojciec życzy sobie ekspresowo mieć wnuki ode mnie, bo od sióstr już ma całą gromadę, w sumie osiem sztuk płci obojga. Ale on chce zobaczyć wnuka po mieczu.

– Odniosłam wrażenie, że twój ojciec to wspaniały człowiek – powiedziała Maria jakby w powietrze.

– Bo to prawda. Tylko on zawsze był dowódcą, szefem, zawsze rozkazywał, wydawał polecenia, czuł się odpowiedzialny. Zostało mu. Nie da się czegoś takiego wytrzymywać całe życie.

– Twoja mama, jak się zdaje, też doszła do tego wniosku.

– I zwiała, gdzie pieprz rośnie. Powinienem do niej zadzwonić, nie wiesz przypadkiem, kiedy ona to zrobiła?

– Jakoś pod koniec kwietnia.

– Nic mi nie powiedziała, rozmawiałem z nią w czerwcu. Muszę do niej częściej dzwonić. Chyba przesadziłem z tym oderwaniem.

– Do ojca też byś mógł.

– Jeszcze nie. Wiesz może, gdzie mieszka moja mama?

– W jakimś pensjonacie na Mazurach, ale gdzie to jest, nie mam pojęcia.

– Spróbuj się dowiedzieć, pojechałbym do niej, co?

– Spróbuję. A ty pomyślisz o pogodzeniu się z ojcem? No dobrze, nie pokłóciłeś się. O zobaczeniu się z ojcem.

– Pomyślę. Patrz, zapomniałem cię spytać, co z Lucy?

– W porządku. Możemy w sobotę jechać do niej, omówić co i jak. Twój ojciec ją pamięta i pamięta wasze posiedzenia.

– No, chociaż to bez problemu. Do widzenia, Mareszko, do soboty.

Paweł wykonał coś w rodzaju roztargnionego ukłonu i poszedł do domu, ostatecznie rezygnując z pożegnalnego buziaka.

Zanikająca Lucy mieszkała z rodzicami w plombie przy ulicy Jagiellońskiej, na górce, niedaleko liceum numer sześć, które kończyli razem z Pawłem Buszkiewiczem. Jego rodzice sprowadzili się do Szczecina, kiedy syn był w liceum. Zajmowali dość nawet wygodne M-4 na Gorkiego – do momentu, gdy ojciec kupił dwa mieszkania na Rugiańskiej i przerobił je na jedno, a duże. Paweł nie chciał jednak zmieniać szkoły i nadal chodził do Szóstki.

Mieszkania w plombach budowlanych, czyli nowych budynkach wypełniających luki między dwoma starymi, miewają wiele zalet. Zaletą tego były nietypowe kształty, wysokie okna i winda na czwarte piętro. Kiedy się psuła – na szczęście zdarzało się to rzadko, ktoś musiał wnosić Lucy po schodach, a ciężki elektryczny wózek bywał deponowany u starszego małżeństwa z parteru.

Tej soboty winda działała, a drzwi otworzyła drobna kobietka z tak zwanymi śladami wielkiej urody, niestety, dość mocno zatartymi przez czas i zmartwienia. Na widok Pawła zajaśniała niby zorza polarna.

– Pawełek! Jak się cieszę, że cię widzę! I pani... to o pani mówiłeś ostatnio?

– Pewnie o mnie – zaśmiała się Maria.

Dama w drzwiach wyglądała niezmiernie sympatycznie i miała w sobie coś takiego, że po prostu trzeba się było uśmiechnąć. Podała rękę Marii, a jej uścisk był mocny i rzeczowy, po czym wyściskała Pawła serdecznie.

– Wie pani, oni wszyscy byli jak moje dzieci, wtedy, w liceum. Bardzo was kochałam, Pawełku, i kocham do tej pory. Wszyscy się czasami odzywają, nawet Krysia z Australii. – Zwracała się na przemian to do Marii, to do Pawła. – Paweł wpada do nas, jak tylko jest w Szczecinie. Marek przychodzi regularnie, Myszka też. To Myszka znalazła tę psią fundację dla Lucynki. Dzięki nim mamy Ferdusia. Paweł, ale ja nie wiem, czy możemy przyjąć od ciebie te pieniądze... Boże, nie stójmy w przedpokoju, wejdźcie, proszę!

Weszli do dużego pokoju nietypowego kształtu. Meble pochodziły zapewne z lat świetności rodziny, czyli mniej więcej siedemdziesiątych, jednak znakomicie dobrana kolorystyka i mnóstwo miłych domowych drobiazgów nadawało salonikowi sporo wdzięku.

– Siadajcie, dam wam kawy, Lucynki nie ma, ale zaraz wróci. Marek ją zabrał na zakupy, potrzebowała jakieś dodatkowe dyski, pamięci, kable, nie wiem, co tam jeszcze. Ja za nią nie trafiam. Chwila!

Zakręciła się i zniknęła w kuchni pozbawionej drzwi dla wygody Zanikającej Lucy. Wychynęła z niej jednak po sekundzie.

– A może kakao wam zrobię? Pawełku? Firmowe?

– Koniecznie! Mareszko, mówiłem ci, kakao pani Agata robi najlepsze na świecie. Firmowe, oldskulowe kakao. Będę się znowu czuł jak uczniak.

Pani Agata znikła ponownie i zaczęła trzaskać garnkami.

– Fajna jakaś ta pani – powiedziała Maria szeptem. – Cała rodzinka taka?

– Cała. Zobaczysz Lucy, poznasz jej ojca. No i ten pies...

– Ferduś?

– Ferdynand Wspaniały.

Do salonu wszedł apetyczny czekoladowy zapach, a za nim pojawiła się pani Agata z zastawioną tacą.

– Kakao musi być zrobione na świeżo – oznajmiła. – Odgrzewane jest do niczego. Zimne też. Pijcie i przychwalajcie.

Pochwały rozległy się natychmiast.

– Wiecie, jednemu tylko gościowi ono nie smakowało. Ale ten gość był niesympatyczny. Pawełku, naradziliśmy się z mężem i doszliśmy do wniosku, że nie możemy przyjąć od ciebie takiego prezentu. Jakoś poradzimy sami. Znaczy sami pani zapłacimy. Bo rzeczywiście, bez pomocy teraz nie poradzę, kręgosłup robi mi straszne numery. Nie do przyjęcia.

Paweł pokręcił głową i odstawił szklankę z pachnącym napojem.

– Pani Agato. To nie jest prezent. To jest pomoc. Przecież pani wie, że nie robię tego z żadnego musu. Więc dlaczego pani nie chce mi dać szansy? Kiedyś nas pani żywiła, matkowała nam pani... Naprawdę, była pani dla nas jak druga mama. Dlaczego nie miałbym teraz pomóc, kiedy pani tego potrzebuje? Gdybym nie mógł, tobym się nie wyrywał. Niech pani nie płacze, błagam. Powiedziałem coś głupiego?

Pani Agata otarła łzę.

– Nie, skąd. Wzruszyłeś mnie tą drugą mamą. Ale mi głupio, Pawełku.

– Dlaczego? Bo umie pani tylko dawać? Czasem trzeba też brać i nie ma w tym nic złego. Ja nie mogę przychodzić tak regularnie jak Marek, ale mogę zrobić coś innego. To robię.

Pani Agata była już opanowana i uśmiechnięta.

– Dobre z was były dzieci i dobre zostały. Może i masz rację z tym braniem i dawaniem. Chyba Lucynka wraca.

Istotnie, drzwi się otworzyły i do mieszkania wjechał wózek inwalidzki, sterowany przez siedzącą na nim kobietkę jeszcze mniejszą niż jej matka. Przy wózku dreptał dorodny, biszkoptowy pies. Pochód zamykał młody mężczyzna, zapewne onże Marek, o którym była mowa, z dużą torbą Media Markt zawierającą wszystkie te elektroniczne gadżety onieśmielające panią Agatę.

Paweł dokonał wstępnej prezentacji, po czym Marek spiesznie się pożegnał, tłumacząc, że musi biec, bo właśnie się spóźnia na spotkanie z własną matką, której ma pomóc w zakupie, a zwłaszcza transporcie regaliku pod telewizor.

Przez ten czas Maria przyjrzała się Zanikającej Lucy. Była śliczną, drobną, uśmiechniętą blondyneczką. Prawa jej dłoń spoczywała na sterowniku elektrycznego wózka, pod lewą znajdowała się przymocowana do poręczy miseczka psich chrupek. Nogi wyglądały, niestety, na bezwładne. Była delikatnie umalowana, a na paznokciach miały starannie zrobiony manikiur i nałożony różowy lakier.

Paweł podszedł do niej i pocałował ją w policzek. Pies łypnął na niego podejrzliwie, ale nie zareagował.

– Cześć, Pablo. Cieszymy się, że jesteś.

– Cześć, mała. Poznaj moją koleżankę, Mareszkę.

Uścisk małej dłoni był dość słaby, Maria przypuszczała, że Lucy w ogóle ma raczej niewiele sił.

– Ferdi, przywitaj panią.

Golden z lekko zblazowanym wyrazem pyska podał Marii prawą łapę. Jego pani rzuciła „super!" i wyjęła z miseczki chrupkę. Ferdynand Wspaniały wyjął chrupkę miękkimi wargami z jej palców i zjadł z widocznym zadowoleniem, po czym znowu grzecznie położył się przy wózku, oczekując poleceń. Maria spostrzegła na jego złocistym grzbiecie niebieskie szorki, a na nich plakietkę z napisem „ALTERI – pies asystent".

– Cudny jest – powiedziała. – Czy jego w ogóle można głaskać? Bo wiem, że psów pracujących w zasadzie się nie głaszcze.

– Czasem można, jak nie pracuje – wyjaśniła jego właścicielka. – Damy mu trochę wolnego, możesz z nim pogadać. A jeśli chcesz go kupić, daj mu chrupkę. On je uwielbia. Weź z tej miseczki. Ja ci nie podam, bo nie dam rady.

Maria wzięła z miseczki parę chrupek. Ferdynand natychmiast się zaktywizował, ale uruchomił tylko czubek nosa, który zawęszył gwałtownie.

– Możesz – zezwoliła jego pani i Ferdi wstał z godnością, udając, że żadne chrupki go nie obchodzą. Przyjął je z dłoni

Marii z dużą godnością, zjadł i dał jej buziaczka, kiedy tylko się do niego pochyliła.

– Jesteś wspaniały, wiesz?

Golden coś odmruknął, jakby chciał powiedzieć „nie nowina, wszyscy to wiedzą".

– Lucy... – Maria była zadowolona, że dziewczyna pierwsza powiedziała jej „ty", nie bardzo wiedziała bowiem, jak się do niej zwracać. „Pani Lucy" brzmiało jakoś dziwnie. – Wytłumacz mi jedną rzecz. Bo ja wiem, że psy miewają niewidomi, po to, żeby ich prowadziły. A co u ciebie robi Ferdynand? Widzę, że oczy masz w porządku. Zaprzęgasz go do wózka?

Zanikająca Lucy roześmiała się serdecznie na samą myśl o zaprzęganiu Ferdynanda do czegokolwiek.

– Do wózka nie muszę, bo mam elektryczny. Ferdek jest moim asystentem. Jest zawsze przy mnie i pomaga, kiedy coś trzeba zrobić, a ja nie mam siły albo nie sięgam, bo sama widzisz, że ja w ogóle niewiele mogę zrobić sama. Jak będziesz do nas przychodzić, to zobaczysz. Ferdi podaje mi różne rzeczy, lekarstwa, pilota, telefon. Poprawia nogi, kiedy drętwieją. Zdejmuje skarpetki, kiedy mi za gorąco. Gasi światło. Przybija żółwika.

– Nie gadaj – ucieszyła się Maria. – Żółwika przybija?

– Ferdi! – powiedziała niegłośno Lucy swoim delikatnym głosem i zwinęła prawą dłoń w piąstkę. Pies od razu stanął obok. – Przybij żółwika!

Pies puknął nosem w pięść, natychmiast też usłyszał pochwałę „super!" i dostał chrupkę w nagrodę.

– Rewelacja – ogłosiła psiara w osobie Marii. – Ale to masz z niego i pomoc, i radochę, nie?

– Oczywiście. On jest czasem lepszy niż wszystkie programy rozrywkowe razem wzięte. Tylko trochę kłaki zostawia.

– Widzę. – Maria pomyślała, że będzie Ferdzia regularnie szczotkować, a on od tego może choć trochę przestanie kłaczyć. – Słuchajcie, drogie panie. Rozmawiałam z Pawłem o jednym całym dniu tygodniowo, ale wydaje mi się, że racjonalniej będzie wpadać do was trzy razy na trzy godziny. Doprowadzę dom do błysku i będę go tak utrzymywać. Od kiedy mogę zacząć?

– Od kiedy tylko pani zechce – odrzekła pani Agata jakby nieśmiało.

– W takim razie przyjdę w poniedziałek. O której państwo jadają śniadanie?

– Państwo! – zachichotała Zanikająca Lucy. – Ale numer... Panstwo się nie krępią, panstwo ją!

– Tak będzie – zapowiedziała Maria. – No to o której panstwo ją?

– Ostatnio koło dziewiątej. Ja pracuję w domu, tata wyjechany, a mama na rencie.

Maria zawahała się nagle. Co pan Stefan będzie wolał zjeść w jej towarzystwie, obiad czy śniadanie? Nie można mu zrobić takiego numeru, że nagle trzy razy w tygodniu będzie musiał sam latać po bułki. Albo jeść wczorajsze. A tu mamusi się kupi takie do dopiekania w piekarniku i mamusia będzie co rano dopiekać, to jej kręgosłupa nie uszkodzi... Można będzie do nich wpadać w soboty, to się jeszcze mniej uszczknie panu Stefanowi.

– Coś się stało? – Pani Agata spojrzała na Marię z niepokojem. – Tak pani zamilkła...

– Przypomniałam sobie coś. Chyba jednak nie będę u państwa śniadaniowa, tylko raczej popołudniowa. Przepraszam za zamieszanie. A obiad o której?...

– Trzecia, czwarta, piąta, różnie.

– Dobrze. W takim razie umówimy się na wtorek, czwartek i sobotę. Wtorek i czwartek od piętnastej do siedemnastej, sobota od dziewiątej do dwunastej. Będę przygotowywać obiady na dwa dni, więc sześć dni w tygodniu pani Agata ma kuchenny luz, tylko w poniedziałki coś pani musi wykombinować. Sobotnie śniadanie też zrobię. Posprzątam zawsze tak „dwudniowo", żeby wtedy, kiedy mnie nie będzie, wystarczyło odkurzyć po wierzchu. Poproszę panią Agatę, żeby mi określiła limit pieniędzy na zakupy jedzeniowe w cyklu miesięcznym, ja się w tym na pewno zmieszczę. No i tyle. Resztę zobaczymy w praniu.

– O matko... – westchnęła pani Agata.

Najwyraźniej zaświtała jej jakaś jutrzenka swobody codziennej, której nie zażywała od lat, a może nawet i nie pamiętała, jak taka swoboda wygląda.

Lucy nie mówiła nic, ale Ferdynand sam, z własnej woli podał Marii łapę. Może przypadkowo, a może wyczuł nastrój wśród obecnych. Zapewne zorientował się, że ta przyjemna kobieta, u której pod wykwintnym aromatem francuskich perfum czaił się głęboko schowany zapach jedzonka, jest chwilowo przedmiotem adoracji rodziny.

Przyjemna kobieta dała teraz hasło do odejścia. Jak mówiła, potrzebna była jakimś tam swoim przyjaciółkom jako podwoda, bo nie miał ich kto zawieźć do Stolca.

– Czego się gapisz? – spytała nieco obcesowo Pawła, kiedy już wsiedli do windy. – Czy mam coś na nosie?

– Nic nie masz na nosie. No, no. Takiej cię jeszcze nie widziałem. Jak uciekałaś od tego swojego byłego, to też tak wszystko perfekcyjnie zorganizowałaś?

– Oczywiście. Jak coś robię, to wszystko dobrze organizuję. Nie lubię bałaganiarstwa, chaosu i niekompetencji.

– Groźna jesteś...

– A co ty gadasz? Chodź, podrzucę cię na Panieńską, bo moje staruszki czekają.

Starsze panie istotnie czekały, zamierzały bowiem złożyć wizytę pierwszemu wnukowi Lili Bronikowskiej, chwilowo jeszcze w łonie matki. Niestety Noel, nabawiwszy się jakiejś absurdalnej o tej porze roku grypki, nie wybierał się z nimi. Nie wybierały się też żadne Mało Używane Dziewice ani nikt, kto by dysponował samochodem. Pozostawała Maria, która zgodziła się bez oporów. Miała ochotę zobaczyć wieś o nazwie Stolec, którą to nazwę Lila postponowała przy każdej okazji. Chciała też porozmawiać z leciwymi przyjaciółkami o kilku problemach, jakie ją ostatnio nurtowały.

Obejrzała dokładnie trasę na mapie, chociaż Lila niecierpliwie tupała, twierdząc że będzie jej najlepszym pilotem, a poza tym w aucie jest „ta maszyna", czyli GPS, i pojechały. Dzień był piękny, wymarzony na „małą wycieczuszkę", jak to określiła zadowolona pani Bronikowska. Na plaży koło jeziora Głębokiego kłębiły się tłumy. Tabuny rowerzystów przeszkadzały Marii w swobodnym prowadzeniu auta. Kiedy przyjaciółki wydostały się z miasta, zrobiło się łatwiej.

– Miałaś jakieś problemy do rozwiązania, Mareszko – przypomniała sobie pierwsza pani Róża. – Chciałaś od nas rad i porad. Jedź wolniej i powiedz nam, o co chodzi, a już jak my ci doradzimy...

– To się nie pozbierasz – uzupełniła pani Lila. – Co cię gryzie, dziecko?

– Wiedza, moje kochane, wiedza mnie żre.

– Aaaa, to najgorsze, co może być – poinformowała ją Róża. – Ci, co za dużo wiedzieli, na ogół marnie kończyli.

– Ale nie martw się, nie damy cię ukrzywdzić – zadeklarowała Lila. – Mów, co wiesz.

– Po pierwsze. Mówiłam wam, że ten adwokat od mojego rozwodu jest bardzo sympatycznym człowiekiem...

– Nie mogło być inaczej – orzekła Lila.

– To przecież z polecenia Brańskich. – dodała Róża. – I co?

– I całkiem przypadkiem wiem, że on się prowadza z małą Pultokówną. On jest łajdaczynka, to oczywiste, ale mała Pultokówna nie ma jeszcze piętnastu lat i gdyby to się wydało, to mógłby mieć jakieś wielkie kłopoty. A dam głowę, że mu się metryką nie pochwaliła. Najchętniej bym mu powiedziała, ale jak?

– No, faktycznie, to dla ciebie krępujące – rzekła Lila. – A skąd ty to wiesz? Widziałaś ich razem? Może to całkiem niewinna znajomość, może on jest przyjacielem domu?

– I jej wujkuje? – uzupełniła Róża.

– Nie wydaje mi się. Pamiętacie, mówiłam wam kiedyś, że ją widziałam ze starszym facetem w kawiarni, jak w ciemnym kąciku trzymała mu rękę w spodniach. Tylko nie wiedziałam wtedy, kim jest facet. A teraz wiem.

– I ta wiedza cię żre – podsumowała Róża. – No tak. Skoro to znajomy Brańskich, to trzeba go jakoś uświadomić. Ale ja tu widzę proste rozwiązanie. Zadzwonimy do Jerzego i mu nakablujemy. Niech ostrzeże przyjaciela swojego tatusia. Maryś, czy ona wygląda na pełnoletnią?

– Wygląda, jak najbardziej. Kiedy się umaluje, wygląda na dwudziestkę.

– A on, swoją drogą, mała świnka – powiedziała w zastanowieniu Lila. – Na pewno ma żonę i dzieci, a tu dziewczynka na boku... Taka mała słabość, co? My go automatycznie uniewinniamy, bo przyjaciel Brańskich. A może to wielbiciel lolitek?

– Pedofil – mruknęła Róża. – Ani on mi się nie podoba, ani ona. Chybabym go jednak jakoś inteligentnie zawiadomiła, że stąpa po kruchym lodzie.

– Ale ja bym nie dzwoniła do Jerzego. Po co rozszerzać krąg tych, którzy wiedzą? Marysiu, moja rada jest taka: zepnij się w sobie i sama mu powiedz. Niech on wie, że się nie rozeszło.

– Przecież się rozeszło – zauważyła słusznie Róża.

– My się nie liczymy. My jesteśmy dyskretne i niezainteresowane. Uważam, że rozstrzygnęłyśmy twój problem, Marysiu.

– Dorzucając mi nowy – zaśmiała się Maria. – Ale to jeszcze nie cała wiedza, która mnie uwiera...

– No, no – ucieszyła się Róża. – A co masz jeszcze? Też z kręgu Pultoków? To jakaś przyjemna rodzinka.

– Wiecie, że Sasza Winogradow miał złamaną nogę, mówiłam wam, prawda?

– Jak najbardziej – przytaknęła Lila. – Jakiś skin go skopał w parku.

– No i wygląda mi na to, że to był młody Pultok we własnej osobie.

– Kordian? – Lila była zdziwiona. – Z takim imieniem i chuligan?

– Skąd wiesz? – spytała Róża. – Zwierzył ci się?

– Nie, ale wyciągam wnioski. Sasza ich nie widział, tych napastników, bo było ciemno, a oni mu się specjalnie nie prezentowali, natomiast ten, co go skopał, mówił „kurdę". Rozumiecie, nie „kurde", tylko „kurdę". Kordian tak mówi. U nikogo innego nigdy tego nie słyszałam...

Starsze panie zamilkły jak na komendę.

– Uważacie, że co?

– Po pierwsze, nie masz pewności – bąknęła Róża.

– Po drugie, nawet gdybyś miała, to nic z tym nie zrobisz – dołożyła swoje Lila. – Chociaż, kurdę, gdybyśmy trochę pomyślały, Różo...

– To byśmy, kurdę, coś wymyśliły, Lilu. W sensie odwetowym, rozumiesz, kurdę, Marysiu.

– Ja bym ci od ręki coś zaproponowała... Bo wiesz, pewien rodzaj rozwiązania sam się nasuwa...

– Co masz na myśli, Lilu? Czy to, o czym ja właśnie chciałam powiedzieć Marysi?

– Niewykluczone. Ja bym najpierw się upewniła, że to był on, a potem poprosiłabym tego marynarza, Pawła... on na pewno ma kolegów, a marynarze, jak wiadomo, nie stronią od bitki...

– Ale on sam nie powinien w tym uczestniczyć – zastrzegła Róża. – Jest bliskim przyjacielem Saszy i podejrzenie natychmiast padłoby na niego.

– Nie przerywaj, bo to jeszcze nie wszystko. Potrzebny byłby też jakiś czarny człowiek, żeby tego obrzydliwego młodego rasistę uratować z opresji. W sumie, Marysiu, rozumiesz zamysł wychowawczy: ten nieudany Kordian dostaje lanie... trzeba by go było porządnie przetrzepać... jako karę, a Murzyn wybawca jest pomyślany jako nauczka.

– Przyjemne z pożytecznym – zarechotała Róża.

– Żeby już do końca życia było mu głupio – ciągnęła z rozpędu Lila. – Nie rozumiem, dlaczego się śmiejesz.

– Nie wiedziałam, że jesteście takie bojowe – rozrzewniła się Maria. – Kocham was bardzo.

– My ciebie też – oświadczyła z godnością Lila. – Ale jeśli nasz koncept ci nie odpowiada, to trudno.

– Pozostaje czekać na jakąś okazję, którą los prędzej czy później stworzy – dodała Róża. – Wtedy sama będziesz wiedziała, co należy zrobić. Masz jeszcze jakieś problemy?

Całe mnóstwo – pomyślała Maria, ale tego nie powiedziała.

Jednym z problemów, o których nie chciałaby z nikim rozmawiać, był stan jej uczuć. Uczucie do Aleksa zniknęło jak sen jaki złoty i co do tego miała jasność. Obecnie na jej drodze życiowej pojawili się dwaj przystojni i sympatyczni mężczyźni: śpiewający nauczyciel rosyjskiego, Sasza, i pływający po Morzu Północnym elektronik, Paweł. Obu polubiła bardzo szybko, bo też obaj byli zdecydowanie sympatyczni, ale w sensie męsko-damskim nie czuła do nich nic. To też nie byłoby niczym nadzwyczajnym, bo niby dlaczego miałaby się zakochiwać natychmiast po rozstaniu (choćby nie wiem jak nieprzyjemnym) z mężem? Prawdopodobnie na regenerację romantycznych porywów w jej duszy było jeszcze o wiele za wcześnie.

W takim razie jak nazwać to, co czuła do swojego osiemdziesięcioletniego pracodawcy?

Ona sama skłonna była to nazwać jakimś skrajnym idiotyzmem, czymś nienormalnym, szalonym, kompletnie pozbawionym i sensu, i przyszłości. Nie mogła jednak przed sobą ukryć, że codziennie rano leciała do niego jak na skrzydłach, ciesząc się na myśl o tym, że zaraz zobaczy jego uśmiech, usłyszy głos, poczuje woń tego całego Paco Rabanne dla facetów... I czuła doskonale, że on też na nią czekał.

No więc co to jest?

Poszukiwanie zastępczego tatusia na pewno nie, bo przecież ma własnego, którego kocha; wprawdzie były między nimi nieporozumienia, ale tatuś pod światłym wpływem Jacka Brudzyńskiego nawrócił się i już wiedział, gdzie zbłądził. Teraz dzwonił do córeczki co kilka dni i rozmawiali sobie przyjaźnie.

Zresztą wcale by nie chciała mieć takiego tatusia despoty jak pan Stefan.

Pan Stefan, który nie sprawdził się jako ojciec, nie sprawdził jako mąż – być może stworzony był na idealnego kochanka?

Nawet jeśli tak, to przecież nie teraz, tylko jakieś czterdzieści, no, niech będzie trzydzieści lat temu...

Trzydzieści lat temu ona bawiła się bączkiem i pluszowym słoniem w swoim kojcu, w domku, w Słupsku!

Cóż, na razie żadnego sensownego rozwiązania tej niemożliwej sytuacji nie widać. Na razie musi dowieźć Lilę i Różę do Stolca, zachować się kulturalnie w towarzystwie, które ją średnio interesuje, obejrzeć jakiś dom i sad, które interesują ją jeszcze mniej, odwieźć Różę i Lilę w pielesze...

A pojutrze rano znowu go zobaczy.

∾

Stefan Buszkiewicz, emerytowany inżynier lat osiemdziesiąt dwa (niebawem osiemdziesiąt trzy, uczciwie mówiąc), powierzchowność zbliżona do Seana Connery, starannie ubrany i ogolony (jak zwykle zresztą) siedział na balkonie swojego dużego mieszkania, przyjmował wyrazy miłości swojego psa Makarona, spoglądał z nostalgią na dźwigi i suwnice w stoczni – i myślał.

To zresztą nie jest odpowiednie określenie. Pan Stefan nie myślał. Pan Stefan tęsknił.

Niestety, nie tęsknił za swoją żoną Anielą. Udało mu się do niej rano dodzwonić, odbyli krótką rozmowę, z której wynikało, że Aniela ma się świetnie, znalazła w tym domu wesołego umierania jakieś dwie koleżanki tak samo stuknięte na tle niespełnionego pragnienia posiadania domu z ogródkiem oraz grzebania w ziemi – i teraz wszystkie trzy ochotniczo i ochoczo wyrywają chwasty z grządek marchewki ekologicznej oraz rabatek z kwiatami ozdobnymi. A nawet przycinają róże. Doprawdy, ideał szczęścia w wieku starczym.

A on co?

Siedzi na tym balkonie, gapi się na pejzaż industrialny i może sobie najwyżej powspominać czasy, kiedy był inżynierem normalnym, a nie emerytowanym. I tęskni za własną gosposią, którą zaangażował po to, żeby mu odkurzała mieszkanie za pieniądze, gotowała obiady za pieniądze i prała gatki za pieniądze. Ona to wszystko robi doskonale, a jemu tak naprawdę wcale na tym nie zależy. Chciałby z nią siedzieć na tym balkonie, patrzeć na tę spokojną, harmonijną twarz, na te śliczne włosy, słuchać, jak recytuje wiersze, te same wiersze, w oryginałach i różnych przekładach. Jak mu pokazuje różnice między interpretacją tego samego zwrotu przez kilku różnych tłumaczy albo opowiada, jak się bawiła przekładaniem poezji na polski i jakie miała przy tym kłopoty z językiem. To mądra dziewczyna.

Może Aniela też była mądra w jej wieku? Nie dał jej szansy zabłyśnięcia. Wpadał do domu jak po ogień. Biedna Aniela, miała gorzej niż żona marynarza, całe gospodarstwo było na jej głowie, dzieci też, najpierw córki, potem Paweł. Nie był dla niej specjalnym wsparciem nawet przy Pawle, kiedy już w zasadzie pracował na miejscu. Nieprzyzwyczajony do domu, starał się jak najwięcej przebywać poza nim, pracował na zabezpieczenie starości – tak jej mówił. No i przyszła starość, a on już nie potrafił być mężem domowym. Jak to określił Słowacki? „Jaskółczy niepokój". Siedział w nim ten jaskółczy niepokój i gnał go gdzieś, nie wiadomo gdzie. Ale już nie było gdzie gnać. Prawdopodobnie przez to był dosyć nieznośny.

„Boże, zdejm z mego serca jaskółczy niepokój". Tak brzmiał ten cytat. Ale z jakiego wiersza pochodzi? I czy to na pewno Słowacki? Chyba tak, ale nie na pewno. Trzeba spytać Marię, będzie wiedziała.

A może któryś z tych złośliwych bogów... albo raczej bogiń mitologicznych... to były przeważnie mściwe i kłótne baby, jak pamiętał... Więc może jakaś Hera albo inna opiekunka ognisk domowych przysłała mu Mareszkę, żeby go dręczyć? Za przewiny w czasie długiego życia ukarała go w ten sposób, że pod koniec dała mu miłość bez sensu i bez możliwości spełnienia?

– Twój pan jest starym durniem – powiedział do Makarona, który rozwalił się u jego nóg. – Ale powiem ci, kundlu... za nic na świecie nie chciałbym tego stracić. Za nic na świecie.

– Panie Stefanie – zagadnęła Maria swego chlebodawcę w poniedziałkowy poranek, jak zwykle (ze szkodą dla sprzątania) spędzany przez oboje na balkonie ukwieconym i ostatnio również pięknie pachnącym, bo przybyły na nim trzy doniczki lawendy francuskiej o śmiesznych, wiechowatych kwiatostanach. – Panie Stefanie, czy zna pan może jakieś pieśni rosyjskie, z tych starszych?

– Pewnie że znam. Tylko ja nie umiem śpiewać, Mareszko. Bardzo piękne znam piosenki jeszcze z czasów cara, na przykład „Sałdatuszki, brawy riebiatuszki", albo „Doncy mołodcy". Mój ojciec je lubił. O to pani chodzi?

– Nie. Tłumaczyłam wczoraj dla Saszki taką pieśń o Bajkale...

– „Po dikim stiepiam Zabajkalia" – zanucił fałszywie pan Stefan. – „Gdie zołoto rojut w gorach"...

– Nie. To „Bradziaga", to już były polskie słowa. Ja robiłam tę drugą.

– Aaa! „Sławnoje morie, swiaszcziennyj Bajkał, sławnyj korabl, omuliewaja boczka"!* Co pani zrobiła z zamuloną beczką?

– Beczka to pryszcz, panie Stefanie. Szlagwort znowu nieprzetłumaczalny, jak to u Rosjan.

– Rozumiem. Sławne morze, święty Bajkał. No faktycznie. Na nasze nijak. Dołożyła pani jakieś sylaby, jak to pani ma w zwyczaju?

– Olałam, za przeproszeniem, święty, i zrobiłam „Bajkał przesławny, noc ciemna i dal"...

– Angelologia i dal. Bardzo ładnie. Piękne są te ich pieśni, nie uważa pani? A myśmy ostatnio ich całkiem skreślili. Udajemy, że Ruskich nie ma. Chyba że do podejrzanego handelku albo do ropy naftowej. A takiego Czajkowskiego w telewizji

---

* Tłumaczenie moje – M.S.

nie słyszałem od lat. Oni mają wielką kulturę... przy całym swoim parszywym charakterze. Ale i my jako naród mamy parszywy charakter, a takiej kultury nie mamy.

– Przesadza pan. Trochę mamy.

– Może przesadzam. A co po dali?

– „Sławny żaglowiec – beczułka zbutwiała"...

– A potem był barguzin! I góry Akatuja! To już chyba przypis pani machnęła!

– No co pan. Też olałam, nie miałam wyjścia. Barguzina, znaczy. „Wiej, wietrze, wiej, niechaj płynie wśród fal, droga przede mną niemała".

– Ładnie. Dalej, proszę.

– „Dawno z łańcucha ciężarem u nóg gór Akatuja kopalnie poznałem, druh mi dopomógł w ucieczce i Bóg, znowu wolności zaznałem".

– Może być. Znaczy, bardzo dobrze. Teraz Szyłka i Nierczinsk.

– „Szyłka i Nierczyńsk niestraszne mi już, straże górnicze mnie wziąć nie zdołały, zwierz mnie nie dotknął w zaroślach wśród wzgórz, kule żołnierskie mijały".

– Pani Marysiu, czy ja muszę z pani wyciągać wołami każde słowo? Naprawdę wszystko mi się podoba. Co dalej?

– „Dniem ja i nocą tak szedłem przez step, miasta wolałem zostawiać w oddali, młode wieśniaczki dawały mi chleb, chłopcy machorkę sypali. Bajkał przesławny, noc ciemna i dal, sławny mój żagiel – katana z dziurami. Wiej, wietrze, wiej, niechaj płynie wśród fal, gromy niech biją nad nami".

– No, niech pani odbierze. Ja nie mogę słuchać, jak tak telefon dzwoni.

W istocie, komórka Marii szalała, zostawiona na stole w salonie. Maria niechętnie wstała i poszła odebrać połączenie.

Oo, a to pan Pultok... niespodzianka. Ale ona i tak do nich nie wróci.

– Pani Mario, dzień dobry – zagrzmiał głos pultoczego pana i władcy. – Pani Mario, ratunku! Pomocy! Błagam, niech mnie pani nie zostawia na lodzie...

To wygląda na jakiś tryb nagły. Chyba mu nie chodzi o powrót do rezydencji na stałe.

– A powie mi pan, w czym rzecz?

– Jasne, że powiem! Pani Mario, proszę dyktować warunki. Cena nie gra roli. Musi mi pani uratować życie, a moje życie nie ma ceny!

– Chwila. Najpierw muszę wiedzieć, o co chodzi...

– Pani Mario! Jestem w sytuacji bez wyjścia. Muszę wydać przyjęcie dla kontrahentów. Miał to zrobić mój wspólnik, ale żona mu, cholera jasna, doznała urazu i teraz ma jakieś cholerne kłopoty z utrzymaniem, za przeproszeniem, ciąży, więc ma zakazane przyjęcia i w ogóle w domu musi mieć absolutny spokój. Knajpa żadna nie wchodzi w grę. Ma być wielki wypas, a jednocześnie oni się mają, cholera, dobrze czuć. Grill w ogrodzie, ale jakiś akcent artystyczny. Ja nic nie wymyślę...

– Jaki akcent?

– No, nie wiem! Taniec, śpiew, striptiz! Nie, striptiz nie, ma być kultura. Górna półka. Wręcz. Pani Mario, ja pamiętam, jak pani zrobiła tamto przyjęcie. Moja stawka dla pani jest pięć tysięcy złotych. Dziesięć. Ile pani chce, tylko niech mnie pani nie zostawia na lodzie!

– Kiedy?

– Za dwa tygodnie, w sobotę.

– W soboty jestem zajęta. O której?

– O siódmej wieczorem.

– Na ile osób?

– Koło dwudziestu. Pani Mario, czy to znaczy, że pani się zgadza?

– Myślę na razie. I mówi pan, wysoki standard?

– Wysoki jak diabli. Uczta Babette. Wdowa Jakaśtam. Co tylko pani wymyśli. Pani Mario, pani się łamie, ja to czuję. Kelnera zatrudnię albo dwóch, jak pani każe. Trzech. Hostessy. Pani będzie tylko rządzić. Zgoda? Pani Mario, zgoda?

Maria rzeczywiście zaczynała się łamać. Pięć tysięcy piechotą nie chodzi, a poza tym takie przyjęcie to dla niej wyzwanie, a więc nielicha zabawa.

– Zgoda, panie Vito. Wpadnę po siedemnastej omówić szczegóły, dobrze?

– Pani Mario, jest pani aniołem!

– Do widzenia.

Odłożyła słuchawkę i wróciła na balkon. Pan Stefan siedział zadumany nad kartką z jej tłumaczeniem. Makaron wywrócił się do góry łapami i spoglądał na nią z dołu, jakby chciał powiedzieć „jest dobrze, nie psuj tego". Siadła na swoim miejscu.

– Jakaś dramatyczna sprawa – zauważył mimochodem pan Stefan. – Słyszałem okrzyki pełne grozy. Niechcący, oczywiście. Ten ktoś ma tubalny głos.

– To mój poprzedni pryncypał – roześmiała się Maria i opowiedziała aktualnemu pryncypałowi o kłopocie pana Pultoka. – Dałam się namówić, bo takie duże przyjęcie to dla mnie fajna robótka, nawet nie z powodu pieniędzy. Widział pan „Ucztę Babette"?

– Widziałem niedawno w telewizji. Znakomity film. Byłem pod wrażeniem. I co, chce im pani wyprawić taką ucztę?

– Coś w podobie. Dosłownie powtórzony będzie tylko szampan.

– Czarna wdowa?

– Tak. Dobra, stara Madame Clicquot Ponsardin. Sama jej się przy okazji opiję, bo jedną butelkę rezerwuję dla siebie. Muszę się czymś orzeźwiać podczas ciężkiej pracy. A ja się tam zdrowo namacham, proszę pana.

– Oczy się pani świecą. Pani to naprawdę lubi?

– Przyjęcia? Uwielbiam. Wyłącznie od strony kuchennej. Jak już trzeba blablać z gośćmi o niczym, umieram z nudów. Od sztucznych uśmiechów bolą mnie szczęki. Takie przyjątka robiłam, jak byłam wzorową żoną. Starałam się jak najmniej wychodzić z kuchni, ale byłam panią domu i nie wypadało mi się tak migać, jak bym chciała. Teraz będę miała dwóch albo nawet trzech kelnerów i będę ich poganiać. I jeszcze muszę panu Pultokowi wymyślić jakąś część artystyczną.

– Girlasy? Szansonety? Taniec na rurze?

– Nie, coś z górnej półki. Od jutra zacznę szukać kwartetu smyczkowego.

– A Sasza by nie chciał zarobić paru groszy? Najpierw byłby z górnej półki, a jak się goście upiją, to on skręci w czastuszki.

– Co to są czastuszki?

– Takie przyśpiewki. „Jedna baba drugiej babie"... nie, one są rosyjskie. „Hej, ha, Dunia ma, Dunia dziewuszka moja! Hej, siup".

– A wie pan, że to dobry pomysł? Sasza jest bystry chłopak, to sobie poradzi. Wtedy jak dostał te kopy straszne, to właśnie śpiewał dla wytwornej publiczności. O kurczę! Może jak zobaczy młodego Pultoka, to go rozpozna?!

– A może stary Pultok też ksenofob i nie będzie chciał Rosjanina?

– To niech sobie sam robi przyjątko. Chociaż w zasadzie on ma prawo wyboru u siebie. Zobaczymy.

– Mareszko, a pani wie, co to znaczy „pultok"?

– Nie mam pojęcia. Pani Pultokowa mówiła, że to z węgierskiego i że oni pochodzą w prostej linii od węgierskiej szlachty i są skoligaceni ze Stefanem Batorym...

– Wszystko możliwe. Ja wiem swoje. Pultok to po śląsku indyk.

– Coś takiego! No to klasyczny przykład „nomen omen". Mam na myśli czasownik „indyczyć się". I przymiotnik...

a może imiesłów „rozindyczony"! Panie Stefanie, proszę mnie nie wyciągać na opowieści o pracodawcach! Nie chciałby pan, żebym o panu opowiadała u Pultoków!

– Oczywiście, że bym nie chciał. A mój syn się przypadkiem w odwiedziny do ojca nie wybiera?

– Pański syn wczoraj wyjechał do Hiszpanii. Odbierają statek i płyną do Aberdeen. Potem znowu wpadnie. Przyprowadzić go panu?

Kochający ojciec skrzywił się nieco.

– Tylko jeśli sam... rozumie pani: sam wyrazi taką nieprzepartą ochotę. Nie chcę, żeby było, że go zmuszam do czegokolwiek.

❧

– Saszka, to jak, przyjmiesz tę fuchę?

– A zrobiłaś mi jakiś tekścik?

– Zrobiłam „Sławnoje morie". Spodoba ci się. Mojemu chlebodawcy się podobało. Zaśpiewasz do tego kotleta czy nie? Muszę Pultokom kogoś zaproponować. Słuchaj, Sasza, przy okazji obejrzysz sobie młodego rasistę, może ci się coś skojarzy.

– I będę mógł natychmiastowo dać mu w dziób?

– Muszę to przemyśleć. Mogę cię zaproponować?

– Proponuj. Tylko przyślij mi tekst jak najszybciej, zobaczymy, jak się śpiewa.

❧

„Droga Mareszko. Odebraliśmy naszą 'Lily of the Valley' i płyniemy aktualnie do Aberdeen, czyli granitowego miasta. Nie jest ono wcale takie brzydkie, może byś się tu kiedyś wybrała i sama zobaczyła. Panowie stoczniowcy w zasadzie zrobili swoje, ale co jakiś czas mamy niespodzianki w rodzaju tego, że w kabinie chief engineera wyświetlacz przekłamuje komunikaty tekstowe, i muszę się doktoryzować na tym skomplikowanym przypadku. Albo szafa automatyki ma na linii L uszkodzenie doziemnienia. Chyba nie chciałabyś wiedzieć, co to znaczy, więc dam Ci z tym spokój.

Myślałem o ojcu. Naprawdę uważasz, że mogę go odwiedzić i on nie zacznie mnie od nowa wychowywać? Bo na morzu trochę się od tego odzwyczaiłem.

Dałabyś się namówić na małą wycieczkę samochodową na Mazury? Pod twoim wpływem obudziły się we mnie uczucia rodzinne, to znaczy, zacząłem mieć wyrzuty sumienia. Rodziców ma się tylko jednych. Mama na pewno ucieszyłaby się, gdyby mnie zobaczyła – z taką piękną dziewczyną.

Jak Ci idzie u Lucy? Pozdrów ją ode mnie.

Saszę też pozdrów. No i ojca. Chyba naprawdę do niego wpadnę po powrocie.

Pozdrawiam i Ciebie – bardzo serdecznie. Mogę Cię uściskać?

Pędzę teraz, bo ten wyświetlacz znowu zaczyna mieć własne zdanie. Muszę mu to wybić z głowy.

Paweł marinero, w niedalekiej przyszłości, mam nadzieję, chief engineer na tej całej konwalijce. Albo na jakimś innym kwiatku".

❧

„Cześć, Marinero. Bardzo się cieszę z powodu tych Twoich uczuć rodzinnych, co to Ci wezbrały. Twój ojciec na pewno się ucieszy, jeśli nawet będzie udawał, że nic podobnego. Do Mamy nie wiem, czy pojadę, zależy, jak będę stała z pracą. Dostałam teraz zlecenie na przygotowanie ekstraprzyjęcia u tych ludzi, u których pracowałam poprzednio. Biorę Saszę jako element artystyczny. Może przy okazji przyjrzy się małemu rasiście i albo się utwierdzi w podejrzeniach, albo się ich pozbędzie.

Żegnam Cię na razie, albowiem też lecę do pracy, mam dzisiaj sobotę śniadaniową u Lucy (pracuje mi się tam doskonale, a Lucy i jej rodzice są świetni). Załączam fotkę Ferdynanda Wspaniałego, jak zdejmuje Lucy skarpetkę. Wygląda trochę, jakby chciał jej urwać nogę – to dlatego, że skarpetka miała ciasnawy ściągacz. Oczywiście Ferduś zwyciężył.

Załączam też mój ostatni tekścik dla Saszy. Ciekawa jestem, czy Ci się spodoba.

Pomyślnych wiatrów, stopy wody pod kilem, syren, delfinów i czego tam chcesz jeszcze na tym Morzu Północnym. Trzymaj się ciepło.

Maria".

❧

Praca u rodziny Zanikającej Lucy okazała się przyjemna, bo ludzie byli zdecydowanie sympatyczni. Była też jednak dość wyczerpująca, bo w krótkim czasie Maria musiała zrobić stosunkowo dużo: posprzątać, ugotować, przygotować obiad na następny dzień. Nie miała więc specjalnie czasu na to, co ją bardzo interesowało: na obserwację psa. Kiedy więc robiła coś w jego pobliżu, dostawała rozbieżnego zeza, usiłując jednym okiem patrzeć na to, co robi, a drugim – co robi pies.

A Ferdynand był rzeczywiście Wspaniały. Miły pieszczoch, jak to goldeny, kiedy asystował swojej pani, zmieniał się w skupionego, niezawodnego towarzysza.

– On rozumie słowami! – wykrzyknęła kiedyś Maria, kiedy Ferdi dostał polecenie podania swej pani telefonu. Domowego. Słuchawka leżała na stole, tuż obok komórki. Pies przesunął nosem komórkę, która mu przeszkadzała, chwycił zębami właściwy telefon i podał pani, zanim umilkł dźwięk dzwonka. Lucy zamieniła kilka słów z kimś z uczelni i Ferdi odniósł telefon na miejsce.

– Żebyś wiedziała – zaśmiała się Lucy swoim srebrnym śmiechem. – Wszystko rozumie. Tylko wiesz, nic od razu. Jak go dostałam od fundacji... widziałaś jego szorki?

– ALTERI – to ta fundacja?

– Tak. Do nich można wystąpić z wnioskiem o przyznanie takiego psa-pomocnika i wtedy albo go dostaniesz, albo nie, to zależy od wielu rzeczy. Oni sprawdzają twoje warunki mieszkaniowe, czy zapewnisz psu opiekę weterynarza, spacery, wyżywienie... rozumiesz, chodzi o to, żeby zwierzaka nie zmarnować. Potem się psa szkoli i właściciela też. Jak wróciliśmy do domu tacy wyszkoleni, to byłam pewna, że Ferdi wszystko potrafi, a tu okazało się, że nie, że jeszcze mnóstwa rzeczy musimy się nauczyć. Wiesz, tu są konkretne warunki, konkretne potrzeby. Kiedyś miałam dla Ferdusia takiego specjalnego klikera, a teraz wszystko załatwiamy słowami. Tak, Ferdi? Przybij żółwika!

Ferdynand natychmiast przybił żółwika i usiadł, gotów do wypełniania kolejnych poleceń.

– Słuchaj, Lucy, posprzątałabym u ciebie, jeśli pozwolisz. Ferdi jest boski, tylko kłaki gubi. Myślisz, że mogłabym go porządnie wyszczotkować? Gubiłby mniej.

– Jasne. Tylko zrób to tutaj, on powinien być przy mnie. No i ja muszę mieć pomoc w razie czego. W przedpokoju powinna być jego szczotka, taka dwustronna, z jednej strony metalowa, z drugiej normalna.

Szczotka istotnie leżała na półce w przedpokoju. Maria zabrała się do wyczesywania złocistego futra. Ferynand posapywał z cicha, wyraźnie było mu przyjemnie, jednak nie spuszczał oczu ze swojej pani, jakby ani przez chwilę nie przestawał asystować. Pani tymczasem otworzyła pocztę w komputerze i zaczęła odpisywać na listy.

Nagle Maria z przerażeniem zobaczyła, że głowa Lucy zaczyna się odchylać w tył w jakiś nienaturalny sposób. Zanim jednak zdążyła zareagować, dziewczyna zawołała:

– Ferdi, pomóż!

Ferdynand natychmiast wyrwał się z rąk Marii, wytrącając jej szczotkę z dłoni, skoczył obiema łapami na piersi swojej pani, chwycił zębami i pociągnął zawieszoną na jej szyi tasiemkę. Głowa odzyskała pion.

– Puść, Ferdi! Super!

– O matko – odetchnęła Maria, gdy pies chrupał swoją nagrodę. – Wystraszyłam się i zgłupiałam kompletnie. Przepraszam cię, to ja powinnam pomóc...

– E tam. Przecież widzisz, że dajemy radę z Ferdusiem. Muszę mu tylko mówić, żeby puścił w porę, bo inaczej mnie wyjmie z wózka. Na początku tak było, ciągnął bez opamiętania. Nogi mi też poprawia, jeśli zdrętwieję. I odróżnia prawą od lewej.

– Nie wierzę!

– Nie wierzysz?

– No coś ty. Wierzę. Przecież widzę. Bardzo mądre stworzonko z niego, bardzo. Jestem pełna szacunku dla was obojga.

– A bardziej dla mnie czy dla psa?

– Nie każ mi wybierać. Oboje jesteście odjazdowi. Paweł mówił, że projektujesz strony internetowe.

– I przymierzam się do zrobienia doktoratu z informatyki. Właściwie to już nawet zaczęłam.

– Ja też się zabierałam do doktoratu, z komparatystyki, na uniwerku w Warszawie, ale zaszły nieprzewidziane okoliczności... Lucy, czy okoliczności zachodzą? Właściwie to ja powinnam wiedzieć. Przyjmijmy, że tak. No więc one zaszły, a ja zmieniłam plany życiowe.

– Opowiesz mi? Może napijemy się herbaty? Takiej nie z termosu, tylko świeżej, zrobiłabyś?

Przy tej właśnie świeżej, nie z termosu, herbacie, zmieszanej przez Marię z kilku znalezionych w szafce gatunków i doprawionej odrobiną świeżej mięty (kupiła kilka doniczek z ziołami) obie młode kobiety, które poczuły do siebie sympatię, opowiedziały sobie nawzajem o własnym życiu. Ferdynand, zawiadomiony, że chwilowo ma wolne, ułożył się przy wózku Lucy i zapadł w słodką drzemkę, pogwizdując trochę przez nos. Plan pracy, ułożony skrupulatnie przez Marię na ten dzień, rozleciał się całkowicie. Lucy trochę to zmartwiło, ale Maria machnęła ręką.

– Nie jestem automatem – oświadczyła. – Poza tym jestem wolna i niezależna. Mogę pobyć u was dłużej. Daruję sobie te generalne porządki u ciebie, zrobię je kiedy indziej, tylko odkurzę po wierzchu i ugotuję obiad na jutro. Może chcesz się położyć? Odpoczniesz trochę.

Pomogła Lucy przenieść się na łóżko, a sama zabrała wreszcie do pracy. Lucy zasnęła, a wtedy jej wielki, złocisty opiekun, wysoko podnosząc łapy, wspiął się na łóżko, przekroczył śpiącą i spokojnie ułożył się tuż obok niej. Z pyskiem na jaśku.

– To znaczy, że znalazłaś sobie przyjaciółkę – orzekła Lila, kiedy Maria wyjaśniła jej powód swojego spóźnienia. – Bardzo się cieszę. My, oczywiście, też jesteśmy twoimi przyjaciółkami, ale młoda kobieta powinna mieć kumpelasię w swoim wieku. Szkoda że ta cała Hanka okazała się niezrównoważona. Musimy kiedyś zarządzić piknik w Stolcu. – Tu starsza pani zachichotała nieopanowanie, jak zwykle kiedy wymawiała tę nazwę. – Niech się dziewczyna wytarza na łonie natury.

❧

Przyjątko w ogrodach Aranjuezu, czyli na tyłach rezydencji państwa Pultoków (skoligaconych z Batorym), zapowiadało się imponująco. Maria omówiła wszystko z panem Pultokiem, uznał on bowiem, że tak poważnego przedsięwzięcia nie zostawi w nie do końca odpowiedzialnych rękach małżonki. Ustalono, że hostessy są wprawdzie ładnym elementem dekoracyjnym, ale kelnerzy wyglądają o wiele bardziej godnie. Zatrudniono więc trzech kelnerów z orbisowską praktyką. Maria zaproponowała, a pan zatwierdził, trzy owalne stoły rozstawione pod drzewami – prognoza pogody na ten dzień była bardzo korzystna. Przy tych stołach nakrytych obrusami z kremowej koronki mieli zasiąść goście, żeby spokojnie i wygodnie skonsumować główne dania: dziczyznę, pieczony drób, ryby i owoce morza w różnych postaciach, z grillowanymi na oczach gości homarami na czele. Niezliczone przystawki (zapowiadało się na to, że Maria będzie je przygotowywać całą noc) miały być stale dostępne na innych stołach, dla odmiany podłużnych, ubranych na biało, żeby lepiej wyeksponować kolorowe półmiski i barwne bukiety kwiatów. Barista wypożyczony z eleganckiego hotelu miał parzyć znakomitą kawę na kilka sposobów – przy osobnym małym stoliczku. Przewidziano tam również i herbatę. Kelnerów zaplanowano nie tylko do podawania potraw i nalewania win przy stołach, ale i do krążenia z tacami wśród zaproszonych gości – ich lista zamknęła się ostatecznie w liczbie trzydziestu osób.

– Będę potrzebowała pomocnika w kuchni – powiedziała Maria panu Pultokowi. – Jest pan pewien, że nie zbankrutuje?

– Spokojnie – sapnął pan Pultok. – Oni wszyscy muszą wiedzieć, że doskonale mi się powodzi i firma stoi jak... – Tu w ostatniej chwili zrezygnował z tłustego porównania. – Będzie pani miała pomocnika. Tylko ja nie wiem, skąd go wziąć. Pani wie?

– Wiem, z tego samego hotelu, co i baristę. On mi już nawet polecał jednego takiego młodego kucharza i ja z nim jestem wstępnie namówiona. Nadajemy na tej samej fali, więc będzie dobrze.

– Pani Mario... – W głosie pana Pultoka zabrzmiała jakby nutka nostalgii. – A żadnego pieczonego prosiaczka pani nie przewidziała?

– Panie Witoldzie, między nami mówiąc, prosiaczek jest oklepany i w sumie raczej mało elegancki. Proszę sobie przypomnieć, jak wygląda taca z częściowo nadjedzonym prosiaczkiem. Prosiaczek z nadżerką, błeee. A poza tym to żadne cudo kulinarne. Comber z jelenia w sosie maderowym będzie o wiele lepszy.

– Ma pani odpowiedź na wszystkie pytania – przyznał pan Pultok, odczuwający jednakowoż pewien żal po prosiaczku. – Jestem spokojny. Czy mogę być? – wystraszył się nagle.

– Może pan być.

– A ten artysta śpiewający?

– Wejdzie sobie dyskretnie na tę estradkę, z której będzie pan witał gości, najpierw poplumka na gitarze, potem zacznie śpiewać i zobaczy, jak ludzie reagują. Jeśli będą chcieli, to się rozwinie i publiczność wciągnie. Jeśli nie, zostanie przy plumkaniu.

– Pani Mario, chyba w ogóle nie powinienem się odzywać. Niech pani rządzi, a ja mam świadomość, że wszystko będzie w porządku. Jak się zacznę wtrącać, proszę mnie pogonić, żebym pani nie przeszkadzał. Żonę też.

Pani Pultokowej nie trzeba było jednak przeganiać z kuchni, bo wcale się tam nie wyrywała. Skorzystała z faktu, że ster dostał się w niezawodne ręce, i odbyła kilka fascynujących wycieczek do najnowszego w mieście spa, odwiedziła fryzjerkę, kosmetyczkę, manikiurzystkę, wydepilowała sobie wszystko i zaczęła wyglądać na lekko starszą siostrę własnych córek. Wirginia bowiem na prośbę rodziców zaszczyciła przyjęcie swoją obecnością. Obie z Roksaną prezentowały się bardzo elegancko, może w wyniku groźnej przemowy ojca, który z wrodzoną bezpośredniością zabronił im wyglądać jak kurwięta. Elegancki był również syn rodu, Kordian, zwany czasem Białą Siłą, aczkolwiek łysy łeb upodabniał go nieco do ochroniarza.

– Twoim zdaniem to on cię skopał?

Maria i Sasza stali pod rozłożystym orzechem, pod którym ustawiono estradkę z mikrofonami. Goście niebawem mieli zacząć się schodzić i były to ostatnie chwile względnego luzu.

– Nie mam pojęcia. Musiałbym usłyszeć jego głos.

– A to zaraz usłyszysz. Korek, mogę cię prosić?

Biała Siła zbliżył się do nich, nie podejrzewając niczego. Maria przypuszczała, że jeśli to rzeczywiście był on, wtedy w parku, to za wiele tam w ciemnościach nie zobaczył i nie ma szans rozpoznać w Saszy swojej ofiary.

– Jestem. Czy mam coś zrobić?

Sasza zbladł. Maria spojrzała na niego uważnie.

– No co, pani Mario? – spytał znowu Kordian. – Do czego mogę się pani przydać? Pani mówi, ja robię. Chociaż nie smaży mi już pani omletów – dodał z pewnym żalem.

Sasza, blady jak papier, kiwnął głową.

– Jesteś pewien?

– Jestem. Na sto procent. Ja mam słuch, jestem muzykiem...

– Ale o co wam właściwie chodzi? – Kordian był już trochę zniecierpliwiony.

– Chciałam ci kogoś przedstawić – powiedziała spokojnie Maria. – To jest nasz dzisiejszy solista, pan Aleksandr Winogradow. Rosjanin. To panu właśnie złamałeś nogę kopami w Parku Żeromskiego jakiś czas temu.

– Kurdę! Chyba ścicie!

Kordian odwrócił się i zamierzał odejść, ale Maria przytrzymała go za ramię.

– Chwila. Nie bądź taki szybki. Porozmawiajmy.

– Nie ma o czym! Niech mnie pani puści!

– Zaraz cię puszczę, tylko chcemy, żebyś wiedział, co pan Winogradow planuje w związku z tym...

Maria miała nadzieję, że Sasza coś naprędce wymyśli, bo nie omówili żadnej taktyki. Sasza powoli kiwał głową, nie spuszczając z młodego rasisty zamyślonego wzroku.

– Niczego mi nie udowodnicie – syknął młody rasista.

– I nie zamierzamy – odpowiedział Sasza, który już zdążył zebrać myśli. – Jak wiesz, ja tu jestem dzisiaj za artystę, będę śpiewał i zabawiał gości twojego ojca. No więc jeśli twój ojciec nie przyjdzie do mnie i nie powie, że wie, jakim padalcem jest jego syneczek, to ja osobiście zawiadomię o tym wszystkich gości w najlepszym momencie bankietu.

– Tak więc zastanów się, Kordianie – dodała Maria. – Twój ojciec i tak się dowie, co zrobiłeś. Może lepiej, żebyś nie pozwolił na kompromitację nazwiska w kręgu jego kontrahentów. Twój wybór, sam ojcu powiesz, czy zostawisz to Saszy.

– Spadaj, krowo – powiedział następca tronu i odszedł, nie oglądając się za siebie.

– Nio! – skwitowała całe zdarzenie Maria. – To mały teraz ma o czym myśleć, a ja tu się jeszcze chwilkę pokręcę, zobaczę, jakie powodzenie mają moje przystawki. Trzymaj się, artysto.

Goście zaczynali już nadciągać. Kelnerzy ruszyli do podawania drinków, barista zaczął parzyć swoją popisową kawę, a Maria stanęła przy stoliczku herbacianym, gotowa podawać herbatę osobiście. Miała stamtąd niezły widok na stoły z przystawkami – była z nich dumna, bo większość zrobiła sama, tylko ryby i owoce morza w najróżniejszych postaciach przyjechały ze słynnego szczecińskiego „Chiefa". Maria uznała, że lepszych nie zrobi, a nie chciało jej się grzebać w łososiach, krewetkach i ośmiornicach, którymi potem woniałaby cała kuchnia. Kordian gdzieś się schował i zapewne przeżywał, za to dwie jego siostrzyczki i matka brylowały w centrum trawnika. Ojciec rodu szykował się do wygłoszenia czegoś, co nazywał „maleńkim spiczem".

– Bardzo ładnie wszystko wygląda – szepnął w stronę Marii barista Kazio, młody, energiczny i wesoły człowiek, do którego poczuła sympatię już przy pierwszym spotkaniu. Wyglądało na to, że z wzajemnością. – Ślicznie pani ten anturażyk wymyśliła.

Moim zdaniem wszyscy są zachwyceni. I młócą te pani przystawki jak maszyny. Próbowałem w kuchni faszerów, bajka!

– Dziękuję – odszepnęła. – Faszery to moja specjalność. Panie Kaziu, ja zaraz spadam, niech pan się czule zajmuje herbatą, dobrze? Tu w dzbankach są takie mieszanki, jak panu mówiłam, gdyby kto chciał, to tylko zalać, od razu do pełna i poczekać trzy minuty.

– Damy radę, pani Mario. Lubię pracować w takich miejscach, gdzie wszystko jest na poziomie. Niech pani jeszcze nie ucieka, zrobię pani szybciuteńko kawkę na wzmocnienie.

Kawka na wzmocnienie była zwykłą mocną kawą z niewielkim dodatkiem pięknie pachnącej wiśniówki. Maria nie znała tego patentu, ale postanowiła, że w przyszłości będzie go stosować. Dopijała właśnie swoją porcję, kiedy ktoś stanął obok.

– Witam, pani Mario. Czyżbym widział panią w pracy?

Maria wbrew namowom Lili nie posunęła się do założenia jednego z tych operetkowych strojów ochmistrzyni; miała na sobie czarną wąską spódnicę i biały płócienny żakiecik. W kuchni zrzucała go i zostawała w podkoszulce. Włosy ściągnęła w ciasny koczek, makijaż zrobiła minimalny i zdecydowanie odcinała się od kolorowej gromadki gości. Obejrzała się teraz za siebie i zobaczyła mecenasa Maurycego Lufta we własnej osobie, w towarzystwie eleganckiej damy w wieku stosownym. Prawdopodobnie żony.

– Ninko, pozwól, to pani Maria Strachocińska, jak sama mi mówiła, idealna gospodyni domowa. Pani Mario, Nina, moja żona. To przyjęcie jest pani dziełem?

– Bardzo mi przyjemnie. Tak, to ja urządzałam wszystko. Miło mi, jeśli się państwu podoba.

– Podoba? – Pani Janina Luft miała głos jak dzwon Zygmunta. – Rewelacja. Re-we-la-cja. Czy pani jest do wynajęcia?

– Jak najbardziej – uśmiechnęła się Maria. – Dopóki mi się nie znudzi.

Myśli kłębiły jej się w głowie jak fale na obrazie Ajwazowskiego, przedstawiającym burzę na morzu. Mecenas, niewątpliwie, łajdaczynka, żonę zdradza, lolitką się bawi – z drugiej strony dość okropna ta lolitka, facet dla odmiany sympatyczny, a gdyby się wydało, karierę miałby pewnie z głowy, a ona, Maria, miałaby z głowy własnego adwokata.

Pani mecenasowa śmiała się tubalnie. W jej pojęciu zapewne to służąca może się znudzić państwu, nigdy odwrotnie. Cóż, nie spotkała jeszcze nikogo takiego jak Maria, no i nie czytała Agaty.

– Jakie one śliczne, prawda? – powiedziała Maria w natchnieniu, wskazując brodą środek trawnika. – A jakie podobne do siebie i do matki!

– Kto? – spytała pani Nina. – Ja tu nikogo nie znam, to mąż prowadzi im kilka spraw.

– Córki domu – wyjaśniła Maria. – Tam są, te dwie panienki w fioletach i błękitach. Wirginia, starsza, i Roksana, młodsza. Bardzo dojrzale wyglądają. To nie do wiary, że Ksenia nie ma jeszcze piętnastu lat. Ja przepraszam, ale muszę uciekać do pracy, za chwilę będę miała piekło ogniste. Do widzenia pani, do widzenia, panie mecenasie.

Mecenas, który jakby się wyprostował, w momencie kiedy mówiła o wieku dziewcząt, ukłonił jej się teraz uprzejmie, a jego pani łaskawie skinęła ręką.

– Do widzenia, do widzenia. Musimy kiedyś zrobić u siebie takie przyjęcie dla kolegów Maurycego, to wtedy zgłosimy się do pani. Chodź, Maurycy, widzę tam jakieś apetyczne rzeczy, chcę ich spróbować, zanim znikną. Przepisy to, oczywiście, tajemnica?

Nie czekając na odpowiedź, odeszli, a Maria wycofała się do kuchni, bo rzeczywiście miała tam dzisiaj mnóstwo do zrobienia. Przyjęcie tymczasem osiągnęło zamierzony rytm, goście spróbowali przekąsek, nabrali ochoty na jeszcze, drinki wprowadziły ich w dobry humor, pan domu wygłosił swój „maleńki spicz", jednym słowem wszystko szło jak po maśle.

Maria właśnie poleciła koledze baristy, kucharzowi, który miał na imię Kevin i był Anglikiem, pokrojenie jeleniego combra, a sama wzięła się do artystycznego układania glazurowanych młodych marchewek na półmisku, kiedy do kuchni wszedł Kordian. Był ponury jak noc grudniowa i szczęki mu latały.

– Przepraszam panią za krowę – powiedział sztucznie grubym głosem, spoglądając na nią spode łba.

Maria też na niego spojrzała, ale nic nie odpowiedziała, nadal większość uwagi poświęcając marchewkom.

– Pani myśli, że on to może zrobić?

– Z całą pewnością. Ty byś nie zrobił?

– Kurdę. Jasne, że bym zrobił. Ale przecież nie macie pewności, że to ja byłem.

– Mamy. Sasza jest muzykiem, ma doskonały słuch. Rozpoznał cię po głosie i po twoim kurdaniu. Poza tym sam się przyznałeś, i wtedy, i teraz. Słuchaj, on miał nogę złamaną w dwóch miejscach. Twoim butem. Twoim kopem. Masa bólu i sześć tygodni w gipsie. Nie uważasz, że teraz jemu coś się należy?

– Rusek pieprzony – odezwała się Biała-Siła-Polska-dla-Polaków.

– Kordian, przeszkadzasz. Jeśli coś mi nie wyjdzie, twój ojciec dostanie szału. Idź robić rachunek sumienia gdzie indziej.

– Mój ojciec i tak dostanie szału – nie bez racji zauważył Biała Siła.

– To chociaż niech dostanie jednego, a nie dwóch. Zmiataj. I weź pod uwagę: ojciec i tak się dowie. Jeśli przy okazji dowiedzą się wszyscy goście, to dopiero będziesz miał piekło. A jeszcze zwracam twoją uwagę, że jak Sasza już coś zacznie mówić z estrady, to nie przestanie. Więc jeżeli chcesz wyczekać, zobaczyć, jak będzie, to dużo ryzykujesz. Ale to twoja sprawa. Kevin, można podawać pieczyste?

– Lelenia – przytaknął Kevin. – Kelnera mnie dawaj. Ja gotów.

Zabrzmiało to trochę, jakby był rycerzem i oznajmiał, że jest gotów do spełniania czynów nadludzkich.

W kuchni zaczęło się teraz małe pandemonium, bowiem wszystkie główne dania należało podać mniej więcej jednocześnie. Kelnerzy wpadali co chwila, Maria i Kevin dwoili się i troili, a czasem można było odnieść wrażenie, że jest ich dziesięcioro. Maria nie miała więc szansy zobaczyć, jak Kordian wyciąga swego rodziciela pod rozrośniętą magnolię stojącą przy ogrodzeniu i coś mu opowiada, jak twarz pana Pultoka seniora przyobleka barwę biskupiego (lub indyczego) fioletu, jak fioletowy Pultok idzie w stronę estradki i rozmawia z kolei z Saszą Winogradowem, który po tej rozmowie z dużą energią wskakuje na swoją estradkę i intonuje gromko „ech, raz, jeszczio raz" – a nutę ową podejmują wszyscy, lekko już nabombani goście i za moment cały ogród huczy wesołą rosyjską przyśpiewką.

Najwspanialsze przyjęcie w dziejach firmy pana Pultoka i jego kontrahentów skończyło się około trzeciej w nocy, kiedy ostatni maruderzy wypili mnóstwo pożywnego bulionu i odeszli do własnych domowych pieleszy, by tam spokojnie spać i trawić wszystkie te cuda, jakimi nakarmiła ich Maria. Ona sama przy pomocy Kevina i za zgodą pana domu, udzieloną jeszcze przed bankietem, ze wszystkiego, co zostało na stołach i w kuchni, uczyniła zgrabne pakuneczki, dużą część zostawiła w lodówce państwa Pultoków, a resztą obdzieliła mniej więcej po równo trzech kelnerów, baristę Kazia i dwie panie, które zjawiły się teraz na telefon, aby posprzątać pandemonium, jakie w ogrodzie zostało. Słuszną porcję dostał Kevin, a dwie paczuszki Maria zostawiła dla Saszy i siebie. Z westchnieniem ulgi włożyła swój biały żakiecik (nie wiadomo jakim cudem wciąż pozostawał biały), podziękowała wszystkim współpracownikom i szykowała się do odejścia, Sasza z gitarą na ramieniu już czekał na nią, a taksówka była zamówiona.

– Daj buzi – zmaterializował się przy niej znienacka Kevin. – Dla mnie zasz... zaszszit z tobą płacowacz. Mary, please, my płacujemy jeszsze kedysz together.

– Z radością – odrzekła i podstawiła mu policzek. – Fajny z ciebie chłopak, Kevin. I kucharz w porządku. Jakbym kiedyś robiła takie przyjęcie, to będę o tobie pamiętać. Kaziu, o tobie też. Wpadnę do was do hotelu. Trzymajcie się, chłopaki. Zrobiliśmy razem coś naprawdę dobrego.

Pozwoliła się wyściskać również kelnerom i zgodna ekipa skierowała się do wyjścia. W tym momencie w drzwiach pojawił się pan domu,

– Panowie, nie wychodźcie jeszcze. Tu jest dla wszystkich dodatkowa gratyfikacja. – Wyciągnął koperty i rozdał je wśród pomruków zadowolenia. – Nie mam siły wam jakoś porządnie podziękować, ale dziękuję jak mogę. To było zawodowe, coście zrobili. Mamy wasze namiary, jakby co, będziemy was wołać. Pani Mario, na słóweczko... dosłownie minutka. Proszę.

Wszyscy włącznie z Saszą wyszli, Pultok senior i Maria zostali sami.

– Pani Mario. – Popatrzył na nią mniej więcej tak jak zbity pies. – To prawda z tym skopaniem? Korek mówił, że to pani kazała mu się przyznać.

Zrobiło jej się go żal. Musiał mocno przeżyć tę wiadomość.

– Niestety, prawda. Sasza rozpoznał Kordiana po głosie i tym jego powiedzonku...

– Kurdę?

– Tak. Nikt tak nie mówi, tylko on, a poza tym on nam się normalnie przyznał. Nie protestował. Sasza miał goleń złamaną w dwóch miejscach. Porządnie się nacierpiał.

– Cholera jasna. Pani Mario, pani wie przecież, ja może nie jestem najwytworniejszy z obejścia i w ogóle, ale nigdy nikomu krzywdy nie zrobiłem. A tu wygląda na to, że mam syna bandytę.

Skrzywił się strasznie i jakby przygiął.

– Panie Witoldzie, źle pan się czuje?

– Pani by się dobrze czuła?

– Ale co, wołać pogotowie?

– Nie, nie trzeba. Ja już sam nie wiem, co mówię, mnie on przecież też się przyznał. Nie wiem, co mam zrobić. Nie wiem.

– Niech pan dzisiaj już nic nie robi, tylko idzie spać, bo pan się najbardziej zmęczył. A potem coś pan wymyśli. My też już padamy z nóg.

– Prawda. Poprosi pani kolegę artystę, dobrze?

Maria kiwnęła głową i zawołała przez drzwi:

– Saszka!

– Jestem. Taksówka też jest.

– Niech czeka – zasapał gospodarz. – Panie Sasza. Mój syn mi opowiedział, co zrobił. Co pan teraz chce przedsięwziąć?

– Ja? Nic – wzruszył ramionami Sasza. – Co mi przyjdzie z włóczenia się po sądach? Ja wiem swoje, pan wie swoje, pana syn wie swoje...

Pana córka też wie swoje – omal nie wyrwało się Marii, ale zdołała utrzymać język za zębami.

– Panie Pultok – powiedział Sasza cicho. – Ja do pana pretensji nie mam. Chciałem tylko, żeby pan wiedział i może coś synowi przetłumaczył albo nie wiem... Jeszcze jedno. Ja od pana nie wezmę pieniędzy za ten występ. Dla mnie to ma duże znaczenie, że się wszystko rozplątało.

– No nie! – Pan Pultok skrzywił się jeszcze gorzej niż przedtem. – Zrobił pan, co do pana należało, i bardzo dobrze pan to zrobił. Wszyscy byli zachwyceni. Musi pan wziąć pieniądze, to normalna zapłata...

Sasza pokręcił głową, wyjął z kieszeni kopertę z pieniędzmi i położył ją na brzegu stołu.

– Panie Sasza! Ja już i tak mam problem, a pan jeszcze koniecznie chce, żebym czuł się jak świnia. Niech mi pan tego, do cholery, nie robi!

Maria spojrzała na swego chwilowego chlebodawcę, którego fioletowa twarz zaczynała właśnie sinieć. Zrobiło jej się go żal.

– Saszka, pan ma rację. Weź tę forsę i spuśćmy wreszcie zasłonę miłosierdzia na tę całą historię.

Sasza spojrzał na nią niepewnie, więc wzięła kopertę i własnoręcznie włożyła mu ją do torebki.

– Panie Witoldzie, kiepsko pan wygląda. Może jednak...

– Nie. Panie Sasza. To nie wszystko. Chciałbym panu zapłacić odszkodowanie. Będę nalegał. Niech pan nic nie mówi, niech pan słucha. Zachował się pan przyzwoicie. Nie wiem dlaczego, bo ja na pana miejscu poleciałbym na policję. Maria... pani Maria mówiła, że pan się porządnie nacierpiał. Widziałem, że jeszcze pan utyka. Niech pan mnie zrozumie, ja nie będę mógł sobie w oczy spojrzeć do końca życia, jeśli pan nie pozwoli sobie chociaż częściowo wynagrodzić...

Zanim Sasza zdążył zaprotestować, pan Witold Pultok stęknął jakoś tak paskudnie, osunął się na podłogę i usiadł na niej, podpierając się plecami o drzwi.

– O kurczę! – zawołała Maria. – Saszka, masz komórkę na wierzchu? Dawaj szybko! Nie kładź go, niech siedzi, tylko uważaj, żeby miał czym oddychać! – Mówiąc, kręciła numer alarmowy. – Halo! Pogotowie? Dzień dobry, mam tu pana, który traci przytomność, coś go bolało w klatce piersiowej albo w brzuchu, nie chciał powiedzieć, ale jęczał, a teraz jest fioletowy i traci oddech. Mam na miejscu taksówkę. Wieźć go do szpitala czy czekać na karetkę?

– Skąd pani dzwoni?

– Z Nowowiejskiej na Bezrzeczu. To niedaleko Łukasińskiego i Mierzyna...

– Niech pani czeka. Mam kardiologiczną karetkę niedaleko. Nazwisko i adres proszę.

Maria podała dokładny adres i kilka danych.

– Mamy czekać – rzekła niepotrzebnie, bo Sasza wszystko słyszał.

W tym momencie do kuchni wsunął się chyłkiem Kordian. Ojciec zapowiedział mu, że jego dalsze losy zależą teraz od tego, co zdecyduje ten głupi ruski gitarzysta... znaczy ojciec mówił inaczej, on, Kordian Biała Siła, tak sobie to zinterpretował... bardzo chciał się wreszcie dowiedzieć co i jak, bo przecież i tak czeka już od połowy tego durnego bankietu, no, ile można...

– O kurdę! Co się stało? Tato!

– Niech pan nic nie mówi, panie Witoldzie – powiedziała Maria ostrzegawczo. – Niech pan siedzi spokojnie i się nie męczy. Korek, tata zasłabł. Karetka już jedzie. Odeślij, proszę, taksówkę... albo nie, powiedz mu, żeby czekał... i wyjdź z latarką na główną ulicę, żeby niepotrzebnie nie tracili czasu na poszukiwanie. No już, tylko tak możesz tacie pomóc.

Karetka chyba naprawdę była niedaleko, bo po kilku minutach rozległo się wycie i ratowniczy furgon z literą „K" podjechał pod dom. Dopiero teraz pani Gina i dwie panienki Pultokówny zorientowały się, że coś złego się dzieje, i zeszły z piętra do kuchni. Maria kilkoma stanowczymi wezwaniami zaprowadziła porządek i uciszyła damsko-pieski jazgot (Josia i Jasia, cały wieczór zamknięte w łazience, postanowiły przynajmniej teraz wziąć udział w imprezie, niestety, po małej chwili ponownie zostały zamknięte). Zyskała za to kilka życzliwych spojrzeń pracujących pogotowiarzy.

– Zabieramy pana na intensywną – oznajmił jeden z nich. – Jedziemy na Unii. Widziałem tu taksówkę. Niech ktoś z rodziny też jedzie. Pani jest żoną?

Przerażona Gina jęknęła tylko i usiadła na najbliższym taborecie. Córki nie były o wiele bardziej przytomne. Maria zastanawiała się właśnie, czy jeszcze jej wypada wydawać polecenia rodzinie pracodawcy, kiedy niespodziewanie inicjatywę przejął Kordian.

– Ksenia, weź, idź do góry, przynieś mamie jakąś kieckę. Ja z mamą pojadę. Mama, nie siedź tak. Rusz się, musimy jechać do szpitala. Nie bój się. Ja będę cały czas z tobą.

Pogotowiarze wynosili właśnie nosze z panem Pultokiem, który na dobre przestał dawać znaki życia. Pani Pultokowa jęknęła, rozpłakała się głośno i zawisła na synowskiej piersi. Syn odsunął ją delikatnie i przytrzymał za ramiona. Ksenia zdążyła już obrócić i właśnie podawała matce sukienkę. Pani Gina schowała się za drzwi, zrzuciła szlafrok i ubrała się, cały czas płacząc.

– Mama – powiedział blady jak ściana Kordian. – Nie płacz. Nie pora na to. Ojciec jeszcze nie umarł. Taksówka czeka. Jedziemy. Ale nie płacz, bo ja nie wytrzymam i uciekę.

Jego matka przerażona taką perspektywą, jakoś się uspokoiła. Po chwili w kuchni zostały tylko córki domu, Maria z Saszą i dwie panienki do sprzątania z oczami okrągłymi z emocji.

– Poradzicie sobie, dziewczyny? – spytała Maria Pultokówny.

Wirginia i Roksana machinalnie pokiwały głowami.

– Ale ja nie wiem, co powinnyśmy teraz zrobić – szepnęła Roksana.

– Chcecie, żebym z wami została?

– No...

– To ja też zostanę – powiedział Sasza. – Nie zostawię cię tu samej, Mareszko.

– Nie jestem sama, ale dziękuję ci. Zostań, będzie nam raźniej. Proponuję tak: panie będą teraz robiły swoją robotę, bo porządek trzeba zaprowadzić, wy, panienki, ubierzcie się, bo zimno wam będzie w tych peniuarkach... Chyba że chcecie iść spać?

Siostry zgodnie pokręciły głowami.

– No to załóżcie coś cieplejszego albo owińcie się kocami, ja wam tymczasem zrobię rosołek na rozgrzanie, takie od środka, bo widzę, że obie macie trzęsionkę. Siądziemy spokojnie w gabinecie taty, tam jest najporządniej, bo w salonie też byli goście i zostawili bałagan. I będziemy czekać na wiadomość od Kordiana. Dobrze?

Siostry jak marionetki pokiwały głowami.

Kilka minut później całe towarzystwo siedziało na skórzanych kanapach w gabinecie biznesmena Witolda Pultoka, w filiżankach parował pachnący rosół, a ogólna atmosfera grozy zaczynała się przerzedzać, niemniej na pogaduszki nikt nie miał ochoty.

O czwartej pięćdziesiąt zadzwonił Kordian. Siostry natychmiast dostały wielkich oczu, więc telefon odebrała Maria.

– Z tatą już lepiej – powiedział Kordian. – Miał zawał, ale go wyciągnęli. Powiedzieli, że to szczęście, że tak szybko wezwaliśmy pogotowie. Pani wezwała. Znaczy.

– Przywieź mamę. Musicie odpocząć. Nie odsyłaj taksówki. Dziewczyny, słuchajcie – zwróciła się Maria do sióstr. – Z tatą już dobrze. Sytuacja opanowana. Mama i Korek zaraz wrócą. Kładziecie się spać czy poczekacie na nich?

– Poczekamy – powiedziała schrypniętym głosem Wirginia.

Taksówka nadjechała dwadzieścia minut później. Kordian wyprowadził z niej matkę, która słaniała się na nogach. Dosłaniała się tak do fotela i prawie w nim zemdlała. Maria zauważyła, że pani Pultokowa wciąż miała na nogach niebotyczne szpilki, które nosiła całe popołudnie, wieczór i pół nocy. No to nic dziwnego, że padła.

– Kordian, opowiedz szybko siostrom co i jak, a ja zajmę się waszą mamą. Pani Gino, idziemy do sypialni, na górę. Zdejmę pani te buty, dobrze?

Tu Sasza odezwał się po raz pierwszy od dłuższego czasu:

– Czekaj, Mareszka, nie ciągnij jej. Ja ją wezmę.

I rzeczywiście, wziął ją po prostu na ręce i zaniósł, lekko utykając, po schodach wiodących na piętro, gdzie znajdowały się sypialnie. Maria poszła z nimi, pomogła kompletnie zmarnowanej damie rozebrać się i położyć do wygodnego łóżka. Ze zmywaniem makijażu w zasadzie nie było problemu, bowiem biedaczka do zera go sobie spłakała. Resztę toalety Maria pani Pultokowej darowała.

– Będzie dobrze – powiedziała do niej. – Teraz już na pewno wszystko będzie dobrze. Może pani spać spokojnie.

Jak gdyby słowa Marii miały magiczną moc, pani Pultokowa przestała dygotać, zamknęła opuchnięte oczy, westchnęła żałośnie i zasnęła.

Stojący w progu Sasza pokręcił głową z uznaniem.

– Jesteś czarodziejką? – spytał.

– Jestem skonana – odparła. – Ale nie musisz mnie znosić.

– Zastanawiam się, czy powinniśmy być z siebie zadowoleni – powiedział do niej już w taksówce uwożącej ich z Bezrzecza w stronę starego miasta. – Ja z siebie chyba nie jestem.

– Tylko się nie oskarżaj. Ale masz rację, to myśmy mu ten zawał załatwili. Bo nam się zachciało sprawiedliwości dziejowej. Kurczę, Sasza, nie wiem, czy warto było.

Pan Vito recte Witold Pultok przebywał w szpitalu tydzień, przy okazji został gruntownie przebadany i w jakim takim stanie powrócił na łono stęsknionej rodziny. Jemu samemu w ogóle nie przyszło do głowy obciążanie Marii albo Saszy odpowiedzialnością za swój zawał. Oni jednak o tym nie wiedzieli, więc sumienie ich gryzło.

Zanim jeszcze nastąpił szczęśliwy powrót, w czwartek, podczas balkonowego śniadania z panem Stefanem, telefon Marii zadzwonił jej w kieszeni bluzki. Rzuciła okiem na wyświetlacz i podniosła wysoko brwi.

– Odbiorę, jeśli pan pozwoli. To nasz zawałowiec. Mogę tu. Nie chce mi się biegać.

Pan Stefan kiwnął głową. Kiedy Maria rozmawiała przez telefon przy nim, łatwiej mu było podsłuchiwać.

– Dzień dobry, panie Witoldzie. Cieszę się, że pana słyszę, Po głosie sądząc, lepiej się pan czuje?

– Lepiej, pani Mario. Ale gdyby pani miała gorszy refleks, to mogłoby być krucho. Tak powiedział mój lekarz. I przyznam się pani, że ja już od rana tak się czułem, tylko próbowałem to przeczekać...

– Matko jedyna! Przeczekać zawał!

– Nie wiedziałem, że to zawał. Pani Mario, do rzeczy, bo na pewno pani przeszkadzam. Nie wpadłaby pani do mnie, pocieszyć chorego?

– Wpadłabym, oczywiście. Czym pana trzeba pocieszyć?

– No, mówię. Tym, że pani przyjdzie. Ja na Unii leżę.

– To ja będę trochę po piątej.

– Może dożyję. Na razie.

– Pani Mario, niech pani uważa!

Ten dramatyczny okrzyk wyrwał się z ust pana Stefana. Maria aż podskoczyła, wyłączając komórkę, zanim zdążyła

powiedzieć „do widzenia". Nad stolikiem zastawionym śniadaniowymi przysmakami krążyła gigantyczna osa, brzęcząc
i bucząc jak miniaturowy helikopter.

Maria wstrzymała dech w piersiach.

– Co ona taka wielka?

– Niech się pani nie rusza. To nie osa, to szerszeń. Lepiej
dla nas, żeby się nie wkurzył.

Szerszeń przysiadł na talerzyku Marii. Był ohydny. Warczał.
Maria rzuciła okiem wokół siebie w poszukiwaniu czegoś,
czym by go można trzepnąć.

– Niech pani nawet nie próbuje – ostrzegł ją pan Stefan. – To
strasznie jadowite bydlę. Niech on lepiej sam odleci.

Szerszeń zakończył rekonesans i wzbił się w niebo, prawdopodobnie rozczarowany zawartością talerzyka.

– Nigdy nie widziałam szerszenia, w każdym razie z bliska.
On jest naprawdę taki niebezpieczny?

– Naprawdę. Cztery ukąszenia zabijają konia. A może człowieka. Coś dużego w każdym razie. Mnie kiedyś chlasnął
jeden i skończyło się w szpitalu, bo spuchłem i omal się nie
przekręciłem. Poza wszystkim to cholernie boli, kiedy on
ugryza. Znaczy, gryzie. A może żądli.

– Czy one są agresywne?

– Jak cholera. I niebezpieczne... – pan Stefan zaczął się
śmiać. – Zwłaszcza w połączeniu z lutlampą.

– Walczył pan z szerszeniem lutlampą?!

– Ja nie. Ale widziałem kiedyś coś takiego. Kiedyś, dawno,
na wakacjach, w państwowym domu wczasowym, oczywiście.
Koło naszego domu był dom wojskowy, a obok trzy mniejsze,
drewniane, też wojskowe. I tam w jednym z nich się zagnieź-
dziły szerszenie. Domyśla się pani, że wczasowicze śmiertelnie
ich się bali. No więc pan komendant Tromtadracki, żołnierz
stary, ale chwacki, wpadł na genialny pomysł, wziął lutlampę,
zapalił i zaczął wykurzać szerszenie. Efekt był piorunujący:

wszystkie szerszenie spaliły się do imentu razem z domem. Komendanta odratowano z trudem i wysłano na emeryturę, a dla gości trzeba było szukać innego lokalu.

– No, ładnie. A ma pan lutlampę?

– Zawsze można od kogoś pożyczyć. Ale ja tu się wysilam, anegdoty pani opowiadam pocieszne, a pani ciągle ma podejrzanie markotną minę. Coś się dzieje niedobrego?

Maria skrzywiła się.

– Mówiłam panu, mam wyrzuty sumienia z powodu zawału pana Pultoka...

– A ja mówiłem pani, że pan Indyk sobie całym życiem zapracował na zawał, a to wasze było tylko kroplą przepełniającą kielich. Nie od tego, to od czego innego by się przewrócił. Niech już pani nie marudzi, bo nie trzeba. Nie mogę patrzeć, jak pani tak chodzi cały czas zamyślona i ponura jak chmura gradowa. Ciekawe, nawiasem mówiąc, czy chmura może być zamyślona. Chciałbym zawsze widzieć panią uśmiechniętą. I proszę nie myśleć, że ze względów egoistycznych. Ja naprawdę dobrze pani życzę, Mareszko.

– Wiem, panie Stefanie, wiem. Dziękuję bardzo. To strasznie fajne mieć wokoło siebie życzliwych ludzi. Jakoś mnie tak ten Szczecin przyjął sympatycznie, a przecież nikogo tu nie znałam.

– Bała się pani, jadąc tutaj?

– Nawet nie, ale wtedy byłam kompletnie przymulona tym swoim nagłym wyjazdem i taka trochę odrętwiała. A jak się oddrętwiłam, to dokoła miałam pełno przyjaciół. – Ożywiła się trochę. – Ale wie pan, jednak ma pan rację, bo jest coś takiego, co mnie gryzie.

– Jeszcze coś?!

– Tak. I to jest naprawdę poważna, życiowa sprawa.

– To może zrobimy sobie jeszcze jedną niedozwoloną kawkę... nie mówiłem pani, ale lekarz pozwala mi pić tylko jedną dziennie... i wszystko mi pani opowie, a potem się naradzimy.

Maria powstrzymała się od komentarza w sprawie tej kawy, choć zaniepokoiła ją trochę beztroska chlebodawcy, ale tym razem zaparzyła nieco słabszą.

– Oszukała pani – roześmiał się pan Stefan. – I po co ja się pani przyznawałem? Te troskliwe kobiety! No, niech pani opowiada o swojej życiowej sprawie.

Maria spróbowała kawy, przyznała panu Stefanowi rację, uznała błąd i na moment zastygła z łyżeczką w ręce.

– Zastanawiam się, od czego zacząć... Wspominałam panu kiedyś, że zanim zwiałam od Aleksa, chciałam wrócić na uniwersytet i zrobić wreszcie doktorat. Ja się do tego doktoratu przymierzałam jeszcze przed ślubem, tylko mi małżeństwo zaszkodziło na głowę i odpuściłam. No ale teraz dojrzałam. Nawet byłam już po słowie ze swoim promotorem. A kiedy nastąpiło niespodziewane wydarzenie z kolumienką w roli głównej, uczyniłam takie założenie, że z przyczyn ode mnie niezależnych odsuwam sprawę doktoratu, najdalej na rok. Myślałam, że po roku jakoś się już otrzepię ze stresów, załatwię rozwód i tak dalej.

– Rok jeszcze nie minął, nie miała pani kiedy się otrzepać...

– Otrzepałam się. Zyskałam przyjaciół, wymyśliłam sobie pracę. Tylko że ta praca miała być zastępcza, a ona mnie coraz bardziej wciąga. Tego nie brałam pod uwagę, panie Stefanie. Że praca kuchty spodoba mi się bardziej niż ślęczenie nad literaturą. A szczególnie mi się spodobały te dwa bankiety, które urządzałam państwu Pultokostwu-Indykostwu... A najszczególniej ten ostatni. To było piekło ogniste, ale naprawdę zrobiliśmy fantastyczne przyjęcie. I przyjemnie się współpracowało z tymi chłopakami, wie pan, Kaziem i Kevinem. Kelnerzy też byli w porządku. Panie Stefanie, ja sama widziałam, że nam wyszło nadzwyczajnie.

– Przekłady też pani dobrze wychodzą.

– No tak, i ja to też lubię robić. Ale to jest takie samotne dłubanie, a ten power, jaki daje praca na tempo, w zespole... kurczę, to jest cudne.

– No to niech pani na dobre puści kantem literaturę, wierszyki przekłada w godzinach wolnych od robienia bankietów i założy własną firmę, nie wiem, jak to się nazywa, cateringowa, przyjęciowa, bankietowa?

– Nawet myślałam o tym. Jakbym wzięła do spółki Kazia i Kevina, i tych trzech chłopaków, kelnerów... ze dwie osoby do sprzątania całego badziewia, to mogłabym robić przyjątka, jakich świat nie widział. Rozumie pan, na tej samej zasadzie, co teraz, jako gospodyni domowa; nie pani do sprzątania, tylko kompleksowa gospodyni za stosunkowo duże pieniądze... Nie mały catering, tylko wypasione przyjęcia za niemałą forsę.

– Bardzo rozsądnie to wszystko wygląda, Mareszko. I dlaczego panią to martwi, że ma pani takie mądre pomysły?

Maria zrobiła zakłopotaną minę, ale doświadczony życiem starszy pan lepiej potrafił sformułować odpowiedź na własne pytanie niż ona sama.

– Być doktorem literatury i wykładać na uniwersytecie to większy honor, niż gotować nawet najwytworniejszy rosół na najwytworniejsze przyjęcie, co?

Maria milczała, co jej rozmówca słusznie uznał za potwierdzenie swojej tezy.

– Mareszko, a to jest pani zdanie czy myśli pani w tej chwili o swoich rodzicach?

Maria westchnęła ciężko.

– Trochę moje, ale ma pan słuszność, głównie myślałam o moich staruszkach... Byli ze mnie bardzo dumni, i z mojego małżeństwa, i z tego uniwersytetu.

– Niech mnie pani nie denerwuje staruszkami – mruknął pan Stefan. – Ile oni mają lat? Sześćdziesiąt? Niech pani nic nie mówi. Chyba właśnie kompleks staruszka ze mnie wyłazi. Coś pani powiem, najzupełniej serio. To jest pani życie, nie mamusi i nie tatusia. Ładnie, że pani o nich myśli, ale niech pani teraz o nich zapomni i myśli wyłącznie o sobie. Jeśli panią ciągnie do takiej przygody, to, kurza twarz, niech pani ryzykuje. Do przekładów i studentów zawsze może pani wrócić. I jeszcze jedno. Niech pani nie wchodzi w spółkę z Kevinem ani z Kaziem. Jeżeli nie ma pani dość pieniędzy na samodzielne rozkręcenie interesu, to niech pani wejdzie w spółkę ze mną, a Kazia i Kevina niech pani zatrudni. Oni się ucieszą, jeśli dobrze wam się razem pracowało. Ja bym pani nawet podarował te pieniądze, ale pani by ich pewnie nie wzięła...

– Oczywiście, że nie – udało się wtrącić nieco oszołomionej Marii.

– Wiedziałem. No to serio proponuję spółkę cywilną. Ja pani na pewno nie oszwabię, a pani dostanie swoją zabawkę. Pod jednym warunkiem – przypomniał sobie.

– Chyba nawet wiem pod jakim – zaśmiała się. – Żebym jednak prowadziła panu ten dom?

– Tak, Mareszko. Może pani nawet nie odkurzać tak bardzo dokładnie. Wystarczy, jeśli machnie pani ścierką po wierzchu, byle śniadanka pozostały constans. Coś pani powiem. Niech pani jeszcze nie decyduje, niech się pani z tym prześpi, pogada z tą uroczą panią, z którą pani mieszka, z jej przyjaciółmi, z Saszą i może nawet z moim synem. A potem niech pani zrobi tak, jak pani serce dyktuje. Sama pani będzie wiedziała, co dla pani ważniejsze: splendor wykładowcy uniwersyteckiego i te pani ukochane wierszyki czy gastronomiczne zadymy.

– Gastronomiczne zadymy! – Noel Hart roześmiał się szczerze. – Ładnie powiedziane. I co zrobisz, Mareszko?

Trzy pary oczu w siateczkach zmarszczek wpatrzyły się w Marię intensywnie. Róża, prawdę mówiąc, trochę żałowała potencjalnego tytułu uniwersyteckiego, uczelnianych zaszczytów i szacunku w społeczeństwie, jakiego się spodziewała dla swojej młodej przyjaciółki. Lila była zdania, że uniwersytet jest nudny, a praca wśród ludzi, na tempo i z nieodzownym zacięciem artystycznym to dopiero zabawa. Noel zachowywał neutralność.

– Jeszcze nie wiem, co zrobię. Na razie biję się z myślami, aż mi się siniaki wszędzie robią. No bo tak naprawdę, Lilu droga, uniwerek nie jest nudny... aż tak bardzo...

– O, kochana – wtrącił Noel z poważną miną. – Pozwól, że jako stary, wyżarty, znaczy ciężko doświadczony nauczyciel akademicki wygłoszę tu swoje zdanie. Atrakcyjne na uniwersytecie są niektóre prace, twoje badania, jeśli, oczywiście, robisz je dla siebie, a nie na cudze konto i cudze nazwisko. Ale pomyśl o towarzystwie, w jakim będziesz pracować. O tych wszystkich skostniałych strukturach. O hierarchii... masz świadomość, że to strasznie feudalna firma? O studentach, którzy w nosie mają twoje ukochane rymy męskie, a o heksametrze jambicznym nie słyszeli, słyszeć nie chcą, a jeśli usłyszą, to postarają się jak najszybciej zapomnieć. Wreszcie o bufecie uczelnianym pomyśl, przyjaciółko. Nigdzie nie jadłem podlejszych rzeczy niż w akademickich stołówkach...

– Czekaj, Noelu, nie tak szybko – stanęła w szranki Róża. – Nie można patrzeć na życie z perspektywy talerza do drugiego dania...

– Ja mogę – wtrącił szybciutko Noel. – I kufla do piwa.

– Daj powiedzieć! Na uniwersytecie Marysia będzie miała szacunek! Nie wierzę, żeby ze studentami mogło być tak źle.

Znam trochę młodzież... dzięki Agnieszce i jej szkole, bo nie wiem, czy wiecie, jestem tam klasową babcią. To bardzo pozytywne dzieciaki. Bardzo.

– Nie wszyscy, Różyczko, nie wszyscy! – Lila aż się zarumieniła i wstała z krzesła. – A co powiesz na temat młodego rasisty? I jego siostrzyczki, której inklinacji i sposobu zarabiania nie nazwę! Chociaż to podobno nie zawód, tylko charakter. Tym gorzej. Maryś! – coś jej się przypomniało. – A jak się ma ta wasza nieszczęsna ofiara, ten zawałowiec?

– Lila, na litość! Naprawdę uważasz, że to nasza wina, że on...

– A coś ty, przepraszam, ja tak powiedziałam dla efektu, a ty od razu się przejmujesz! Lepsze... no, może nie lepsze, ale też niezłe sztuki robiłyśmy z Różyczką, też tam ktoś mógłby dostać zawału. Jakby miał predyspozycje. Szczęście, że nikt nie miał.

Maria odetchnęła. Jeśli jeszcze kilka razy usłyszy ten żarcik, to ona sama, osobiście, czegoś dostanie. Sasza też ją uraczył czarnym humorem, kiedy go dzisiaj odwiedziła, ale on przynajmniej jest współwinny. Tfu, jaki winny. Współodpowiedzialny.

– No, co z tym umrzykiem? – drążyła Lila.

– Lepiej mu. Ach, słuchajcie! Poprosił mnie dziś, żebym do niego wpadła do szpitala, i wdusił mi, ale nie dla mnie, dla Saszy, dziesięć tysięcy. Powiedział, że nie ma więcej, bo się ostatnio wypruł na jakieś inwestycje, a drobne mu pożarł ten bankiet...

– Drobne! – Róża była oburzona.

– Dopiero będzie miał kasę za tydzień, hehe... W każdym razie błagał mnie, żebym przekonała Saszę, żeby przyjął, on wie, powiedział, że ja mam na niego wpływ i mu wytłumaczę, że on, ojciec rasisty, bardzo chce chociaż trochę mu zadośćuczynić. On jest w sumie porządny człowiek, ten Pultok i ja go nawet lubię.

Róża przybrała swój uczony wyraz twarzy.

– Ja to myślę, kochani, że rasista też dostał niezłą nauczkę, jak mu tatuś zwiądł na oczach – powiedziała. – Wcale bym się nie zdziwiła, gdyby pan Biała Siła był teraz małą, skuloną i zagubioną siłką. A nawet bezsiłką. Te dzieci wcale nie są takie złe...

– Czekaj – przerwała jej bezceremonialnie Lila. – A Sasza wziął te pieniądze?

– Najpierw nie chciał, ale wywarłam na niego mój niezawodny wpływ i wziął.

– A tobie Pultok zapłacił? – Lila uparcie ciągnęła wątek pekunialny.

– Zapłacił, oczywiście. Piątkę, według umowy, i jeszcze tysiąc za nadzwyczajność. Wszystkim dołożył za nadzwyczajność. I podkucharzowi, i bariście, i kelnerom. Powiem wam albowiem, że naprawdę się sprężyliśmy i wszystkie gościowe będą pani Pultokowej zazdrościć naszego małego rautu w ogródku na trawce.

– Aaaa! – Pani Lila wydała radosny okrzyk, bowiem poczuła twardy grunt pod nogami. – Maryś! Powiedz uczciwie, czy kiedykolwiek na uniwersytecie miałaś taką satysfakcję jak po tym przyjęciu? Taką prostą, natychmiastową, potężną satysfakcję?

Zapadła cisza przerywana tylko miłym bulgocikiem tokaju zmieniającego lokalizację – z butelki trzymanej pewną dłonią Noela w kieliszki wszystkich zebranych. Wreszcie Maria zebrała się w sobie i przemówiła krótko:

– NIE.

❧

– Wybieramy się do przedszkola.

Zanikająca Lucy siedziała przy swoim komputerze, ale przerwała sobie pracę, bo mama Agata doniosła kakao – dla niej i dla Marii również. Obie dziewczyny siedziały teraz naprzeciwko siebie i popijały boski napój, pogryzając domowymi wafelkami przyrządzonymi i sprezentowanymi wszystkim chętnym przez Różę. Maria przyniosła ich spore pudełko.

W pokoju byli obecni również dwaj panowie, obaj blondyni – jeden przebywał w sferach zdecydowanie parterowych i tam co jakiś czas wykonywał jeden lub dwa ruchy puszystym ogonem. Drugim był Paweł, który wczoraj przyjechał z Aberdeen, dokąd wraz z kolegami doprowadził statek, a teraz miał dwa tygodnie wolnego. I on przyniósł Lucy ciasteczka, ładnie zapakowane w pudełko z jakimś średniowiecznym zamkiem na tle szkockiej kratki. Jego herbatniki mogły jednak poczekać, nie zawierały bowiem kremu, jakim Róża nadziała swoje „pischingerki".

– Kto się wybiera i po co? – spytał, drapiąc Ferdynanda Wspaniałego za uchem.

– My z Ferdim. Może chcecie się wybrać z nami? Paweł, co masz lepszego do roboty? Marysia, nie chcesz zobaczyć Ferdulka w akcji?

– Zawsze chcę zobaczyć Ferdulka w akcji. Kiedy tam idziecie?

– Pojutrze. Na dwunastą.

– To musiałabym się zwolnić u twojego taty, Paweł. Jakoś mi nie wypada...

– A jeśli ci to załatwię?

– To co innego.

Paweł zwrócił się teraz do Lucy.

– Patrz, jaka spryciula z naszej Mareszki. Tak naprawdę sama by załatwiła co trzeba, ale chce, żebym się pogodził z ojcem.

– No to się pogódź – wzruszyła ramionami Lucy. – Jeśli dobrze pamiętam, masz bardzo fajnego ojca.

– Wszystkim panienkom zawsze się podobał – westchnął Paweł. – Żebym to ja tak potrafił.

– Matko, ale z ciebie kokiet. To co, jesteśmy umówieni? To bym powiedziała Markowi, że nie musi przychodzić. Ja w zasadzie sama bym sobie dała radę, z Ferdim, ale będzie mi o wiele przyjemniej z wami.

– A co ty... co wy macie w przedszkolu do załatwienia? – spytała Maria.

– Chcę sprawdzić, czy Ferdi nadaje się do prowadzenia dogoterapii. Oczywiście myślałam o dzieciach, no i o sobie w charakterze terapeutki. Jeśli gdzieś nie bardzo daleko jest jakiś ośrodek szkoleniowy, to chybabym się zdecydowała. Tak naprawdę jestem pewna, że Ferdi się nadaje. Muszę to tylko zobaczyć na własne oczy. No i sprawdzić, co na to rodzice. Uważam, że jako duet bylibyśmy wyjątkowi, bo nie tylko prowadzilibyśmy terapię, ale przy okazji dzieci oswajałyby się z widokiem osoby na wózku. I to takiej, która bardzo mało się rusza, prawie wcale. Ale jakoś sobie przy pomocy Ferdzia radzę i to by też mogło być wychowawcze.

– To jest jakieś integracyjne przedszkole?

– Tak. Małe i prywatne. Wszystkie dzieci razem, nie ma grup. Mają tam jednego małego zanikowca i jedno dziecko z łagodną formą autyzmu. To co, umawiamy się?

❧

Szpinak. Całe liście. To podstawa. Cztery listki mięty na całą miskę. Cebula w piórkach. Dwa źdźbła szczypiorku, pokrajane drobno.

Maria zastygła na moment nad miską, w której komponowała sałatę dla pana Stefana. Garść skwarków z boczku... stopiła trochę domowego smalcu, wyłowiła skwarki i dołożyła do sałaty. Cztery truskawki. Może trzy wystarczą? W plasterkach. Czy to nie przesada z tymi truskawkami?! Jednak

trzy. Trochę oliwy. Odrobina pieprzu i soli. Ocet balsamiczny
– bardzo ostrożnie.

Ciekawe, czy to da się zjeść.

Trzasnęły drzwi i do kuchni wmaszerował swym kołyszą-
cym krokiem Makaron, wybiegany właśnie i wyspacerowany,
a teraz zwabiony niezawodnym węchem. Skwareczki!

– Mogę ci dać truskawkę, chcesz?

Makaron nie chciał. Zaznaczył więc tylko merdaniem ogona
swoją ogólną sympatię dla osoby kuchennej i poszedł złożyć
swe długie ciało na kanapie.

– Jesteśmy, Mareszko. Znowu będzie mnie pani karmiła
trawą?

– Szpinakiem.

– Odmawiam. Chociaż może nie, on nie wygląda tak, jak to
pamiętam z dzieciństwa. Wrzuciła pani do niego truskawki?

– Tytułem eksperymentu. Och, zapomniałabym o serze.
Wrzucę tu trochę gorgonzoli. I parmezan... albo lepiej pecorino.
Malutko, kilka listków. Kiedyś jadłam taką sałatkę w jakiejś
restauracji, ale nie pamiętam, gdzie to było.

– Gdyby się pani rzuciła w te przyjęcia, miałaby pani jak
znalazł.

– No właśnie.

– Służę jako królik doświadczalny. Coś mi mówi, że ja wy-
gram na tym najbardziej. Zdecydowała się pani już?

– Nie, jeszcze nie. Muszę pogadać z chłopakami. Panie
Stefanie, a co by było, gdybyśmy zaprosili Pawła na obiad?

Pan Stefan rozsiadł się w kuchennym krześle i zabębnił
palcami w stół. Maria próbowała coś wyczytać z jego twarzy,
ale nie wyrażała ona nic.

– Jest w Szczecinie czy dopiero będzie?

– Jest.

– I zgłosił się do pani, a nie do ojca. No, to akurat rozumiem.

– Naprawdę nie chce pan go widzieć?

– Nie, dlaczego, chętnie go zobaczę. Chętnie się dowiem tego i owego o tych jego statkach. Jak to pani nazywała? Offshore, tak? Wieże wiertnicze, Morze Północne. Przebił ojca, ja za pracą jeździłem tylko po Polsce. Cóż, w zasadzie powinienem się cieszyć. Dzieci powinny być lepsze od rodziców.

Stary egoista za nic by się nie przyznał, że zazdrość go żre o to Morze Północne, o te statki i wieże. Gdyby dało się cofnąć czas... ale tylko ten jego, osobisty; dwudziesty pierwszy wiek niechby sobie pozostał – jeździłby wszędzie. A tak, pozostała mu w zasadzie już tylko jedna, bardzo daleka podróż, o której nie lubił myśleć, a która przypominała mu się w najmniej odpowiednich momentach.

Cholera, a może by tak turystycznie przynajmniej gdzieś pojechać, na jakąś wycieczkę dla staruszków, mało fatygującą, ale jak najdalej, jak najdalej! Ciekawe, czy Mareszkę dałoby się zabrać z sobą jako *dame de compagnie*? Z Anielą był w młodszych latach kilka razy w różnych demoludach, ale o Zachód w ogóle nie zahaczali. Kiedy otworzyły się granice, pojechali na tydzień do Paryża, na inny tydzień do Londynu, Aniela wymogła na nim wycieczkę do Rzymu i oczywiście Watykanu, i to było w zasadzie wszystko. Ona tak naprawdę wcale nie lubiła jeździć. A on teraz chętnie by zobaczył dalekie lądy, ciepłe morza, ale nie Czarne w Słonecznym Brzegu, tylko na przykład Karaibskie. Mareszka opowiadała mu o rejsie swoich przyjaciół, a przecież niektórzy byli prawie równie starzy jak on. Popływałby sobie chętnie w szmaragdowej wodzie. A stamtąd już całkiem niedaleko do Meksyku i do tych ichnich piramid, które zawsze interesowały go o wiele bardziej niż egipskie. Z Meksyku siup na południe, w Andy, zobaczyć Machu Picchu, przejść się podniebną Drogą Inków, Camino del Inca... Na tej drodze z pewnością dostałby zawału, o ile w ogóle udałoby mu się tam wejść.

Ale co tam, gdyby choć raz usłyszał Andyjczyka grającego na tej dziwnej fletni, oni to nazywają chyba samponie, w środowisku naturalnym, pod niebem Peru, to już mógłby umrzeć. Nie żal by było. Albo Amazonka, dżungla amazońska, wyprawa czółnem w głąb interioru. Czemu nie? Gdyby tylko mieć połowę tego, co się ma. Czterdziestolatek może wszystko. Osiemdziesięciolatek o wiele mniej. Żeby to najjaśniejszy szlag trafił. Niestety.

– Cóż pan się tak zamyślił?

– Poszukuję straconego czasu, Mareszko – zaśmiał się prawie wesoło. – Beznadziejna sprawa.

Nie odważył się zaproponować jej wspólnego wyjazdu. Chociażby na te Karaiby. Mógłby ją tam zabrać. Luksusowy katamaran, hotel na plaży, woda jak klejnot, palmy... nie ma co znowu zaczynać. Niektóre marzenia muszą już na zawsze pozostać tylko marzeniami, powiedział sobie rozsądnie.

– A Pawła proszę przyprowadzić na ten obiad, ucieszę się, jeśli przyjdzie. Niech mu pani da szpinak z truskawkami.

❧

Barista Kazio i młodszy kucharz Kevin skończyli właśnie pracę (tyrali dziś od rana) i wybierali się niekoniecznie do domu, kiedy zadzwoniła do nich Maria. Do nich, a konkretnie na komórkę Kazia. Od połowy pamiętnego przyjęcia byli już zaprzyjaźnieni i mówili sobie po imieniu.

– Cześć, Kaziu – zaczęła dziarsko. – Zaprosiłbyś mnie na kawę? A może masz gdzieś Kevina pod ręką?

– O, cześć, szefowa – ucieszył się Kazio. – Przecież wiesz, że masz u mnie wiadro kawy w dowolnym czasie i okolicznościach. Myśmy z Kevinem właśnie skończyli robotę, ale chętnie na ciebie poczekamy w barze.

– W hotelu?

– Marysia, coś ty. We własnej robocie? Słuchaj, Kevin jest dziecko doków, znaczy wiesz, tej dzielnicy doków w Londynie. Ja mu właśnie chciałem zrobić przyjemność i zabrać go na piwo na „Ładogę", żeby sobie wody portowej powąchał. Powąchasz z nami?

– Chętnie, tylko nie wiem, co to jest „Ładoga". Poza tym, że duże jezioro.

– To ruska knajpa na Odrze, na statku. Naprzeciwko Akademii Morskiej. Fajna. Klimat jest, rozumiesz. Będziemy tam na ciebie czekać, chcesz? Czy wolisz jakoś wytworniej? „Radisson", albo nie wiem co?

– Nie, ruska knajpa jak najbardziej mi odpowiada. Jest tam jakiś odkryty kawałek pokładu?

– Jasne. To czekamy z utęsknieniem. Przyjeżdżaj. Tu można zaparkować przy statku.

Dwadzieścia minut później Maria wchodziła po wąskich schodkach na górny pokład „Ładogi". Jej dwaj bankietowi współpracownicy siedzieli tuż przy burcie od strony wody, być może z powodu nostalgii Kevina. Przywitali ją bardzo serdecznie, co ją ucieszyło, bowiem polubiła sympatycznych, wesołych i pracowitych młodzieńców, entuzjastów swojego zawodu.

– Piweńko, szefowa?

– Coś ty, Kaziu, autem jestem. Kawa. Nie będzie taka dobra jak twoja, bo ty robisz najlepszą na świecie, ale piwa nie mogę.

Przy całkiem przyzwoitej kawie i dwóch żywcach z kija rozpoczęli rozmowę. Najpierw omówili, już na spokojnie i z dystansem, swój bankietowy sukces, potem poplotkowali o zawale nieszczęsnego pana Pultoka i hipotetycznych przyczynach tego zawału, aż w końcu Maria przeszła do rzeczy.

– Słuchajcie, chłopaki. Chodzi po mnie ostatnio jedna taka twórcza myśl i chciałabym ją z wami omówić...

– Po nas też coś chodzi – wtrącił Kazio. – I też chcieliśmy to z tobą omówić.

– No to niewykluczone, że nam się zbiegnie. Bo ja myślałam o tym, czy by nie zjednoczyć sił i nie stworzyć firmy cateringowo-bankietowej, z naciskiem na bankietową. Sprawdziliśmy się w działaniu, uważam, że nie był to przypadek, że nam tak wyszło, bo wszystko było starannie przygotowane, i nie widzę powodów, dla których nie miałoby nam dalej wychodzić.

Kazio i Kevin spojrzeli po sobie i zarechotali zgodnie.

– Mieliśmy identyczny pomysł – oświadczył Kazio, który w tym duecie pełnił zaszczytną funkcję rzecznika prasowego, jako że polszczyzna Kevina miała jeszcze sporo braków. – My uważamy z Kevinem, że jesteśmy zupełnie dobrzy w zawodzie, ja potrafię jeszcze być niezłym barmanem, a on kelneruje, jeśli zajdzie potrzeba, ale żaden z nas nie ma tego jaja do organizacji. Myśmy cię obserwowali, nie obraź się, ale od razu nam wpadłaś w oko, że masz taką żyłkę organizacyjną. Ustawiałaś wszystko bezbłędnie. Nadajesz się na szefową firmy. Nawet dzisiaj rozmawialiśmy o tym, zanim zadzwoniłaś.

Maria ucieszyła się. Perspektywa współdziałania z dwoma sympatycznymi młodymi ludźmi, którzy nie boją się ciężkiej pracy, była naprawdę przyjemna. Ich szerokie uśmiechy świadczyły o tym, że i oni uważają pomysł za doskonały.

– No to co? – odezwał się Kevin. – My będżemy współkowacz?

– Na to wygląda – odparła Maria.

– I to powinno wyglądać tak jak przy tamtym bankiecie – dodał Kazio. – Ty rządzisz, my robimy.

– Ja też robię! Ale tak sobie myślę, że będziemy robotę rozkładać w zależności od okoliczności.

– Dogadamy szę. – Kevin zamrugał oczami i rozbłysnął kolejnym uśmiechem.

– Na pewno, szefowa. Tylko teraz... czy ty myślałaś o tym, jakie pieniądze będą nam potrzebne na rozruch? Bo my z Kevinem jesteśmy cieńcy. Trzeba by jakiś kredyt w banku. Nie wiem, czy nam dadzą, my jesteśmy skromne chłopaki.

– Jeszcze nie liczyłam dokładnie. Ja mam kilka groszy, ale co ważniejsze, mam też chętnego na wspólnika z pieniędzmi.

– Jakiś kucharz?

– Nie, starszy pan, u którego pracuję.

– Podejszane to jest! – wtrącił Kevin. – A co on ce od czebe na zamianę?

– Żebym mu dalej prowadziła dom. Ja bym się zgodziła, a i wy nie rezygnujcie tak całkiem z tej pracy, którą macie w garści. Dopiero jak się rozkręcimy, będzie można podejmować jakieś radykalne kroki.

– Mówiłem ci. – Kazio zwrócił się do Kevina. – Ona myśli o wszystkim. No to co, chłopcy, dziewczęta? Karuzela czeka, wzywa nas z daleka... idziemy w to?

– Karusela, dlaszego karusela? – chciał wiedzieć Kevin, ale Kazio machnął na niego ręką.

– Bo się kręci. My też się rozkręcimy, nie martw się, stary. Jak się Marysia do tego weźmie, to zobaczysz, będą się o nas bić!

❧

Paweł Buszkiewicz postanowił nie uprzedzać ojca o swoim przyjściu, tylko zwyczajnie przyjść. Zastanawiał się nad takimi rzeczami jak bukiet kwiatów dla staruszka, jakiś koniak, wino... wszystkie te opcje uznał za raczej idiotyczne. Po prostu przyjdzie.

Trafił na moment, kiedy ojca nie było w domu.

– Wyszedł z Makaronem – poinformowała go Maria, sprzątająca właśnie mieszkanie. – Nic nie mówiłeś, że dzisiaj wpadniesz...

Opowiedział jej o swoich rozterkach.

– Ostatecznie to wciąż jest mój dom – rzekł. – Jestem tu zameldowany. Ale wiesz, jakoś mi głupio.

– Dlaczego?

– Nie wiem dlaczego. Ogólnie. Patrz, jak łatwo się pożreć, nawet z własnym ojcem, a potem dorosły człowiek nie wie, jak się zachować. Tylko mi nie mów, że jakby nigdy nic, bo się załamię.

Roześmiała się.

– Właśnie to ci chciałam zaproponować. Odpręż się. On cię nie zje. To twój ojciec! Upiekłam dla was ciasto drożdżowe. Takie staroświeckie. Na pewno twoja mama takie piekła.

– Każda mama takie piekła. Daj kawałek!

– A co mówiła mama? Po obiedzie, synku!

– Daj kawałek, mamusiu. Nie bądź taka sroga. Przysięgam, że zjem zupę i drugie.

– I szpinak.

– O nie, wszystko ma swoje granice.

– Założymy się? Mam sposób na szpinak. Placka też ci dam. Naprawdę, przez to twoje gadanie czuję się jak autentyczna mamuśka.

– Na szczęście nie wyglądasz – mruknął Paweł, rozsiadając się w pachnącej świeżym ciastem kuchni. – Fantastycznie pachnie ten twój placek. Nie wyobrażasz sobie, co ja czasem muszę jeść na statku. Ostatnio było dobrze, bo mieliśmy kucharza Kaszuba i chociaż nie był szczególnie finezyjny, to przynajmniej nie paprał do wszystkiego tych wschodnich przypraw, których ja nie lubię.

– A kto paprał?

– Pakistano paprał i Filipińczyk paprał. Jeśli kiedyś zejdę z tych offshorów, to z powodu dalekowschodnich kucharzy.

– Sprowadź się tu z powrotem – powiedziała Maria lekko. – Tu ja gotuję i ręczę ci, że przynajmniej na lądzie wschodu nie uświadczysz, bo ani twój tata go nie lubi jeść, ani ja przyrządzać. W ogóle nie toleruję tych zapachów. Umiem ugotować po chińsku i po japońsku, bo mój mąż przepadał za sushi i słodko-kwaśną chińszczyzną, ale robię to z najwyższym poświęceniem.

Paweł dobrał się właśnie do placka i z zachwytem stwierdził, że owszem, jest dokładnie taki, jaki mama robiła synusiowi Pawełkowi, kiedy do kuchni wpadł zziajany Makaron, zobaczył swego ukochanego młodego pana i ze skowytem szczęścia usiłował rzucić mu się na szyję celem zalizania go na śmierć.

– Makaron, stary koniu! No cześć, cześć, ja też cię kocham, nie chcę buzi, paszoł won zwierzaczek, no chodź, chodź, piękno-ta moja śmierdząca... Ty, Mareszka, on jakby mniej śmierdzi! I w ogóle jaką ty masz formę olimpijską, kundlu... O, dzień dobry, tato.

Dwaj panowie Buszkiewiczowie stanęli naprzeciwko siebie. Dopiero teraz Maria skonstatowała, że pan Stefan wcale nie jest w typie Seana Connery, tylko wygląda dokładnie jak Teddy Tahu Rhodes postarzony o pięćdziesiąt lat. Prawdopodobnie za pięćdziesiąt lat Paweł będzie wyglądał dokładnie tak jak jego ojciec w tej chwili.

Powinien teraz nastąpić jakiś rodzinny niedźwiedź, ale nie nastąpił. Ojciec wyciągnął rękę, którą syn uścisnął, przybrawszy postawę pełną szacunku.

– Miło, że wpadłeś – powiedział ojciec z przekąsem niewielkim, ale wyczuwalnym. – Dawno cię nie widziałem.

– Dlatego wpadłem – odrzekł logicznie syn. – Mareszka opowiadała mi trochę, co u ciebie słychać, no i chciałem cię zobaczyć.

– Mama wyjechała, to wiesz, prawda?

– Przepraszam panów – wtrąciła Maria w obawie, że zaraz padną słowa, których jako osoba postronna nie powinna słuchać. – Proponuję, żeby panowie przenieśli się do salonu, mogę podać kawę, zanim obiad będzie gotowy.

– Bo co? – zdziwił się ojciec spektakularnie. – Mareszko, pani jest jak członek rodziny... nie wiem, czy o tym wiedziałeś, Paweł. Pani może słuchać wszystkiego. Zresztą pani jest zorientowana w sprawach rodzinnych. Najspokojniej w świecie usiadł na krześle zajmowanym przed chwilą przez Pawła. Ten jeszcze spokojniej zabrał mu sprzed nosa talerzyk z plackiem i zajął krzesło po drugiej stronie stołu.

– Wiem, że mama wyjechała...

– Chciałeś powiedzieć, że można się było tego spodziewać?

– Nie, nie chciałem tego powiedzieć. Wybieram się do niej na Mazury. Może nawet z Mareszką.

– Mareszka pracuje – warknął ojciec.

– Ale nie w weekendy – zauważył słusznie syn. – Powiedz lepiej, jak twoje zdrowie.

– Kwitnę. Po cholerę chcesz ciągnąć Mareszkę na jakieś zakazane Mazury?!

– Nie muszę jej ciągnąć. Mazury są bardzo ładne i Mareszka na pewno chętnie je sobie obejrzy. Ja też jestem zdrów, jeśli już jesteśmy przy zdrowiu rodzinnym. Na pewno cię to cieszy.

– Jak cholera. Wcale nie uważam, żebyś musiał zabierać Mareszkę na jakieś łzawe spotkanie z twoją mamuśką. Po co ma wysłuchiwać tego wszystkiego, co Aniela ma do powiedzenia na mój temat?

– Masz poczucie winy, co?

– Nic ci do mojego poczucia winy, chłopcze. Hoduj swoje. Jak będziesz miał moje lata, to zobaczymy, jakiego się dorobisz.

Paweł przewrócił oczami na znak, że nie może odpowiedzieć tak, jakby chciał, ale ojciec zrozumiał doskonale samo spojrzenie.

– Masz rację, oczywiście, masz rację. Nie zobaczymy. Ty zobaczysz. Ja nie. Mnie już wtedy nie będzie na tym świecie. A jeśli chcesz wiedzieć, czy będę go żałował, tam, z zaświatów, to owszem. Będę cholernie żałował. A ty będziesz mi z dołu strugał marchewkę.

– Tato! To jest z twojej strony cholerna nadinterpretacja i powiem ci, że zupełnie nieuzasadniona. I ty wiesz, że nieuzasadniona, tylko życzysz sobie mi dokopać.

– Jesteś naprawdę kompletnym osłem, jeśli myślisz, że ja chcę ci dokopać!

Panowie byli już nieźle zacietrzewieni. Siedzieli po obu stronach stołu i tylko patrzeć, kiedy zaczną się obrzucać najgorszymi obelgami. Do najgorszych może by zresztą i nie doszło, ale byliby się kłócili dalej, gdyby nie usłyszeli nagle pewnego odgłosu, który przywrócił im przytomność.

Odgłosem tym był cichy śmiech.

Ojciec i syn usłyszeli go jednocześnie i obaj naraz zwrócili wzrok tam, skąd dobiegał śmiech.

Mareszka stała nad garnkiem ze staropolskim krupniczkiem na dróbkach, a jej plecy trzęsły się bardzo wyraźnie.

Ona z kolei usłyszała z nagła zapadłą ciszę, zostawiła garnek i odwróciła się przodem do panów Buszkiewiczów. Nie bardzo wiedzieli, jak zareagować, kiedy ujrzeli, że genialna--pomoc-domowa-prawie-rodzina płacze ze śmiechu. Przez chwilę siedzieli nieruchomo, a ona śmiała się, płakała i popiskiwała bezradnie.

Panowie spojrzeli po sobie. Mieli teraz tylko dwa wyjścia – albo natychmiast pozabijać się wzajemnie, albo również wybuchnąć śmiechem. Wybrali to drugie i po chwili cała trójka zwijała się z radości.

Maria opanowała się pierwsza.

– W zasadzie już wam mogę dać obiad. Pokroję kartofle na mniejsze kawałki i zanim zjecie krupnik, one się dogotują, a potrawka już jest gotowa. Zapraszam panów do stołu, podyskutujecie sobie jeszcze.

∾

Zanikająca Lucy miała na sobie powiewną bluzeczkę w łączkę, białe spodnie, skarpeteczki i tenisówki, i wyglądała zupełnie jak grzeczna dziewczynka. Paweł przyjechał na spotkanie obszernym ojcowskim oplem omegą, do którego bezproblemowo zmieścił się wózek, jego właścicielka, pies i Mareszka. Ferdynand w swoich niebieskich szorkach z napisem „ALTERI – pies asystent" wyglądał bardzo godnie. Maria uściskała go na przywitanie, przybiła żółwika i dała mu chrupkę, co przyjął z dużym zadowoleniem. Jego pani Maria nie ściskała, zawsze w podobnych momentach bała się, że mogłaby ją zgnieść nieostrożnym ruchem. Cmoknęły się w policzki i można już było jechać do przedszkola.

– Oni cię tak jakoś zamierzają przywitać z czerwonym dywanem i orkiestrą dętą? – spytał Paweł ostrożnie. Miał nadzieję, że nie.

– Nigdy w życiu – uspokoiła go Lucy. – Tu są sami przytomni ludzie. Wchodzimy normalnie na zajęcia i robimy swoje.

– A co to jest „swoje"? – zainteresowała się Maria.

– Sama nie wiem dokładnie. Okaże się w praniu.

Pranie zaczęło się w zasadzie natychmiast po wejściu na teren przedszkola. Dzień był piękny i wszystkie dzieci bawiły się w ładnie utrzymanym ogrodzie. Podjeżdżający samochód nie wywołał żadnej reakcji, ale kiedy wysoki mężczyzna wydobył z bagażnika solidny wózek inwalidzki i rozłożył go, kilka bystrych łebków uniosło się znad piaskownic. Następnie mężczyzna wyniósł z samochodu drobną blondyneczkę i posadził na wózku – kolejne łebki wykazały zainteresowanie. Druga kobieta nie była niczym specjalnym, ale oto z omegi wyskoczył bułeczkowej maści pies w szeleczkach z jakimś napisem i natychmiast stanął obok wózka. Oooo, pies z napisem oderwał resztę dzieciaków od zabawy. Prawie wszystkie runęły w stronę bramki, która właśnie otworzyła się i wpuściła do ogrodu wszystkich czworo przybyszów. Panie wychowawczynie z kolei runęły powstrzymywać dziecięcą nawałę i po chwili sytuacja była opanowana.

Jedna z pań wychowawczyń, nazywana przez ogół panią Gusią, być może od Jagusi albo od Bogusi, zaklaskała w dłonie i w ogrodzie zrobiło się względnie cicho.

– Słuchajcie mnie uważnie – powiedziała. – Mamy, jak widzicie, gości. Pan i pani – tu wskazała na Pawła i Marię – przywieźli do nas panią Lucynkę. Pani Lucynka, jak widzicie, jest chora i musi jeździć na wózku. Ale ma własnego asystenta. Pomocnika. Pomocnik nazywa się Ferdi. To właśnie on.

Wskazała ręką siedzącego grzecznie przy wózku Ferdynanda, który uprzejmie machnął ogonem. Rozległy się oklaski. Widać było, że dzieci mają wielką ochotę wyrwać się swoim paniom i zagłaskać Ferdulka na śmierć. Panie wychowawczynie sprawnie udaremniły ten zamiar, a głos ponownie zabrała pani Gusia.

– Najpierw pani Lucynka opowie wam, co Ferdi potrafi, a potem będziecie mogli się z nim zaprzyjaźnić. A jak nie będziecie uważać, to się nie dowiecie! – zagroziła na zakończenie, co, o dziwo, poskutkowało.

Maria była ciekawa, jak Lucy poradzi sobie z utrzymaniem uwagi słuchaczy, ale okazało się, że radzi sobie doskonale. Nie mówiąc zbyt wiele, urządziła dzieciom mały pokaz umiejętności Ferdynanda. Pies podnosił z ziemi rozmaite przedmioty, które upuszczała, poprawiał jej nogi na podnóżku, podnosił głowę, kiedy udawała, że jej opada, a w końcu ściągnął jej skarpetki. Przy ściąganiu skarpetek panie wychowawczynie już nie zdołały utrzymać dzieci, ponieważ wszystkie chciały, żeby Ferdi im też ściągnął, a te, które miały gołe nogi, były w prawdziwej rozpaczy. Na pociechę przybijały z nim żółwika.

Nie podeszło do niego tylko dwóch chłopców. Jeden siedział na małym wózku inwalidzkim i aż się wyrywał do psa, nie miał jednak szans na przebicie się przez tłumek. Drugi budował sobie zamek w piaskownicy i nie interesował się wcale tym, co się wokół niego dzieje.

Pani Gusia sprawnie rozsunęła dziecięcy tłumek, a Lucy poleciła małemu Arkowi, żeby zawołał Ferdynanda do siebie.

– Ja go chcem pogłaskać – powiedział Arek dość żałośnie.
– Nie dosięgnem z wózka. On może mi tu skoczyć, na kolana?

– Jasne. Zawołaj go i pokaż, co ma zrobić.

Dzieci ucichły jak na komendę, ciekawe, czy pies wykona polecenie, które nie pochodzi od jego pani. Arek nieomal zaniemówił z wrażenia, ale zdołał wykrztusić:

– Ferdi... Ferdi, chodź do mnie... No, hop!

Ferdynand nie za darmo nosił przydomek Wspaniały. Podniósł się lekko na tylnych łapach, a przednie oparł na poręczach Arkowego wózka. Chłopiec prawie się popłakał ze szczęścia. Objął złocistą szyję i przytulił się do psa. Ten chwilę trwał w bezruchu, a potem z całego serca polizał małego w czoło i zeskoczył na ziemię.

– Będę musiała porozmawiać z jego mamą – mruknęła pani Gusia w stronę Marii, która stała najbliżej. – Powinien mieć takiego psa, doskonale by mu to zrobiło. W tej fundacji dają za darmo, tylko też trzeba jakieś warunki spełnić, nie wiem jakie, ale się dowiem. Jeszcze trzeba zobaczyć, czy Andrzejek zareaguje.

Andrzejek był to ów chłopiec bawiący się samotnie w piaskownicy. Dzieci zostały łagodnie odsunięte o jakieś półtora metra, a Lucy podjechała do piaskownicy i pokazała Ferdulkowi autystycznego Andrzejka.

Dziecko nie zwróciło w ogóle uwagi na ruch koło siebie, zajęte budowaniem i burzeniem swojej małej twierdzy. Pies podszedł do niego, łagodnie kołysząc ogonem. W przelocie polizał go w czubek głowy. Andrzejek tylko machnął ręką. Ferdi uznał to za upoważnienie do drobnego odpoczynku, ułożył się ostrożnie w środku piaskownicy i ziewnął przeraźliwie. Andrzejek chciał chyba zaprotestować, bowiem ogon Ferdynanda częściowo zmiótł jedną z fortyfikacji; już, już zbierał się do narobienia wrzasku (Andrzejek, nie ogon), ale nagle dotarła do niego obecność łagodnego stwora w bezpośredniej bliskości.

Widzowie, duzi i mali, doskonale obeznani z możliwościami Andrzejka, który potrafił zdrowo wrzeszczeć, zamarli w oczekiwaniu na małe piekło.

Żadne piekło nie nastąpiło.

Jak na zwolnionym filmie Andrzejek zbliżył buzię do pyska Ferdynanda.

– Mareszko, patrz! – Paweł chwycił ją za ramię. – „Neverending story"! Pamiętasz tego dobrego smoka? Kurczę, ktoś tam musiał mieć goldena! Główny grafik...

– Pamiętam – szepnęła. – Masz rację, to oni, wypisz, wymaluj...

Ferdynand powstrzymał się tym razem od rozdawania całusków, siedział nieruchomo, jakby dawał chłopcu szansę na pozbieranie myśli i wykonanie jakiegoś ruchu. Andrzejek ostrożnie objął go za szyję i przytulił się do niego. Ferdi z westchnieniem oparł pysk na dziecięcym ramieniu i tak sobie chwilę trwali. Następnie pies wydobył się z objęć Andrzejka, podał mu łapę, odczekał chwilę i wrócił do swojej pani.

– Zapraszam do mnie na kawę albo herbatę, albo co tam chcecie – powiedziała stanowczo pani Gusia. – Musimy porozmawiać.

A on chyba powinien dostać wody i odpocząć, bo jest na ostatnich nogach.

Istotnie, Ferdynand był już zmęczony. Dzieci wolałyby, oczywiście, żeby został z nimi, ale uspokojono je obietnicą, że będzie wpadał co jakiś czas z wizytą towarzyską. Zdumiewająco grzecznie oddaliły się do swoich zabaw, chociaż większość z nich oglądała się za psem z niekłamanym żalem.

– Wychowujemy je – powiedziała pani Gusia, kiedy Paweł wyraził zdumienie. – Nie jest to łatwe, zapewniam pana, ale wykonalne. Rodzice je przeważnie strasznie rozpieszczają, ale u nas muszą wiedzieć, że nie wszystko im się należy. I wiedzą, a nawet starają się to zrozumieć. Rozumieją, że nie są same na świecie. Pani Lucynko, naprawdę chce pani się zajmować jeszcze i dogoterapią?

– Myślę o tym, pani Gusiu. Sama pani widzi, że to działa.

– Widzę, widzę. Jestem pod wrażeniem. Czy pani musi mieć jakiś specjalny certyfikat, żeby do nas przychodzić co jakiś czas? Mnie się wydaje, że Ferdi sam wie, co ma robić.

– On wie, ale ja nie wiem – zaśmiała się Lucy. – Na wszelki wypadek wolałabym wiedzieć. Będziemy już lecieć, pani Gusiu. Ja też jestem zmęczona.

– Jasne. Rozumiem i nie zatrzymuję. Czekamy na was.

Lucy ze swoją obstawą wyszła tylnymi drzwiami, żeby uniknąć serdecznych pożegnań dzieciaków. Paweł podprowadził samochód i po kwadransie wnosił ją do domu. Kompletnie zmarnowany Ferdynand podążał wiernie za swoją panią.

– My też już polecimy – powiedziała Paweł, troskliwie umieszczając Lucy na kanapie. – Leż i odpoczywaj. Nie, pani Agato, żadnego kakao. Ojciec na nas czeka.

– Wróciłeś do ojca?

– Przedwczoraj. Trzymajcie się, kobiety.

– Do widzenia, pani Agato. Cześć, Lucy.

Maria i Paweł wyszli z mieszkania swojej wspólnej przyjaciółki. Paweł szedł nieco z tyłu i z przyjemnością obserwował falujące włosy Mareszki, błyszczące w świetle słońca. I pomyśleć, że ona za chwilę przebierze się za służącą, zwinie te wspaniałe włosy w kupkę na tyle głowy i ruszy do odkurzania, gotowania i czyszczenia szyb w oknach!

Zabawne – będzie to robiła w jego domu.

Paweł, który z zasady sprzeciwiał się ojcu, mieszkając razem z rodzicami, nie miał najmniejszego zamiaru szukać sobie kobiety na stałe ani zakładać rodziny, ani starać się o dzieci, ani w ogóle nic z tej poetyki. Teraz, po dwóch latach pływania, zmienił nieco optykę, jeśli chodzi o te sprawy. Spotykał na offshorach młodych Polaków, przeważnie po studiach na Akademiach Morskich w Gdyni i Szczecinie, dobrze wykształconych i przygotowanych do pracy na morzu – większość z nich żyła w różnych nieformalnych związkach z kobietami i latami zastanawiała się nad małżeństwem, ale część miała na lądzie żony, czasem dzieci – ci z reguły byli zadowoleni z życiowego wyboru, wolne chwile spędzali przy Skajpie albo na Gadu-Gadu i nosili zdjęcia wybranek w portfelach.

– Ludzie robią, jak chcą – powiedział kiedyś Pawłowi pewien zdolny trzydziestoparolatek imieniem Włodek, absolwent gdyńskiej akademii, chief engineer na jednym ze statków tej samej kompanii. – Można się miotać na morzu i można się miotać na lądzie. Ja tam nie mam zamiaru miotać się na lądzie, Północne dostarcza mi rozrywki od zarąbania. A kiedy wracam na ląd, to lubię mieć spokój, kobietę i rodzinę. I mam. Na lądzie, stary, to ja jestem pantofel. I powiem ci: bardzo przyjemnie jest czasem być kapciem. A czasem macho. Ja co miesiąc mam zmianę w życiu i dzięki temu się nie nudzę.

Wszystko zależy od tego, jak pojmujemy rolę kapcia – myślał teraz Paweł, prowadząc samochód w stronę Rugiańskiej. Ojciec nigdy w życiu nie był kapciem, a miał rodzinę i czworo dzieci. Kłócił się ze wszystkimi, ale przecież kochaliśmy go i cieszyliśmy się, gdy przyjeżdżał. Czy jest możliwe życie rodzinne bez kłótni? Onże Włodzio, c/e na supplierze „Rosa", twierdził, że owszem.

Mareszka nie jest kłótliwa, w najmniejszym stopniu. Owszem, jeśli coś jej nie pasuje, może uciec na drugi koniec świata, ale nie będzie się wykłócać.

Paweł Buszkiewicz, ciężko doświadczony w dzieciństwie i wczesnej młodości, nienawidził się wykłócać.

Mareszka jest inteligentna i żądna działania, więc kiedy on będzie orał Morze Północne, ona znajdzie sobie jakieś pożyteczne zajęcie (te bankiety na przykład), które dostarczą jej rozrywki. Nie będzie więc szukała przygód z innymi mężczyznami... miejmy nadzieję.

Jeszcze pozostaje sprawa poniekąd zasadnicza: pociąg męsko-damski. Należy się zastanowić, czy takowy istnieje.

Tu Pawłowi zrobiło się gorąco.

Kretyn. Oczywiście, że istnieje. Gdyby nie istniał, nie widziałby jej w każdej fali na morzu, na każdym wyświetlaczu w swoich urządzeniach, na każdym granitowym murze w Aberdeen!

Nie, to wszystko jest za proste. Trzeba jeszcze raz wszystko porządnie przemyśleć, żeby nie strzelić babola we własne życie. Za kilka dni leci do Szkocji na następne cztery tygodnie pływania, przemyśli sobie wszystko i dojdzie do jakichś konstruktywnych wniosków.

～

Odkąd Paweł wrócił na stare śmieci, jego ojciec coraz częściej się zamyślał. Maria przyłapywała go na tym podczas śniadań balkonowych (ostatnich pewnie w tym roku), w ciągu dnia, przy obiedzie pomiędzy zupą a drugim daniem. Początkowo bała się trochę jakichś nieporozumień między tymi dwoma – ostatecznie ich życie składało się kiedyś wyłącznie z nieporozumień – ale panowie jakoś się nie kłócili. Kiedy Mareszka przychodziła rano z zakupami, obaj byli już gotowi, wyświeżeni, pachnący, czekający na nią niecierpliwie.

Jakby nie była gosposią wynajętą za pieniądze – przeleciało jej kilkakrotnie przez myśl.

– Nie jest pani zwykłą gosposią – powiedział pan Stefan, gdy pewnego dnia coś napomknęła na ten temat. – Nie wiem, jak dla Pawła, ale dla mnie jest pani osobą ważną jak rodzina.

– Cieszę się. – Uśmiechnęła się do niego. – I z wzajemnością.

Nadchodziła jesień i może to jakoś warzyło humor starszego pana Buszkiewicza?

Marii nic humoru nie psuło. Paweł nie robił wokół siebie jakiegoś specjalnego bałaganu, nie przysparzał jej więc roboty. Poza tym, że prowadziła teraz dom dwóch panów Buszkiewiczów oraz „gościnnie" sprzątała i gotowała u Zanikającej Lucy, spotykała się często ze swoimi dwoma nowymi wspólnikami i omawiali taktyki oraz strategie. Policzyli pieniądze i okazało się, że deklarowany wkład pana Stefana jest właśnie tym, czego im brakuje. Ostatecznie postanowili zacząć od grudnia, kiedy to po adwencie zaczną się przyjęcia świąteczne, śluby i różne uroczystości rodzinne. Po olśniewającym przyjęciu u Pultoków Maria miała kilka wizytówek, które zostawili jej goście, Kazio zaś toczył różne rozmowy z ludźmi, którym parzył swoją niezrównaną kawę w hotelowym barze – i te rozmowy także przyniosły kilka wizytówek. Kampanię reklamową planowali zacząć w listopadzie, kiedy wszystko będą już mieli dopięte, firmę zarejestrowaną, spółkę zawiązaną.

Sasza Winogradow został, oczywiście, zawiadomiony o powstaniu nowej firmy. Wykazał stosowny entuzjazm i umówił się z Marią, że jakby co, to on chętnie zaśpiewa Okudżawę, Wysockiego, „Biełyje rozy" i nawet „Majteczki w kropeczki", gdyby było zapotrzebowanie. Ostatnia część deklaracji wstrząsnęła Marią do głębi.

– Jeżeli ktoś będzie chciał „Majteczki w kropeczki", to mu w życiu żadnego przyjęcia nie zrobimy – parsknęła oburzona.

Sasza pękał ze śmiechu.

– Dałaś się podpuścić, przyjaciółko – chichotał cały zadowolony. – Nie bój się, będziemy trzymać fason jak ta twoja filmowa panienka... jak jej było? Babette? Babette. No. My też jesteśmy ambitni. Nazwę dla firmy już macie?

– Nie mamy – przyznała Maria. – Jestem tym zmartwiona, ale nie mamy. Sasza, co myśmy nawymyślali, skonałbyś, gdybyś nas słyszał. Ale wszystko głupie było... – Przerwała nagle, spojrzała na Saszę roziskrzonym wzrokiem. – Sasza, jestem kretynką – złożyła samokrytykę. – Babette! Nasza firma musi się nazywać „Babette"! Jeśli ktoś się domyśli dlaczego, dostanie zniżkę pięć procent!

– Ale tylko w początkowym okresie istnienia firmy – zauważył bardzo poważnym tonem Sasza. – Bo jak już zrobicie się wściekle popularni, to wszyscy będą i tak wiedzieli... Słuchaj, mała. Śpiewam w sobotę. Żaden support. Mój własny koncert. Trzymam dla was dwa krzesełka. I miejsce na wózek, weźcie tę swoją Lucy, chętnie ją poznam.

– Sasza, ty draniu, czemu nie powiedziałeś wcześniej?!

– A bo do końca nie byłem pewien, tam się jeden sponsor wycofywał i wracał, wycofywał i wracał. Ostatecznie kierownictwo wydarło z niego pieniądze i on już nie ma ruchu, rozumiesz. Przyjdziecie do „Kany"?

– Pewnie tak. Paweł leci w niedzielę do tego swojego Aberdeen, to akurat zrobimy sobie spotkanie pożegnalne.

– A za miesiąc zrobimy powitalne. Rozumiem. Wpadnij w niedzielę też, to ci nie będzie tak smutno. Bo ja dwa razy śpiewam. Zaśpiewam twojego więźnia Bajkału. Akatuja. Cieszysz się?

– Jak nie wiem co. Sasza, a nie miałbyś dla mnie na niedzielę czterech miejsc? Zabrałabym moją geriatrię. Lilunia z Różą bardzo by chciały cię usłyszeć, od dawna głowę mi suszą. I Noel, oczywiście. O Boże, ja jednak jestem kretynka!

– A to czemu, przyjaciółko?

– Zapomnieliśmy o panu Stefanie. Sasza, nie możemy być świnie. Trzeba zabrać w sobotę pana Stefana.

Sasza jęknął.

– Kobieto, skąd ja ci wezmę tyle biletów?

– Saszeńka, jak mnie kochasz, to weźmiesz. Ja bez pana Stefana nie idę. A jak nie załatwisz wejścia geriatrii, to zrobię ci wstyd i kupię bilety!

– Jesteś jędza – poinformował ją Sasza. – Biletów nie kupisz, bo nie ma. Ale ja na niedzielę obiecałem paru osobom, to najwyżej ich zrobię w konia, niestety. Twoja geriatria może już iść do trwałej ondulacji.

⌯

Pani Róża na propozycję trwałej ondulacji tylko zaśmiała się demonicznie, natomiast pani Lila potraktowała sprawę jak najpoważniej. Wściekła rudość na jej głowie porządnie się już sprała, poza tym zbyt długie włosy wymagały obcięcia. Poszła więc na konsultacje ze starymi przyjaciółkami, fryzjerkami z teatru i wróciła do domu z włosami wspaniale obciętymi według modelu „piorun w rabarbar", w kolorze ciemnorudym ze złotymi końcówkami. Jej głowa przypominała pęk światłowodów. Nie wiadomo dlaczego, Lila wyglądała z tym świetnie. Obie z Różą były ogromnie zadowolone i swoim entuzjazmem, jak zwykle, zaraziły Noela. Wszyscy troje niezmiernie żałowali, że nie idą do teatru całą wycieczką, bardzo bowiem ciekawi byli Lucy, no i oczywiście jej mitycznego psa.

– Uważacie, że go wpuszczą do teatru? – powątpiewała Róża.

– A ona w ogóle go weźmie? – wzruszyła ramionami Lila. – W teatrze nie będzie jej wcale potrzebny. Marysia i Paweł jej pomogą. Och, przyznam wam się. Jestem ciekawa Lucy, ale jeszcze bardziej tego Pawła. Marysiu, przyznaj, dziecko ty nasze, ty do niego nic nie czujesz?

– Bardzo go lubię – zaśmiała się Maria. – A ty łakniesz romansu?

– Łaknę – przyznała Lila ochoczo. – Nudno jest ostatnio. Nic się nie dzieje. Nikt w totka nie wygrywa. Na Karaiby nie płyniemy. Nigdzie nie płyniemy. Brydż mi się znudził, remik też i kanasta też. Pultoka same załatwiłyście, to znaczy tego małego rasistę. Nie ma okazji do obywatelskiej interwencji... a może jest jakaś aferka, o której nie wiem? – Spojrzała na przyjaciół z nadzieją.

– Nie ma aferek – przyznała ze smutkiem Róża. – Musimy coś wymyślić, ale mnie na razie brakuje weny. Och!

– No proszę, nasza droga Różyczka coś wymyśliła – wtrącił Noel. – Kogo chcesz załatwić na cacy, Różyczko?

– A co ty mi imputujesz, jakie cacy? Maryś, ty już na pewno zakładasz tę swoją firmę bankietową?

– Jesteśmy po słowie z chłopakami – potwierdziła Maria, ciekawa, co stara dama ma na myśli.

– Czy jest szansa, żebyście robili przyjęcia w starych zamkach? Pałacach?

– Och, och! – wykrzyknęła tym razem Lila. – Wiem, o co ci chodzi!

– Ja też wiem – pochwalił się Noel. – Róża ma zamiar zaoferować ci się, Mareszko, jako ewentualny duch zamczyska. A Lila, jak ją znam, chętnie się dołączy. Będziesz miała dwie Białe Damy jak znalazł. Ja mogę ci służyć jako duch irlandzkiego minstrela albo coś w tym rodzaju.

– Umiesz grać na lutni? – zdziwiła się Lila.

– Na gitarze umiem, to i na lutni sobie poradzę. Mógłbym śpiewać rzewne ballady spowity dymem i kurzem stuleci. A Róża i Lilija będą pląsać i pohukiwać.

– Nie będę pohukiwać – obruszyła się Lila. – Nie jestem sową zamkową, tylko Białą Damą. Mogę co najwyżej jęczeć i wzdychać.

– Ja mogę hukać – machnęła ręką Róża. – W razie czego chętnie zagram Złą Wiedźmę albo Starą Czarownicę. Uwielbiam straszyć.

– Straszyłaś już zawodowo? – zaśmiała się Maria.

– Nie, ale wiem, że uwielbiam. Daj mi tylko okazję, a zobaczysz, jak się sprawię. Ty lepiej idź już do tego teatru, bo nie zdążysz. A masz najbliżej z nich wszystkich, hehe...

Istotnie, pora zrobiła się późna, Maria wydała więc stosowny okrzyk przerażenia, na szczęście była już ubrana „koncertowo", wskoczyła więc tylko w reprezentacyjne pantofle, psiknęła sobie za uchem najnowszym wynalazkiem Yvesa Saint Laurenta i popędziła do „Kany".

Paweł właśnie wtaczał wózek z Zanikającą Lucy do środka. Jego ojciec szedł obok, elegancki i uśmiechnięty, jednak w tym uśmiechu Maria wyczuła odrobinę smutku. Podbiegła do nich i wsunęła panu Stefanowi dłoń pod ramię. Chętnie by go pocieszyła, tylko nie wiedziała, co mogłaby mu powiedzieć. Chętnie by się też do niego przytuliła, ale to z wielu powodów nie wchodziło w ogóle w grę.

– Zostawiliście psa, jak widzę. Chyba słusznie. Niech sobie odpocznie w domu.

– Miał dzisiaj pracowity poranek – odezwała się Lucy. – Ćwiczyliśmy różne nowe zadania. Teraz ma wolne. Słuchajcie, czy to jest ten Sasza? Widziałam jego zdjęcie w Internecie...

Istotnie, był to Sasza. Sasza z dwoma słodkimi bukiecikami róż.

– Czekałem na was. Dobrze was widzieć, bo mam, kurczę, tremę, sam nie wiem dlaczego. Lucy, my się jeszcze nie znamy, ale słyszałem o tobie. Paweł opowiadał. Dawno chciałem cię poznać, tylko nie było okazji. Proszę, te kwiatki są dla ciebie.

Wręczył zarumienionej dziewczynie bukiecik róż w kolorze ciepłego bursztynu i zwrócił się do Marii. Dla niej miał róże ciemnopurpurowe. No, po prostu klasyczny Leński!

– Mareszko, a te dla ciebie. Trzymaj kciuki, będę śpiewał twoje teksty pierwszy raz dla ludzi. Dla was, dziewczyny. – Zwrócił się do pana Stefana, który dość niechętnie wypuścił dłoń Marii, żeby się z nim przywitać. – Kłaniam się panu. Dawno się nie widzieliśmy. Cieszę się, że pan przyszedł. Słuchajcie, ja muszę pryskać, te miejsca w pierwszym rzędzie są dla was, ale to już sobie sami dacie radę. Na razie...

Rzeczywiście, w pierwszym rzędzie wystawiono nawet jeden fotel, żeby mógł tam się zmieścić wózek Lucy.

Tego wieczoru Sasza przeszedł sam siebie. Niewykluczone, że wszystkie jego opiekuńcze muzy zleciały się, by fruwać nad jego czołem i dodawać mu geniuszu. W sposób bardzo ciepły i miły zadedykował Lucy „Liryczną" Wysockiego po rosyjsku i „Modlitwę" Okudżawy po rosyjsku i po polsku – przy tej ostatniej dziewczyna spłakała się rzetelnie, podobnie zresztą jak połowa widowni. Na zakończenie wieczoru zaśpiewał „Konie" w oryginale i w przekładzie Marii, po czym wyszedł i nie zgodził się już na żaden bis. Wrócił na scenę tylko raz, żeby się ukłonić, i zostawił widownię szalejącą z entuzjazmu.

– No, no – powiedział Paweł z uznaniem, kiedy czekali, aż ludzie wyjdą, a on będzie mógł spokojnie wytoczyć wózek na zewnątrz. – Nie wiedziałem, że Saszka potrafi aż tak.

– Genialny jest – oznajmiła rozpromieniona Lucy. – I to było takie boskie, że zadedykował mi „Modlitwę". Ja uwielbiam „Modlitwę". Pewnie jak wszyscy, ale dla mnie ona jest taka ważna... „Dajże nam wszystkim po trochu"... ja w sumie dużo dostaję... Nie patrzcie na mnie jak na wariatkę. Przy całej mojej chorobie. Naprawdę dużo.

⁓

– Ona chyba miała na myśli to, że Bóg czy jej własna natura, czy nie wiem co, dało jej umiejętność cieszenia się światem mimo wszystko – powiedział w zadumie pan Stefan jakieś pół godziny później.

Po koncercie ze względu na Lucy, która była dość zmęczona, nie poszli z Saszą na piwo (choć obiecali to sobie nadrobić w najbliższym czasie – i koniecznie z jej udziałem); Paweł odwiózł dziewczynę do domu, a jego ojciec i Maria postanowili wykorzystać ładny jesienny wieczór i przejść się na Zygmunta Starego piechotą. Oczywiście drogą nieco okrężną, bulwarem nadodrzańskim i Wałami Chrobrego. Odprowadziwszy Marię, pan Stefan zamierzał wrócić do własnego domu taksówką. Szli więc teraz pomału nad rzeką i podziwiali odbijające się w niej światła.

– Lucy ma charakter w nadzwyczajnym gatunku – przyznała Maria. – To jej pewnie pozwala jako tako normalnie funkcjonować. W sensie psychicznym. Ona wciąż jest silniejsza od swojej choroby.

– Nie wiem, czy ja tak dałbym radę. Pewnie bym się załamał. Kobiety są silniejsze od nas, Mareszko.

– E, to taki obiegowy pogląd z pism kobiecych. A może to wy sami wymyślacie takie teorie, żeby usprawiedliwić, jak się komu coś nie uda. Są silni ludzie i słabi ludzie, tak samo jak dobrzy i mniej dobrzy, a czy to kobiety, czy mężczyźni, to chyba nie ma specjalnie znaczenia.

– Pani też jest silna.

Maria zastanowiła się przez chwilę i skinęła głową.

– Chyba tak. I chyba mam wybujałe poczucie godności własnej.

– Poczucie godności własnej powinno być wybujałe – stwierdził stanowczo pan Stefan i oboje się roześmiali.

Wspięli się po wysokich schodach na taras wieńczący wielką rotundę i stanęli przy murze, żeby spojrzeć na port z góry, no i żeby odrobinę odetchnąć.

To jest na pewno bez sensu – pomyślała Maria, stojąc ramię w ramię z panem Stefanem w wykuszu muru otaczającego plac, na którego środku kamienny Herkules od stu lat z górą walczył z kamiennym Centaurem. Bez sensu to jest kompletnie, że tak bardzo chciałabym się teraz do niego przytulić. I tak sobie postać. Nic więcej. Ale przy nim, blisko. Facet jest pięćdziesiąt lat starszy ode mnie. Niemożliwe, żeby mnie pociągał. Ale pociąga. To wciąż jest mężczyzna. Zabawne, ale nie tak dawno uważała jeszcze, że osoby po sześćdziesiątce są generalnie na wymarciu i już niczego nie czują, a także nie potrafią wzbudzić niczyich uczuć. Teraz tak nie uważa. Trzeba iść do domu, zanim coś zrobi głupiego albo chlapnie coś, czego potem będzie żałować albo się wstydzić.

– Pójdziemy już – powiedział cicho pan Stefan, jakby czytał w jej myślach. Albo myślał podobnie.

Poszli.

❧

Następnego dnia zaczął padać deszcz i pogoda jak nigdy wpłynęła na samopoczucie Marii. Wydawało jej się, że cały świat płacze i ona też powinna popłakać, więc nawet popłakała chwilę, wykorzystując czas, kiedy Lila wraz z Różą i Noelem poszli na koncert Saszy Winogradowa. Wzięła się jednak w garść i nawet spróbowała tłumaczyć jeden ze swoich ulubionych wierszy Mandelsztama o Petersburgu (też jej się nie podobały istniejące przekłady), nic jednak z tego nie wyszło. Do poważnej pracy umysłowej trzeba mieć głowę wolną od jaskółczych niepokojów.

Towarzystwo z teatru wróciło zachwycone. Sasza, ten stary efekciarz, zadedykował tym razem Lili i Róży piosenkę o baloniku, który uciekł dziewczynce, a wrócił do staruszki. Obie panie ani myślały płakać, nadęły się za to rzetelnie jako te, dla których artysta ze sceny śpiewa SPECJALNIE!

– On jest kapitalny – oświadczyła od progu Lila. – Marysiu, a ty jesteś pewna, że on na ciebie nie leci? Dał ci wczoraj takie przepiękne róże! Czerwone róże oznaczają gorącą miłość. To już naprawdę nieważne, czy on jest Leński, czy Oniegin...

– Czy Iwan Groźny – zachichotała Róża. – Ona ma rację, Lila znaczy. Ja jestem zdania, że takich róż taki artysta nie daje bez przyczyny. Mareszka, ja ci mówię, obie ci mówimy, ty go łap.

– Noel, ratuj – mruknęła Maria.

– Nie wiem, czy dam radę w obliczu dwóch dojrzałych kobiet łaknących romansu. – Noel przewrócił oczami, co miało symbolizować jego całkowitą bezradność. – Poza tym Lila na pewno już wymyśla dla ciebie suknię ślubną, welon, a zwłaszcza uczesanie. Ona tylko marzy, żeby wreszcie zrobić pannę młodą lepszą niż w serialu „Dynastia”. Był kiedyś taki serial z życia okropnie bogatych Amerykanów...

– Uważasz, że powinnam łapać biednego Saszę?

– Ja się tam nie znam na języku kwiatów – powiedział ostrożnie Noel. – Może jednak dobrze byłoby się upewnić, że Sasza się zna i wie, co mają oznaczać czerwone róże. A tak naprawdę to ja ci nic nie poradzę, moje dziecko. Sama musisz wiedzieć, czy posłuchać rady naszych dobrych staruszek, czy nie. Nie wiem, czy chcesz artystę za męża. Lila by chciała, żebyś chciała, bo ona kocha artystów. Ale ty musisz sama kombinować. Jak dla mnie możesz jeszcze trochę pobyć panienką na wydaniu.

෴

Chyba naprawdę trzeba będzie pogonić mecenasa Lufta z tym rozwodem. Ostatnio mówiła mu wprawdzie, że jej się nie spieszy, a on wyrażał zadowolenie, bo sam miał dość sporo pracy, ale może się z nią już uporał?

Tak myślała Maria, odkurzając pokój Pawła pod jego nieobecność. Mijały dwa tygodnie od jego wyjazdu i kilka razy przyłapała się na tym, że jej go brakuje. Miło było prowadzić dom im obu, ojcu i synowi, miło było jeździć z Pawłem do Zanikającej Lucy, miło było wpadać z nim do Saszy na krótkie pogaduchy, no, w ogóle było miło, kiedy BYŁ.

Dzwonił czasami i opowiadał, ile też stopni w skali Beauforta przerabiał ostatnio na jesiennym, groźnym Morzu Północnym i jak się sprawuje statek o wdzięcznej nazwie leśnego kwiatka.

Pan Stefan, który przyznał się Marii, że nie lubi jesieni – nawet takiej pięknej, złotej, wczesnopaździernikowej – siadywał z książką w ręku, ale nie czytał i nie drzemał, tylko zamyślał się z Makaronem u stóp albo częściej obok siebie na kanapie. Śniadania na balkonie skończyły się definitywnie, choć czasem, kiedy było naprawdę ciepło i ładnie, siadali tam oboje przy małym stoliczku, żeby wypić kawę i pogadać o czymkolwiek. Pan Stefan usiłował tam również rozwiązywać krzyżówki, ale zrezygnował, kiedy wiatr porwał mu „Wyborczą" z na wpół rozwiązaną jolką i poniósł gdzieś hen, na północ, w stronę morza.

Nad tym morzem, nie Północnym, tylko Bałtyckim, Maria była kilka dni temu, w sobotę. Dzień od rana był piękny i ciepły, zupełnie jak letni – gdyby nie złoto na drzewach. Sasza zadzwonił do niej rano z propozycją wyjazdu gdzieś nad wielką wodę; uznała to za świetny pomysł. Pojechali jej samochodem, bo był o niebo sprawniejszy niż jakiś ford sprzed rewolucji październikowej, którym dysponował Sasza. Najbliżej do wielkiej wody było w Międzyzdrojach, pojechali więc do Międzyzdrojów. Zaparkowali w pobliżu bazy rybackiej i poszli nad morze. Baza była im potrzebna w dwóch sprawach: po pierwsze, spodziewali się tam zjeść dobrą, świeżą rybę, a po drugie, oboje mieli słabość do łodzi rybackich, niezależnie od tego, jak bardzo śmierdziałyby rybami. Łodzie rybackie miały w sobie coś pozytywnego i romantycznego zarazem.

Było tak ciepło, że oboje zdjęli buty i na bosaka podeszli do brzegu. Nawet woda omywająca im stopy była ciepła. Lato wróciło na chwilę, żeby Sasza Winogradow mógł wyznać miłość w dostatecznie romantycznych warunkach.

Albowiem Lila miała rację: Sasza zapragnął jechać nad morze właśnie po to.

Dla Marii było w tym coś nierzeczywistego. Stali na skraju plaży, woda szemrała to, co zwykle, a on mówił, mówił, mówił...

Tak naprawdę powiedział trzy zdania. W tym momencie jednak Maria odbierała wszystko jak na zwolnionym filmie.

W końcu Sasza przestał mówić i zapadła cisza. Nawet fale wzięły oddech i zastygły na chwilę, żeby Maria mogła powiedzieć – „tak".

– Saszeńka – powiedziała ciepło. – Nie kocham cię. Uwielbiam cię, ale nie kocham. Jesteś prawdziwym przyjacielem, jesteś kochanym człowiekiem, jesteś wielkim artystą i ja cię naprawdę uwielbiam.

– Ale mnie nie kochasz – uzupełnił Sasza nieco zdziwionym tonem.

– No nie.

– Dlaczego? – spytał Sasza bez sensu.

– Nie wiem, Saszeńka. Powinnam cię kochać, bo jesteś tego wart. Absolutnie.

– A ty nic?...

– Nic.

Sasza westchnął i zrobił dużym palcem lewej nogi dołek w mokrym piasku. Nadeszła mała falka i zalała dołek.

– I co teraz?

– Chodźmy na rybkę.

Sasza westchnął po raz kolejny i wyszedł z wody.

– No to chodźmy.

Poszli do smażalni „Złota Wydma" i zamówili każde po okazałej porcji bałtyckiego łososia zwanego również trocią. Był znakomity. Maria miała nadzieję, że pomoże to Saszy choć trochę znieść smak arbuza, którym go właśnie poczęstowała.

– Ale nie wyszedłem na idiotę? – upewnił się w drodze powrotnej.

– A skąd. Przecież ja chyba też jestem warta twojej miłości.

– Bezwarunkowo. Paweł też cię kocha.

Maria omal nie zjechała do rowu.

– Co?!

– Dlatego chciałem ci to powiedzieć przed nim.

– Mówił ci?

– Mówił. Raz. Ale był nietrzeźwy. Obaj byliśmy nietrzeźwi.

– To może miałeś zwidy?

– Nie, nie, zwidy nie. Na pewno mi to powiedział.

– A ty jemu? Też powiedziałeś?

– Jasne. Przecież jesteśmy przyjaciółmi.

– Matko moja!

– No właśnie.

– Dlaczego mi o tym mówisz?

– Bo on może ci nie powiedzieć. Tatunio wyrobił w nim organiczny sprzeciw na hasło „rodzina, małżeństwo, oświadczyny, kobieta, żona".

– O Boże.

– A ty? Kochasz go?

– Sasza...

– No dobrze, to nie moja sprawa. Przepraszam.

Pomilczał chwilkę.

– Mareszko... a nie przełożyłabyś mi „Mojej cygańskiej" Wysockiego?...

∾

– Jesteś bez humoru – stwierdziła Zanikająca Lucy, kiedy Maria przyszła posprzątać i ugotować obiad na dwa dni. – Udajesz, że go masz, ale go nie masz.

– A ty skąd wiesz?

Maria wyłożyła na stół kuchenny ogromną kapustę i inne ingrediencje niezbędne do przyrządzenia gołąbków. Zamierzała zrobić ich jakąś straszną ilość, żeby leżały sobie spokojnie w zamrażalniku, gotowe do odmrożenia i spożycia w dowolnej chwili. Poprzednim razem nalepiła trzysta pierogów z nadzieniami różnymi. Przy takich robotach głupiego jak zwijanie gołąbków albo lepienie pierogów doskonale jej się myślało. A odczuwała właśnie potrzebę sporządzenia bilansu zysków i strat życiowych w przeddzień nowych wyzwań, czyli uruchomienia własnej firmy. Własnej w jednej czwartej, bowiem, pomimo sugestii pana Stefana, uznała, że nieprzyzwoicie byłoby nie przyjąć do spółki Kazia i Kevina. Układała więc sobie ten bilans i układała, wciąż na nowo i na nowo, po raz kolejny spisywała Aleksa na straty, po tej samej stronie umieszczając pracę na uniwersytecie, doktorat, małżeństwo i mieszkanie w lofcie pod Żyrardowem. Strona zysków była o wiele bogatsza, zwłaszcza w tak zwane zasoby ludzkie. Umieściła tam swoją wciąż jeszcze formalnie nie byłą teściową, Olgę (dzwoniły do siebie czasami i plotkowały mile), oczywiście Jacka (ostatnio donosił coś o jakiejś niebywale atrakcyjnej przełożonej pielęgniarek... zupełnie jak w serialu „Na dobre i na złe"), następnie cudowne towarzystwo geriatryczne w osobach Lili, Róży i Noela, potem chronologicznie: Saszę, pana Stefana, Pawła, Lucy, Kazia z Kevinem. Nowy zawód też tam dopisała. Nową firmę, którą już zarejestrowali w stosownym urzędzie. „BABETTE – uczty, bankiety, przyjęcia, catering" – tak brzmiała oficjalna nazwa.

Bilans wypadał zdecydowanie na plus.

A jednak Lucy miała rację – jakaś nieuchwytna, jesienna mgiełka spowijała jej duszę, uniemożliwiając należyte cieszenie się światem.

– Mnie się też tak zdarza – przyznała Lucy. – Zwłaszcza kiedy jestem chora. Bardziej chora – wyjaśniła Marii, która już zdążyła sobie pomyśleć, że przecież jej przyjaciółka jest chora bez przerwy. – Jesteś pewna, że nie masz grypy? Albo że ci się angina nie wykluwa?

– Mam nadzieję, że nic mi się nie wykluwa – mruknęła Maria. – To chyba dlatego, że idzie jesień. Na razie jest jeszcze ładnie, ale liście już lecą i za chwilę drzewa będą gołe i smutne.

– No tak – pokiwała głową Lucy. – Idą przemiany, nowe rozstrzygnięcia, Kora schodzi do podziemi, Persefona znaczy...

– „Weź z dłoni moich, niech ci radość niesie, troszeczkę słońca i troszeczkę miodu, jak nam kazały pszczoły Persefony"... znasz to?

– Jasne. To Mandelsztam. Ale to wiersz na wiosnę. Na teraz jest inny.

Poprawiła się na wózku i wyrecytowała:

– „Psyche-życie, gdy schodzi między cienie blade, lasem, w półblasku dążąc w ślad za Persefoną, oślepiona jaskółka do nóg jej przypada ze styksową czułością i wicią zieloną"...*

– Natychmiast przestań gadać o Styksie. – Maria wycelowała w jej stronę palec upaprany nadzieniem do gołąbków. – Bo będziesz sama jedną rączką zwijać kapustę, a ja będę siedzieć pod stołem i szlochać! Ferdi, ugryź panią!

Ferdynand przestąpił z jednej biszkoptowej łapy na drugą biszkoptową łapę i zamerdał ogonem. „Nie znam takiego polecenia" – mówiły psie oczy i szeroki uśmiech na miękkim pysku.

– Patrz, podstawowych rzeczy nie wie, musisz go douczyć. Sasza mi się oświadczył, wiesz?

Lucy niemal podskoczyła na swoim wózku, zapomniała o smutnych wierszach genialnego poety i zażądała szczegółowego sprawozdania z oświadczyn. Maria opowiedziała, jak to było nad morzem, nie szczędząc ani Saszy, ani sobie żartobliwych uwag. Lucy śmiała się serdecznie, więc Ferdi uznał, że jest dobrze, i przewrócił się kołami do góry obok jej wózka. Maria pozwoliła mu oblizać palec, musiała więc umyć ręce, zanim przystąpiła do dalszych czynności kucharskich.

– Tylko się nie zdradź, że wiesz – przykazała roześmianej wciąż Lucy. – Nieładnie jest naigrawać się z cudzych uczuć. Ale my się przecież dobrotliwie śmiejemy, nie?

– Oczywiście. A ty powiedz, Mareszka, przestałaś kochać swojego męża, a teraz co?

---

* Osip Mandelsztam w przekładach Seweryna Pollaka i Artura Międzyrzeckiego

– A teraz nic – odpowiedziała Maria beztrosko i kłamliwie. Nikomu nie potrafiłaby się zwierzyć z uczucia do starszego pana. Sama nie wiedziała, czy może je nazwać miłością, nazywała je więc po prostu uczuciem. „Uczucie" to pojemne określenie.

Lucy jednak chodziło o kogoś zupełnie innego.

– Myślałaś o Pawle?

– „Gdy cię nie widzę, nie wzdycham, nie płaczę, nie tracę zmysłów, kiedy cię zobaczę"... – Maria poleciała tym razem Mickiewiczem (niektórzy powiedzieliby, że Grechutą). – Rozumiesz, jak to jest. Teraz go nie ma, a ja wolałabym, żeby był. Ale generalnie... sama nie wiem.

Opowiadając o wycieczce nad morze, pominęła moment, kiedy Sasza informował ją o zeznaniach Pawła w stanie nietrzeźwym.

– Wiesz co, Lucy? Trzeba poczekać na wiosnę. Wiosną zawsze wszystko się wyjaśnia. A przynajmniej robi się łatwiejsze. Albo wiesz, jak skończę te gołąbki, to jeszcze zrobię wam do zamrożenia tysiąc małych krokiecików z nadziankiem. Może wtedy uda mi się coś mądrego wymyślić. I podjąć jakąś decyzję.

Lucy, nic nie mówiąc, skinęła jasną głową. Tak. Do podjęcia pewnych decyzji potrzebny jest solidny namysł. Albo tysiąc krokiecików, albo – czekajmy na wiosnę...

❧

Nie zawsze nasze najmądrzejsze nawet maksymy sprawdzają się w praktyce. Zanim Maria zrobiła tysiąc krokiecików, a tym bardziej zanim nadeszła wiosna, okazało się, że ktoś już myśli i podejmuje decyzje.

Kiedy na dzień przed powrotem Pawła przyszła na Rugiańską, ku swemu najwyższemu zdumieniu zastała w przedpokoju podróżną walizeczkę pana Stefana, najwyraźniej spakowaną i gotową do drogi. On sam siedział na kanapie z nieodłącznym Makaronem u stóp, jak zwykle elegancki i pachnący wodą Paco Rabanne dla mężczyzn.

Maria znieruchomiała w drzwiach z torbami pełnymi bagietek, świeżego masła i zieleniny. Chciała coś powiedzieć, wyrazić zdziwienie, ale słowa nie przychodziły jej do głowy, a gdyby nawet przyszły, zapewne nie przeszłyby przez gardło. Pan Stefan podszedł do niej spokojnie, wziął z jej rąk torby, zaniósł do kuchni, po czym pomógł jej zdjąć płaszcz i powiesił go na wieszaku w przedpokoju. Dało to jakiś czas na zebranie myśli.

– Wyjeżdża pan?

– Tak, ale najpierw zjemy śniadanie. To będzie ostatnie takie śniadanie, Mareszko. Tylko pani i ja. Czemu pani ma takie przerażone oczy?

Domyślił się i zaczął śmiać.

– Mareszko, Mareszko, ma pani zanadto bujną wyobraźnię. Nie spakowałem się do szpitala, nie mam raka ani żadnej innej takiej cholery! Jestem zdrowy na ciele, bo na umyśle, to już nie jestem pewien. Zaraz pani wszystko wytłumaczę. Boże, wystraszyłem panią, jestem idiotą!

Maria opadła bez sił na kanapę i też zaczęła się śmiać, chociaż miała ochotę się rozpłakać.

– Przepraszam – powiedziała. – Już robię śniadanie.

– Niech pani nie cuduje, zależy mi na czasie. Niech pani da na kuchenny stół bułki i masło, i te pomidorki, zrobimy sobie piknik i będziemy jeść palcami.

Zrobiła, jak chciał. Po chwili siedzieli oboje przy stole zawalonym jedzeniem i robili sobie byle jakie kanapki. Pan Stefan śmiał się i żartował, a Maria, pozbywszy się strachu, śmiała się razem z nim i cieszyła, że znowu jest tak jak dawniej.

– Nie powiem pani, dokąd się wybieram, aż dopiero przy kawie – oświadczył. – Nie mogę składać ważnych oświadczeń w takim bajzlu. O, przepraszam panią za wyrażenie. *Ah, quel wyrażans*, jak mawiała moja babcia.

Kawę Maria podała w salonie. Dołożyła ciasteczka i usiadła za stołem, czekając na owe ważne oświadczenia.

– Umówimy się teraz – powiedział pan Stefan, siadając naprzeciwko niej – że ja będę mówił, a pani będzie słuchała. Wyłącznie. Jak wszystko powiem, będzie pani wiedziała dlaczego.

– Już się boję – mruknęła, ale kiwnęła głową na znak zgody.

– To ja zaczynam. Mareszko, dziewczyno. Nie mogę się zbytnio rozgadywać, bo mam cholernie daleką drogę przed sobą, więc będzie w skrócie. Przez ostatnie kilka miesięcy była pani moim promykiem słońca. Jestem tylko cholernym egoistą, postanowiłem więc wziąć sobie ten promyk słońca, choć nie za bardzo miałem do tego prawo. Zakochałem się w pani. Nie mam tu zamiaru składać żadnych idiotycznych samokrytyk. Nie będę mówił „ja, stary grzyb, nie powinienem", ani nic takiego. Nie będę się starał tego w żaden sposób umniejszać. Zakochałem się w pani jak normalny facet. Proszę nie komentować! Podarowałem sobie całe to lato i byłem szczęśliwy. I to w zasadzie wszystko. Mogłem pani tego w ogóle nie mówić, ale chciałem, żeby pani wiedziała. A teraz przyszła jesień i wszyscy grzecznie wracamy do rzeczywistości. Mam na myśli moją żonę, Anielę. Nie mogę jej zostawić w tym domu starców, choćby się nie wiem jak nazywał. Póki było lato, dłubała sobie w ogródku i może nawet zdawało jej się, że tego właśnie chciała. Nie wierzę, żeby zimą w jakimś zadupiu na Mazurach było jej dobrze. Poczyniłem pewne kroki i udało mi się znaleźć na Warszewie mały dom, którego właściciel dorobił się jak głupi i właśnie buduje sobie zamek z fosą i donżonem. I diabli wiedzą, z czym jeszcze. Kupiłem dla niej ten domek, jeśli będzie chciała, możemy tam się przenieść od razu.

– A pańskie widoki na port? – wtrąciła oszołomiona.

Uśmiechnął się chytrze.

– Ten domek jest na Warszewie. Na górce. Widoki mam z niego prawie takie, jak i stąd. No właśnie. Widoki razem z mieszkaniem zostawiam Pawłowi.

Przerwał na moment i zbierał myśli.

– Mareszko – podjął. – I tu jest właśnie to najważniejsze. Uważam, że mój syn, idąc za światłym przykładem własnego ojca, również jest w pani zakochany. Nie jest wykluczone, że nigdy pani o tym nie powie, żeby mi zrobić na złość. Niech pani nie kręci głową, ja wiem, jak wygląda zakochany Buszkiewicz.

– Chcę wreszcie coś powiedzieć...

– Mowy nie ma. Mareszko, chciałem jeszcze zapewnić, że dopóki pani nie stanie na własnych nogach z tą „Ucztą Babette", nasza umowa co do prowadzenia mieszkania jest jak najbardziej aktualna...

– Panie Stefanie, ja nie jestem pańską rodziną, którą pan skutecznie terroryzował... Chcę coś powiedzieć i powiem...

– Nie.

– Ja też pana pokochałam. Normalnie, jak faceta.

Zapadło milczenie.

– Bałem się to usłyszeć. Chciałem i bałem się.

Milczała.

– To był najpiękniejszy sen w moim życiu, Mareszko – powiedział pan Stefan miękko i wstał. Nie ruszyła się z miejsca. – A teraz niech mi pani życzy szerokiej drogi.

– Szerokiej drogi.

– Makaron! Daj pani całuska i jedziemy.

– Zabiera pan Makarona?

– Nie mogłoby być inaczej. Umarłby beze mnie. Aniela musi się z nim pogodzić, zresztą on już mniej śmierdzi. Do widzenia, Mareszko.

Dobiegła do niego już przy drzwiach. Po prostu musiała się do niego przytulić. Nic więcej. Przygarnął ją do siebie, postali tak przez chwilę i pierwszy odsunął się od niej. Bez słowa otworzył drzwi i wyszedł, a za nim zachwycony Makaron.

Maria poszła na balkon. Widziała z góry, jak wsiadają do omegi i wyjeżdżają z parkingu.

Wróciła do pokoju i machinalnie wzięła się do sprzątania ze stołu.

Oczywiście, że pan Stefan miał rację. To jedyne, co mógł zrobić. Może był kłótliwy i despotyczny, ale na pewno był mądry. Każde inne wyjście po prostu musiałoby się okazać niedobre.

Nie było jej smutno. Nie miała ochoty płakać. Czuła się dziwnie. Trochę tak jak wtedy z Saszą nad morzem – wszystko wydawało się jakieś większe, powietrze bardziej przejrzyste, głosy dobiegające z ulicy wyraźniejsze. Jak gdyby poruszała się w jakimś wielkim akwarium. Nie było to przykre. Tylko trochę nierzeczywiste.

Posprzątała pozostałości zakupów zawalających stół w kuchni i postanowiła jednak zrobić dzisiaj obiad w tym domu. Sama dla siebie. Czuła się zaproszona.

Posprzątała również bałagan, którego narobił pan Stefan, szykując się do podróży. Ugotowała lekką zupę jarzynową, usmażyła kotlecik cielęcy, doprawiła sałatę. Najchętniej zjadłaby to na balkonie, ale było za chłodno. Duży stół w salonie stał zresztą przy oknie i widoki były z niego równie dobre jak z balkonu.

Ściemniało się. W zasadzie mogłaby już iść do domu, ale wolała zostać tu jeszcze chwilę. Zapaliła lampy. Zrobiła sobie kawę i zgasiła lampy. Resztki dziennego światła wystarczały, by ją wypić.

Zadzwonił telefon. Serce jej skoczyło, ale nie był to pan Stefan. Był to mecenas Luft.

– Witam panią, pani Mario – powiedział swoim głębokim głosem. – Czy ma pani dla mnie pięć minut?

– Mam. Skończyłam pracę i kawę sobie piję.

– Bardzo się cieszę. Droga pani Mario, nie podziękowałem pani jeszcze, a wyświadczyła mi pani bardzo cenną przysługę.

– Ja? – W pierwszej chwili nie zrozumiała. – Ach!

– Ach, właśnie. Więc jednak nie wydawało mi się, pani wtedy specjalnie powiedziała, co powiedziała. Być może pozwoliło mi to uniknąć bardzo poważnych nieprzyjemności. Jestem pani dłużnikiem.

– Ale gdzie tam...

– Oczywiście, że jestem. Pani Mario, zwykłem spłacać swoje długi. Ponieważ pozwoliła mi pani robić, co uważam za stosowne, wykonałem kilka posunięć. Przede wszystkim widziałem się z pani małżonkiem, panem Aleksem Strachocińskim.

– Był pan w Żyrardowie?

– Nie, spotkaliśmy się w Warszawie. Uświadomiłem panu Strachocińskiemu, jaka jest jego sytuacja, opowiedziałem o rozmowie, jaką odbyłem również z panem doktorem Brudzyńskim, bo odbyłem takową...

– Był pan w Jeleniej Górze?

– Skoczyłem przy okazji w góry na moment, bardzo lubię wędrować... W każdym razie pan Strachociński uznał w całości słuszność żądań, które przedstawiłem mu w pani imieniu...

– Ja tylko chciałam się rozwieść!

– Proszę posłuchać. Pan Strachociński oczywiście zgadza się na rozwód, poza tym dokonaliśmy wstępnego oszacowania wartości mieszkania pod Żyrardowem i wszystkiego, co zostało zakupione podczas państwa związku małżeńskiego. Ma pani prawo do połowy tych dóbr. Pan Strachociński spłaci panią.

– Panie mecenasie, ależ mówiłam, że sama sobie zapłaciłam!

– Pani Mario, ale cóż poradzimy na wyrzuty sumienia, jakie wzbudziły się w panu Strachocińskim?

– Same się wzbudziły?!

– Ależ oczywiście. Pani Mario, nie należy gardzić pieniędzmi, które słusznie się pani należą. Czy dobrze myślę, że zamierza pani założyć własną firmę?

– Skąd pan to wie?

– Jak to, pół Szczecina już wie. Moja żona ma zamiar pierwsza urządzić sobie bal przy pani pomocy... jeśli oczywiście pani się zgodzi. Domowy sylwester. Czy możemy wstępnie zaklepać? Firma posiada już nazwę?

– „Babette"...

– Oo, znakomicie. Doskonałe skojarzenia. A zatem, pani Mario, będzie pani miała fundusze na piękną zastawę, bo powinna pani mieć własną, na kieliszki do tej Wdowy Clicquot, którą piliśmy u państwa Pultoków, na haftowane serwetki i srebrne sztućce...

– Może pan ma rację, panie mecenasie...

– Naturalnie, że mam. Uważam więc sprawę za ostatecznie, za przeproszeniem, przyklepaną. Spotkamy się niebawem i omówimy szczegóły. Chciałem dzisiaj tylko ogólnie zorientować panią w sytuacji.

– Jestem wstrząśnięta.

– Ależ skąd. To wszystko się pani należy. Pani Mario, miło mi było usłyszeć panią. Całuję rączki.

– Dziękuję, panie mecenasie. Do zobaczenia.

– To ja dziękuję. Kłaniam się nisko.

Tu mecenas Maurycy Luft poczekał, jako człowiek dobrze wychowany, aż Maria pierwsza przerwie połączenie.

No proszę. Aleks i wyrzuty sumienia... Pan mecenas jest zdolnym człowiekiem. No i chyba rzeczywiście ma rację. Aleks uznałby ją za kretynkę, gdyby teraz zrezygnowała z tego, co jej się, jak słusznie mecenas powiedział, należy...

Pomyślała przez chwilę o firmie „Babette", a potem przestała myśleć o zarabianiu pieniędzy.

Poszła do sypialni pana Stefana i otworzyła szafę z ubraniami. Chwilę powdychała nikły zapach Paco Rabanne dla mężczyzn. Poprawiła krawaty, żeby wisiały równo, i zamknęła szafę.

A więc definitywny koniec z Aleksem.

Oraz definitywny koniec marzeń o panu Stefanie.

Od początku wiedziała, że są kompletnie abstrakcyjne, ale były silniejsze od niej.

Teraz jakby ta ich siła powoli ustępowała.

Świat wokół niej wracał spokojnie do rzeczywistości, otoczenie stawało się zwyczajne.

Zapaliła światła, bo już zmrok całkiem zapadł, usiadła w fotelu i wpatrzyła się w wiszące na ścianie powiększone zdjęcie chłopaka podobnego do Pawła, ale w mundurze wojskowym i czaku lwowskiego Korpusu Kadetów. Obok wisiało inne – młodego człowieka obok wielkiej lokomotywy. I on był podobny do Pawła jak dwie krople wody.

Jeśli ojciec z przeszłości tak bardzo przypomina dzisiejszego syna, to chyba znaczy, że za jakiś czas syn zacznie przypominać ojca w starszym wieku?...

To doprawdy optymistyczne.

Sięgnęła po komórkę i zawiadomiła Lilę, że dzisiaj nocuje w mieście, niech się nie denerwuje niepotrzebnie.

Wzięła sobie z barku kieliszek białego wina i przeszła z nim tym razem do pokoju Pawła. Tutaj też unosił się leciutki zapach wody Paco Rabanne dla mężczyzn. Mają podobne gusta... Usiadła na łóżku i wypiła odrobinę wina. Co też oni jej o Pawle opowiadali... obaj, Sasza nad morzem i pan Stefan dzisiaj... Gdyby mówił to jeden, ale obaj...

Och, kiedyś się okaże, czy mieli rację. Kiedyś... nie spieszy się.

Tak czy inaczej – jutro Paweł przyjeżdża.

Odstawiła wino na nocny stolik i ułożyła się wygodnie na miękkim pledzie, którym łóżko było przykryte. Spojrzała w górę. Na suficie wymalowane było sprejem czerwone serduszko przebite strzałą.

No proszę... jaki pomysłowy. Prawdopodobnie panienki, które tu przyprowadzał, były zachwycone, kiedy już je zauważyły.

Stop. Przecież kilka dni przed jego wyjazdem odkurzała bardzo porządnie pokój, zmieniała zasłony w oknie – musiałaby zauważyć serduszko. Chyba więc pojawiło się tu niedawno. Namalował je tuż przed wyjazdem? Po co?

Uśmiechnęła się. Było jej dobrze. Świat otwierał przed nią nieograniczone możliwości.

No i Paweł jutro przyjeżdża.

Cóż, będzie tu na niego czekać – ze śniadaniem...

KONIEC!!!